WRAAKGODIN

Julie Parsons

WRAAKGODIN

the house of books

Oorspronkelijke titel
Eager to please
Uitgave
Town House and Country House, Dublin
Copyright © 2000 by Julie Parsons
Copyright voor het Nederlandse taalgebied © 2001 by The House of Books,
Vianen/Antwerpen

Vertaling
Annemarie Verbeek
Omslagontwerp
Marry van Baar
Omslagdia
Image Store
Foto auteur
Klaas Koppe

ISBN 90 443 0330 9
D/2001/8899/154
NUGI 331

Voor John,
voor altijd en eeuwig

Dankbetuiging

Mijn bijzondere dank aan:

John Lonergan, directeur van de Mountjoy-gevangenis; de bewaarsters, leraren en vrouwen die ik gesproken heb in de vrouwengevangenis; de psychologen en reclasseringsambtenaren die hun ideeën met me gedeeld hebben; Donald Taylor Black en Veronica O'Mara van Poolbeg Productions; Mavis Arnold; Bernard Condon BL en dr. Kevin Strong; Gillian Hackett en Alistair Rumbold van de Irish National Sailing School; Peter Harvey van de *Liverpool Echo*; Sue Colley en John Stafford, Forest Enterprise, Kent. Alison Dye voor haar wijsheid, medeleven en gevoel voor humor. Renate Ahrens-Kramer, Sheila Barrett, Catherine Phil McCarthy, Cecilia McGovern en Joan O'Neill voor hun opbouwende kritiek, gezond verstand en vriendschap. Treasa Coady, Suzanne Baboneau, Beverley Cousins, Alice Mayhew en Nina Salter voor hun kennis, ervaring en geweldige steun.

Het begin

Ze herinnerde zich hoe ze de gevangenis voor het eerst zag. Door het gaas dat voor de raampjes zat van de bus waarin ze haar die dag, al die jaren geleden, er vanaf de Four Courts heen reden. Het was winter. Laat in de middag, begin van de avond. Spitsuur in Dublin. Het was donker. Of liever gezegd, het hoorde donker te zijn. In plaats daarvan was er overal licht. Felle witte lichtbundels beschenen het asfalt toen de bus bij de poort stopte, zodat ze naar buiten kon kijken en het hoge kruis en de grafstenen in het ongemaaide gras kon zien.

Wat is dat? vroeg ze aan de gevangenbewaarster.

De lange, forse vrouw haalde haar schouders op en zei: *Kevin Barry. Monument voor hem.*

Wie? Ze pijnigde haar hersenen. *Wie?*

Je weet wel, Kevin Barry, de held van de Onafhankelijkheidsoorlog. Hij is hier opgehangen, samen met nog een stel anderen. Bij die muur.

Ze wilde opstaan om beter te kunnen kijken, maar de gevangenbewaarster gaf een ruk aan de ketting die hen met de polsen aan elkaar verbonden hield.

Hé, wat doe jij nou? Ga zitten en gedraag je.

Er werd gegniffeld in de bus. Ze keek naar hen, de andere vrouwen die de korte rit van de rechtbank naar de gevangenis maakten. Ze had geprobeerd een beetje bij hen vandaan te gaan zitten, om een afstand te creëren tussen hun trainingspakken en sportschoenen en haar nette zwarte rok en jasje, om de rook van hun sigaretten die tussen hun lippen en getatoeëerde vingers bungelden uit haar neus en ogen te houden. Maar er was geen afstand in de bus, geen manier om haar en haar schande van hen gescheiden te houden.

En toen begon de bus weer te rijden, door de hoge metalen poort, langs het hoge stenen gebouw dat op een kerk leek, het groepje portacabins ernaast, op weg naar de metalen kooi die rond de ingang stond. Terwijl ze zich dit alles herinnerde, bedacht ze dat het interessant was hoe snel ze aan het metaal gewend was geraakt. Het was overal. Staal, nam ze aan. Een smeedbare legering van ijzer en koolstof, was de omschrijving in haar architectuurboeken; kon in veel verschillende maten van hardheid worden gefabriceerd. Kon niet roesten. Mooi ook wanneer het samen met glas werd gebruikt, zoals haar helden, Le Corbusier en Frank Lloyd Wright, het toegepast hadden. Om paleizen van licht en ruimte te creëren. Lelijk nu, in dit huis van bewaring, waar je het niet los kon trekken om als aanvals- of verdedigingswapen te gebruiken. Interessant ook hoe ze zich aan al die harde oppervlakken had aangepast. De betegelde vloeren, de tralies voor het raam, de rechte stoelen, de houten deuren, acht centimeter dik, versierd met sloten en kijkgaten. Zelfs de isoleer, zoals de gecapitonneerde isoleercel werd genoemd, was niet zacht. De muren en vloeren bedekt met hard rubber. Niets waarmee ze zichzelf, of iemand anders, iets kon aandoen, die eerste nacht. Nadat ze haar kleren hadden meegenomen en haar haar gevangenistenue hadden aangereikt – een schone beha en slip, alsof ze die nodig had. Een trainingspak, alsof ze er ooit een droeg. Een nachthemd en een ochtendjas, alsof ze er zelf geen had, thuis, op haar bed, haar eigen bed, waarin ze gehoopt had die nacht te slapen.

Waarin ze gehoopt had die nacht te slapen. Waarvan ze zo zeker was geweest dat ze ernaar terug zou keren. Dat de jury haar aan het eind van het proces zou geloven. Dat ze niet had gedaan wat de officier van justitie zei. Dat ze niet het jachtgeweer had gepakt en hem had neergeschoten, in eerste instantie in de rechterdij, waarbij de dijbeenslagader geraakt werd, zodat zijn bloed eruit spoot. En dat ze, toen hij gilde en wankelde en achteroverviel, niet opnieuw op hem schoot, ditmaal in het kruis, waarbij zijn geslachtsdelen uiteengereten werden, zodat er nog veel meer bloed kwam, dat in kleine, traanvormige druppeltjes op haar kleding terechtkwam. En enkele juryleden, twee, om precies te zijn, geloofden háár en niet hen. Een van de vrouwen, ouder, bleek, huilde toen de voorzitter opstond en het oordeel uitsprak.

Wat is uw uitspraak betreffende de verdachte Rachel Kath-

leen Beckett? Is zij schuldig of onschuldig aan de moord op Martin Anthony Beckett?

Schuldig, edelachtbare, met een meerderheid van tien stemmen tegen twee.

En het vonnis?

De rechter met de hangwangen en het rode gezicht boog zich voorover.

Ik heb geen keuze in dit geval. Wanneer de uitspraak schuldig aan moord is, staat er volgens de wet levenslange gevangenisstraf op. En dat leg ik u op, Rachel Kathleen Beckett.

Leven of dood? Wat begon en wat eindigde op die koude middag in november, twaalf jaar geleden? Ze was er nog steeds niet achter.

Formulier P30. Zo heette het, dat stijve stuk karton dat in een gleuf aan de buitenkant van haar celdeur zat. Iedereen had er een. Er stonden registratienummer, naam en godsdienst op. Er stond op wanneer de misdaad was gepleegd en wat het vonnis was. En er stonden bijzonderheden op over ontslag, wanneer de straf erop zat en de vroegst mogelijke datum van vrijlating, met een hokje ernaast voor de dag, de maand en het jaar. Bij de andere vrouwen, degenen die geen levenslang hadden, stonden er getallen in de hokjes. Maar bij haar niet. Haar hokjes waren leeg. Ze stond op en keek naar het stuk karton, raakte het met haar hand aan, trok het uit de gleuf en scheurde het in kleine stukjes die ze in de broekzak van haar spijkerbroek propte. Achter haar hoorde ze het gelach, de pesterijen, de beledigingen, en de schreeuw van de gevangenbewaarster die ze zich uit de bus herinnerde.

Waar ben jij mee bezig? Wie denk je wel dat je bent? Ze pakte haar bij de arm, trok haar het kantoor binnen, pakte de stukjes karton uit haar zak en zei: *Hier, mevrouw de barones. Jij denkt dat je heel wat bent, hè? Dat je kunt doen wat je wilt met eigendommen van de gevangenis. Nou, denk daar nog maar eens even over na terwijl je alles weer aan elkaar plakt.*

Ze gaf haar een rol plakband en liet haar in het benauwde kantoortje achter tot de legpuzzel weer in elkaar zat en duwde haar toen de galerij weer op. De vrouwen stonden aan weerszijden, klappend en juichend terwijl ze de eerste trap naar haar cel opliep. Ze pakte het stuk karton en stopte het terug. En sloeg haar ogen neer en wendde haar gezicht af terwijl de cipier,

Macken, zo heette ze, zo hard zei dat iedereen het kon horen: *Ik zou die hersens en die opleiding van je maar eens gebruiken, Beckett, om te bedenken hoe je het ons het best naar de zin kunt maken. Ik raad je aan om verdomd goed je best te doen het mij naar de zin te maken, Beckett, anders gaat dat levenslang van jou een stuk langer worden dan dat van iemand anders. Hoor je me goed? Ben ik duidelijk?*

Duwde haar de cel in, liep haar achterna en zei: *Gek, hè, hoe dat met de tijd zit? Op dit moment staat hij voor jou stil. De wijzers van de klok staan volledig stil. En dat blijven ze doen tot jij iets aan je houding doet. Heb je dat begrepen? Heb je dat heel goed begrepen?*

Daar had ze gelijk in, Macken het kreng, zoals ze in de meeste gevallen gelijk had. Het was zo lang geleden, haar eerste dag en eerste nacht. Haar eerste week, maand, jaar. Zolang tot Kerstmis, Pasen, nieuwjaar. Zolang dat de verjaardag van Amy, haar dochter, bijna onopgemerkt voorbijging. En Martins sterfdag. Terwijl ze alleen maar in haar cel wilde blijven, haar gezicht naar de muur keren en huilen. Omdat ze hem miste, omdat ze van hem gehouden had. Omdat ze hem en al het andere verloren had.

Ze herinnerde zich niet veel van dat jaar, of van het jaar erna, of het jaar daarna. Het verstrijken van de tijd had geen enkele betekenis meer voor haar. Het enige wat iets betekende waren de stemming, de sfeer, de gevoelens om haar heen. Soms waren ze goed. Meestal waren ze slecht. Hoe zat dat toch, vroeg ze zich af, die golven van spanning die over de galerijen spoelden, die de vrouwen met zich meesleepten? Ze keek hoe ze voor de een of andere cel samenschoolden, hoe gebogen gestalten vorm kregen in de uiterste hoek van de luchtplaats, in de wasruimte in het souterrain of in de douches. Ze keken naar haar wanneer ze eraan kwam, soms lachend, soms grapjes makend, hun gezichten levendig van een innerlijke vreugde die haar angst aanjoeg omdat die zo overdreven was. Op andere momenten keerden ze zich tegen haar en stonden klaar met hun vuisten en voeten. En hun naalden. Al waren ze veel te voorzichtig met hun kostbare prikkers om ze te verspillen aan een buitenstaanster als zij. Een buitenstaanster? Amper. Niet zolang ze iedere nacht achter een gesloten deur sliep. Zolang ze iedere ochtend wakker werd van het geluid van een sleutel. Zolang haar gevangenisstraf voor haar ogen dreef als een stuk zeewier dat midden op de oceaan lag te dobberen, wanneer ze in het donker in bed lag en zich probeerde voor te stellen dat ze op zee was. Voelde hoe de golven van de Atlantische Oceaan op en neer gingen. Hoorde hoe het water onder de kiel door stroomde, de wind in haar gezicht, de onverhoedse kramp in haar maag terwijl de boot plotseling helde en ze het gevoel had dat ze ging vallen, met haar hoofd naar voren door het witte water, het groene water, de duisternis in van het diepe vanwaar er geen mogelijkheid naar boven was. Geen uitweg. Niet nu. Niet voor haar.

De Buitenwereld. Hoe zou het nu in vredesnaam zijn, na al die jaren vastgezeten te hebben? Ze herinnerde zich hoe ze in het begin zo dicht mogelijk bij de cipiers probeerde te gaan staan, zodat ze de frisheid die ze iedere dag met zich meebrachten kon opsnuiven. Ze probeerde hun te vragen hoe het buiten was, voorbij de omringende stenen muren die zelfs de felste kleur deden verbleken. Regende het, scheen de zon, uit welke richting kwam de wind? Ze wilde in de vroege zomer weten of de dauw 's ochtends dik op het gras lag, en midden in de winter of ze het ijs van hun voorruit hadden moeten schrapen. In het begin deden ze haar vragen schouderophalend af, omdat ze haar motieven niet vertrouwden. Maar langzamerhand werden de meesten van hen milder, toen ze inzagen dat ze alleen maar het ruwe basismateriaal wilde waarop ze verder kon fantaseren.

De meesten van hen werden milder, en sommigen begonnen haar zelfs te mogen. Ze was anders. Ze was niet zoals de andere vrouwen. Die kwamen om de paar maanden binnenvallen en gingen weer weg, de gevangenis een kort respijt van het harde leven op straat, een kans om uit te rusten en te slapen en te eten, misschien zelfs een paar maanden naar school te gaan, een stukje jeugd in te halen dat zovelen van hen gemist hadden.

Sommige van de gevangenbewaarsters spraken over haar, en speculeerden erover waarom ze het had gedaan. Maar dat soort belangstelling werd niet aangemoedigd. De lange, forse vrouw die haar naar de gevangenis bracht, Macken, Macken uit de bus zoals ze haar noemde, bracht het voor de anderen onder woorden.

Je houdt jezelf voor de gek als je denkt dat erbij zijn die op ons lijken. Dat is niet zo. Ze zijn anders. Ze denken anders, ze doen anders. Niemand van ons zal ooit hier terechtkomen. Begin alsjeblieft niet met het idee van 'je zult maar pech hebben'. En wat Rachel Beckett betreft, vergeet het maar. Ze heeft haar man gedood. Ze heeft haar man vermoord. Ze heeft zich over hem heen gebogen toen hij dronken was. Ze heeft zijn geweer geladen. Ze heeft de veiligheidspal omgezet. Ze heeft gericht en ze heeft de trekker overgehaald. Tweemaal. Blijf bij haar uit de buurt, dat is mijn advies. En verder, zei Macken, bekent ze? Aanvaardt ze de verantwoordelijkheid ervoor? Voor wat ze gedaan heeft? Ze vijlt nog eerder de tralies door met een nagelvijl om hier uit te komen.

En ze keken op van hun theekopjes en zagen hoe ze met de anderen tegen de muur van de galerij hing, met een sigaret tussen haar vingers en haar gezicht zo uitdrukkingsloos en afstandelijk als die van de anderen.

De luchtplaats op een grauwe, winderige middag. De vrouwen, twintig of dertig in getal, hangen er rond, rokend, verveeld, landerig. Roddelend, kreunend, klagend. En Rachel, in haar eentje, in een hoekje, lezend. Dan begint een stem een populair nummer te zingen, een protestlied. En al snel was er een ander die begon mee te zingen, en toen nog een en nog een, tot er een kring van vrouwen was, met de armen in elkaar gehaakt, allemaal aan het zingen. Ze zongen uit volle borst naar de ramen van de mannengevangenis ernaast.

> *Oh no, not I,*
> *I will survive,*
> *As long as I know how to love*
> *I know I'll stay alive.*

Wachtend op de stemmen van de mannen. Die het refrein terugbrulden.

> *I've got all my life to live,*
> *I've got all my love to give...*

Schaduwen voor de ruiten. Hun stemmen gesmoord tegen het gewapend glas.

> *And I'll survive*
> *I will survive.*

16

De uitdrukking op het gezicht van de vrouwen. Vreugde, plezier, feest. De gezichten die ze geleidelijk leerde kennen en uit elkaar leerde houden, die ze een naam kon geven en een verhaal dat erbij hoorde. Patty, Tina, Lisa, Molly, Denise, Bridget, Theresa. Die nu keken naar waar zij tegen de muur stond, luid lachend, klappend op het ritme van de muziek. Stampend met haar voeten op het asfalt. Meezingend.

En ze staken hun handen naar haar uit en namen haar op in hun kring. De trillingen drongen door in haar keel en middenrif terwijl ze net zo hard meezong als de rest. En ze stampten met hun voeten en zongen uit volle borst en zwaaiden heen en weer met hun armen tot de gevangenbewaarsters door de met gaas afgezette poorten kwamen. Met hun vijven, hooguit zessen in een groepje, dat naar hen schreeuwde.

Hou op.
Rustig aan.
Toe nou.
Naar binnen.
Etenstijd.

En Rachel zag hoe de vrouwen een gat maakten in hun kring en hem weer sloten om de cipiers heen, terwijl ze steeds luider gingen zingen en de mannen hun gezicht tegen de tralies drukten van de ramen die op hen neerkeken, meezingend, de woorden benadrukkend, hun stemmen zwaar, donker, fel, mooi.

En de kring werd steeds kleiner, dreigde de bewaarsters in te sluiten, zodat ze zich begonnen te verzetten en te duwen, plotseling klein en machteloos, gewone vrouwen zoals hun gevangenen, hun uniform zonder enige betekenis, angst op hun gezicht. Het gezang werd steeds luider en het meezingen van de mannen boven hen werd steeds minder melodieus, steeds meer staccato.

Ze voelde het daar voor het eerst op die grauwe, winderige middag op de luchtplaats. De energie van een groep die zich vormt tot een massa en zich bewust wordt van zijn macht. Ze keek naar de lichamen van de vrouwen. Ze groeiden, veranderden voor haar ogen van vorm. En de bewaarsters zagen het ook. Ze wisten wat er gebeurde. Ze stapten naar voren en naar achteren, met witte gezichten, defensief. Ze zag hoe ze probeerden de aandacht van een individu te trekken, hen van de groep te isoleren door hun naam te roepen.

17

Hé, Jackie, Tina, Molly. Hé, Theresa. Hé, ik heb het tegen jóu. Hé, rustig aan. Hou ermee op, of anders.

Of anders? Anders wat, vroeg ze zich af terwijl ze toekeek. Die vrouwen waren *of anders* gepasseerd. En iedereen die erbij was, wist het. Dus wachtte ze, gespannen en verwachtingsvol, onzeker over wat er zou gaan gebeuren. En ze vroeg zich af: wat ga ik doen? Waar sta ik? Haar handen balden zich tot vuisten, de spieren in haar benen spanden zich.

En toen, onverwachts, was het over, net zo snel als het was begonnen. De vrouwen hadden een besluit genomen. Ze hadden lol gehad. Ze wisten dat ze verder niets te winnen hadden, dus lieten ze elkaar los en liepen bij elkaar vandaan. Ze hielden op met zingen en liepen rustig naar binnen. Ze glimlachte terwijl ze hen op die grauwe, winderige middag naar binnen volgde, terwijl de kreten en het gefluit van de mannen in hun oren klonken. Zij zouden het niet uit de weg zijn gegaan. Zij zouden het tot het uiterste gedreven hebben. Maar ze zouden verslagen zijn. Op deze manier, dacht ze, hadden de vrouwen hun doel bereikt. Ze hadden hun kracht laten zien. Ze hadden hun macht laten zien. En ze zouden het weer doen. Alleen, samen, op wat voor manier dan ook. Het was er altijd. Een keuze. Een mogelijkheid. Om nooit te vergeten. Voor altijd.

Ze had om de psycholoog gevraagd. Ze had vertrouwen. Toen. Helemaal in het begin. Vertrouwen in haar eigen soort. Redelijke mensen met een goede opleiding en begrip.

Waarom? De reactie was beleefd, maar onverschillig.

Ik heb hulp nodig.

O ja?

Ze had gewacht. Ze hadden te weinig personeel. Er was een wachtlijst. Haar naam stond onderaan. De dag kwam. Ze had zich voorbereid op wat ze zou zeggen. Ze had goefend wat ze zou zeggen.

Luister, ik hoor hier niet. Ik ben niet gewelddadig of gevaarlijk. Dit is een vergissing. Ik heb mijn man niet vermoord. Ik heb het niet gedaan. Ja, we hadden ruzie. Ja, ik was kwaad. Maar, begrijpt u het niet? Ik ben geen psychopaat, sociopaat, zo iemand. Begrijpt u niet dat ik hier helemaal niet thuishoor?

In het rapport van de psycholoog werden haar toestand van ontkenning, haar onvermogen zich verantwoordelijk te voelen voor haar daden, haar gebrek aan berouw benadrukt.

Ze wachtte af wat er zou gebeuren. De tijd verstreek. Ze vroeg de directeur te spreken.

De psycholoog, zei ze, heeft u toch zeker wel gezegd dat ik onschuldig ben? Dat ik het niet gedaan heb? Dat ik hier niet thuishoor?

Rachel. De stem van de directeur klonk vriendelijk, bezorgd. *Rachel, ik geloof dat je niet helemaal begrijpt waar het om gaat. Je bent veroordeeld door een rechtbank. Je bent schuldig bevonden door een jury van je gelijken. Je bent tot levenslange gevangenisstraf veroordeeld. Dat is de enige realiteit. Al het andere hoort thuis in het rijk der dromen.*

Het duurde lang voor ze bereid was naar een andere deskundige te gaan. Er waren verplichte bezoekjes die afgelegd moesten worden. En soms moest ze om hen lachen, om de studenten die stage liepen, zo serieus, zo bezorgd. De weldoeners die dachten dat ze haar schuldgevoel konden verlichten. De priesters en nonnen die troost kwamen bieden. Ze glimlachte naar hen allen en bedacht wat ze thuis zouden zeggen.

Je raadt nooit wie ik vandaag heb ontmoet.

Weet je het nog?

O ja, inderdaad, die haar man heeft doodgeschoten.

Ze heeft levenslang gekregen.

Aardig? O, ze is heel aardig. Heel beleefd, beschaafd. Je zou het nooit gedacht hebben.

Het was eigenlijk meer uit verveling dat ze de laatste keer was gegaan, en omdat anderen het aangeraden hadden.

Je moet maar eens naar deze gaan, Rachel, zeiden ze allemaal. *Hij is anders. Hij is aardig.*

Hij was ouder dan de rest. Hij was een vervanger, zei hij tegen haar, hij viel gewoon een tijdje in omdat hij geld nodig had. Hij keek haar dossier door. Ze keek naar hem. Hij zag er moe uit, ziek. Zijn kleren waren oud. Hij rookte, want hij had nicotinevlekken op zijn vingers en gele vlekjes op zijn tanden. Hij sloeg langzaam de bladzijden om; toen keek hij op en keek haar strak aan.

De tijd is aangebroken, zei hij, dat je je misdaad opbiecht. Je zit hier al veel te lang. Je vonnis is na zeven jaar herzien. Het is het jaar daarna opnieuw herzien en het jaar daarna. Ze besloten je niet met proefverlof te sturen. En weet je waarom?

Ze knikte.

Ja natuurlijk. Je bent niet achterlijk. Maar je bent te slim om

19

hier nog steeds te zitten. De volgende keer dat je in de spiegel kijkt, moet je eens stilstaan bij wat je ziet. Stilstaan bij de rimpels in je gezicht, het grijs in je haar, de rimpels in je handen. Sta eens een keer stil bij je toekomst en vraag dan de directeur te spreken. Zeg tegen hem dat je bereid bent de verantwoordelijkheid voor de moord op je man op je te nemen, dat je bereid bent je schuld te bekennen, dat je nu oprecht berouw voelt. En terwijl de woorden over je lippen komen, zullen ze je veranderen. Ze zullen je tot iemand maken die medelijden en vergeving waard is. En misschien niet morgen, of de dag erna of de dag dáárna, maar op een dag in de toekomst, zullen ze je vrijlaten. Ga nu weg en denk na over wat ik gezegd heb.

De directeur had haar bij zich geroepen. Haar verteld dat hij goed nieuws had. Dat de commissie voor vonnisherziening een aanbeveling had gedaan. Ze moest voorbereid worden op tijdelijke invrijheidstelling. Of misschien moest ze het zien als proefverlof.

Je begrijpt het toch, hè, Rachel? Je levenslange gevangenisstraf zal altijd blijven staan. Maar als je je gedraagt, je aan de regels houdt, zul je weer net als anderen kunnen leven. Nou ja, bijna net zoals anderen.

Ze moest leren boodschappen doen en koken, met geld omgaan, gebruikmaken van het openbaar vervoer, rekeningen betalen, weer voor zichzelf zorgen. Twaalf jaar nadat ze haar leven ter beschikking hadden gesteld van de staat, besloten ze het aan haar terug te geven.

Wilde ze het? Ze lag 's nachts in bed, veilig achter slot en grendel, en liet haar blik over de vertrouwde putjes en vlekken op het plafond dwalen. Ze zat al negen jaar, elf maanden en twee dagen in deze zelfde cel. Hij lag op de bovenste verdieping, in de hoek het dichtst bij de weg. Niet dat ze overdag voorbij de muren kon zien. Maar 's nachts was het anders. 's Nachts kon ze de lichten van het vliegveld zien, en de vliegtuigen wanneer ze landden en opstegen. Overdag waren het onbetekenende vlekjes, met zo nu en dan een flits als het zonlicht op een metalen vleugel viel. Maar 's nachts kon ze met haar ogen hun lichtjes volgen terwijl ze opstegen, hoger en hoger en hoger. En ze kon met ze mee. Naar Londen of New York. Naar Parijs of Rome. Naar al die steden waar ze ooit was geweest, al die jaren geleden. En ze noemde, uit haar geheugen, de namen van de straten op, de gebouwen die ze had bestudeerd, geanalyseerd, bewonderd en waar ze over had nagedacht, en ze kon de buitenlucht ruiken, de warmte van de zon op haar armen, terwijl het licht haar ogen verblindde. Ze stond op en liep naar het raam, dat ze door de tralies heen zo goed mogelijk omhoogduwde. Het was koud, maar dat kon haar niet schelen. De maan stond in het laatste kwartier. Ze kon duidelijk de Copernicuskrater zien en de krater die naar Kepler was genoemd. Martin was gek op de maan. Hij had haar door zijn verrekijker de zeeën en kraters laten zien en haar verteld hoe ze heetten.

Een van de dingen die ik er zo boeiend aan vind, had hij gezegd, *is dat hij er altijd is, zelfs overdag. Je kunt hem niet zien vanwege het licht van de zon, maar hij is er altijd, wachtend tot het avond wordt, en dan kan hij zijn gezicht weer laten zien. Zoals het een goede rechercheur betaamt. Zo zorgvuldig verborgen en gecamoufleerd dat geen van de mensen die je observeert jou kunnen zien, totdat je wilt dat ze je zien.* Hij had het tegen haar gezegd in de tijd dat hij nog met haar praatte, zijn werk met haar deelde. Haar alles vertelde.

Jackie, de reclasseringsambtenaar, degene die ze het langst kende, zei vandaag tegen haar: *Je moet toch wel vrienden hebben, of familie, iemand met wie je weer in contact kunt komen. Je zult ze nodig hebben wanneer je vrijkomt. Het is heel lastig in je eentje. Ik weet dat je hier eenzaam bent geweest, maar eenzaamheid hierbuiten is iets heel anders.*

Was ze hier eenzaam geweest? Ze probeerde het zich te herinneren, hoe ze zich nu voelde in vergelijking met de afgelopen tijd. Overal om zich heen hoorde ze stemmen. Vrouwenstemmen. Ze kende ze allemaal, hun naam, hun leeftijd, hun misdaad. Ze had samen met hen in het stof van de luchtplaats gezeten en geluisterd als ze hun levensverhaal vertelden. Ze had hun ook verhalen verteld, de verhaaltjes die haar moeder haar voorlas toen ze klein was, die ze op haar beurt had verteld aan haar eigen dochter. De Prinses en de Kikker, de Twaalf Dansende Prinsesjes, Belle en het Beest, Blauwbaard, de Prinses op de Erwt. Ze zag hoe er een zachte trek op hun gezicht verscheen en ze hun ogen dichtdeden, terwijl ze achteroverleunden en wegdroomden. Nu hoorde ze hen uit hun raam naar de mannen achter de grijze muren van de gevangenis aan de andere kant van de binnenplaats roepen. Broers, vriendjes, echtgenoten. Mannen die ze had leren kennen door de brieven waar ze hun vrouwen mee had geholpen. Piekerend over de woorden, de balpen of het potlood onwennig in de hand.

Lieve Johnny, ik hou van je. Ik kan niet wachten tot ik uit de bak ben en weer bij jou kan zijn.

Lieve Mikey, hoe gaat het? Gaat het al een beetje? Ga je naar het ziekenhuis en neem je je pillen in zoals je me hebt beloofd?

Lieve Pat, veel liefs en kussen. Ik mis je. Mis je mij ook?

Luister je? schreeuwden de vrouwen nu. *Luister je?*

Soms had ze zin om mee te doen, ook al had ze niemand achter de tralies aan de overkant zitten. Maar soms wilde ze gewoon haar eigen stem horen, roepend, wachtend op antwoord.

Naar wie moest ze nu roepen?

Luister je, buitenwereld? Ik kom terug. Luister je?

Ze had ze gevraagd of ze een plattegrond van de stad mocht hebben, de grootste die ze konden vinden. De assistent-hoofdofficier, een man van middelbare leeftijd, Dave Brady genaamd, haalde er een uit het dashboardkastje van zijn auto en stak hem haar toe.

Alsjeblieft, Rachel, je mag deze wel hebben, zei hij en glimlachte. Hij had een prettige glimlach. Oprecht en vriendelijk. Hij was het lievelingetje van de vrouwen. Ze plaagden hem en gaven op hem af. En hij haalde alleen maar zijn schouders op en lachte en liet het van zijn tanige rug en grijzende haar afglijden.

Toen ze de glanzende kartonnen buitenkant van de kaart tegen haar neus hield, rook ze was of glansmiddel, een vleugje benzine. Hij plakte aan haar vingers. Ze rook nog eens. Misschien lolly. Mogelijk winegums. Meneer Brady had het altijd over zijn kinderen. Ze waren nu bijna volwassen. Twee op de universiteit, en de oudste werkte in Silicon Valley in Californië. Volgens meneer Brady. Rachel kon zich geen plaats voorstellen met een dergelijke naam. Ze kon zich Californië amper voorstellen. Of Dublin, om de waarheid te zeggen. Op dit moment.

Daarom wilde ze de kaart hebben. Ze vouwde hem nu helemaal uit en plakte hem op de muur met Blu-tack, waar ze hard met haar duim op duwde, zodat ze het oppervlak van het dikke papier glad tegen het ruwe pleisterwerk eronder kon voelen. Daarna ging ze op haar bed zitten en keek ernaar. Haar hele leven speelde zich binnen die grenzen af. Al het belangrijke wat haar ooit was overkomen, had binnen die grenzen plaatsgevonden. Ze stond op en keek naar de straten die door elkaar liepen. Ze vond het ziekenhuis waar ze geboren was, het huis waar ze als kind had gewoond. Ze pikte haar school eruit, de universiteit waar ze architectuur had gestudeerd, de bochtige zijarmen van de haven waar ze had leren zeilen. Ze zag de plekken waar ze met Martin was geweest, de kerk waarin ze getrouwd waren, de bocht in het doodlopende straatje waar ze ooit gewoond hadden. Waar hij gestorven was en zij om hem had getreurd.

Al jarenlang weigerde ze te denken aan wat er buiten de gevangenis lag. Ze had zichzelf in een woestijn of woud voorgesteld. Afgezonderd, ontvolkt, buiten de grenzen van tijd en ruimte. Er was daar niets reëels, zeker niet sinds ze Amy niet meer zag. Ze verdrong de herinnering, tot waar die haar niet meer kon raken. En ze keek opnieuw naar de kaart en pakte een rode viltstift uit het potje op haar tafeltje. Ze bracht kleine rondjes aan op de kaart. Rood stond voor alles dat met haar straf te maken had. Ze vond de gevangenis en zette er eerst een cirkel om en kleurde hem vervolgens in, zodat er geen misverstand over kon bestaan. Ze vond het politiebureau waar ze verhoord was, het Four Courts waar ze veroordeeld was. Ze vond het ministerie van Justitie en het Openbaar Ministerie. Ergens in die gebouwen bevonden zich alle dossiers die met haar en haar rechtszaak te maken hadden. Ze kon zich de archiefkast en de beige mappen voorstellen. Ze hadden haar hoger beroep geweigerd. Ze hadden haar tot levenslang veroordeeld. Ze vroeg zich af wie ze waren, die mannen en vrouwen die al die beslissingen hadden genomen. Dachten ze nu aan haar, wisten ze nog wie ze was? Ze nam aan van niet.

Ze pakte een liniaal en trok keurige, rechte lijnen tussen de kringetjes. Vooruit en achteruit zigzagden ze in rode strepen door de stad. Toen pakte ze een andere pen. Ditmaal was het een blauwe. Amy's kleur. Het donkerblauw van haar ogen, het blauw van de jurk die ze had gedragen de laatste keer dat ze haar zag. Niet het verbleekte, vage blauw van de overhemden die de bewaarsters droegen, of het doffe blauw van de hemel boven de daken van de gevangenis dat door de luchtvervuiling heen sijpelde. Ze gaf het ziekenhuis aan waar ze haar ter wereld had gebracht. Het huis waar ze hadden gewoond. Het huis waar Amy nu met haar pleegouders woonde. Ze vond ook haar scholen. Het kleine nationale schooltje waar Rachel haar in de

23

eerste klas iedere ochtend heen bracht, haar bij de deur van het lokaal gedag kuste, en waar ze tussen de middag altijd weer op haar stond te wachten. En ze vond de andere scholen waar Amy op had gezeten. Ze had de namen die de reclasserings-ambtenaar had genoemd uit haar hoofd geleerd.

Je hebt het recht op de hoogte te blijven van de vorderingen van je dochter. Dat weet je toch, hè? We kunnen ervoor zorgen dat je haar buiten ontmoet, niet hierbinnen. Dat weet je toch, hè, Rachel?

Maar ze had het geweigerd. Ze kon het niet verdragen. Ze had gezien hoe Amy zich begon vast te klampen aan de vrouw die haar nu iedere ochtend wakker maakte en iedere avond in-stopte. Hoe kon ze met dat dagelijkse contact wedijveren?

Ik ben je moeder, had ze in het verkreukelde oortje van haar dochtertje gefluisterd, die eerste paar keren dat Amy haar in de gevangenis kwam opzoeken. Ze had haar op haar schoot ge-houden en die heerlijke zoete kindergeur van haar opgesnoven. Ze had haar wang tegen Amy's zachte haartjes gelegd. Een kus gegeven op die zachte rolletjes om haar nek. Ze wilde haar dochter uitkleden en naar haar lichaam kijken. Zodat ze het zich kon herinneren. Zo was het ooit, zo was het ooit om moe-der te zijn. Haar te kunnen aanraken, in haar armen te houden, een kus op haar bolle buikje te geven, haar ruggetje te strelen. Dit kind volledig in zich op te nemen, dit kind dat ooit net zo-veel deel uitmaakte van Rachel als haar eigen hand, arm, been, borst, gezicht. Vroeger. Niet, realiseerde ze zich met een schok die haar de adem benam, in de toekomst.

Ik ben je moeder, zei ze, en Amy knikte en zoog hard op haar duim.

Mijn moeder, herhaalde ze, en zei: *Kom mee naar huis, mama, kom mee naar huis.* Haar ogen gleden naar de buiten-deur en ze begon te wriemelen; ze ging met haar hand door haar haar terwijl haar lijfje verstarde en heen en weer schoof van ellende.

Ik wil naar huis. Nu, jammerde ze. *Ik vind het hier niet leuk.*

Ze stampte op de vloer, en de gespen van haar sandalen maakten een tinkelend geluid. Nieuwe schoenen, zag Rachel, net als de rest van Amy's kleren. Ze was uit de jurkjes, tuin-broeken, truitjes, blouses gegroeid die Rachel voor haar had gekocht. Nu droeg ze niets meer dat Rachel had gekozen. Ze had de huid afgeworpen die Rachel haar had gegeven. En toen de tijd om was en de pleegmoeder haar kwam halen, hief Amy haar armpjes op en sloeg ze om haar dikke dijen. Rachel keek de vrouw over het hoofdje van haar dochter aan. Haar ogen waren vriendelijk, meelevend, liefdevol. En ze zegevierden.

Nu trok ze zorgvuldige, rechte lijnen tussen al die plaatsen. Daar ergens moest ze haar eigen plekje zien te vinden. Maar ze zou niet rusten voor de belofte was vervuld die ze zichzelf had gedaan op de dag dat de rechter zijn vonnis uitsprak.

Dit is niet het einde. Dit is nog maar het begin. En hoe het ook afloopt, ik ga ermee door, ik geef het nooit op.

Ze keek hoe de vrouw met het grijze haar en het smalle gezicht vanuit het winkelende publiek in het warenhuis naar haar toe liep. Ze liep langzaam en voorzichtig alsof ze net op was en niet helemaal zeker was of ze al controle over haar lichaam had. Ze droeg een witte blouse en een verbleekte spijkerbroek, met een grijs vest dat los en onelegant om haar schouders hing. Haar armen hingen onbeholpen langs haar lichaam en terwijl Rachel toekeek, gleden haar handen over haar onderarmen tot ze net boven de ellebogen om de bovenarmen bleven rusten. Toen bleef ze staan en deed haar donkerbruine ogen dicht. Ze liet haar hoofd op haar borst zakken. Haar schouders schokten en ze begon te snikken. Ze deed drie stappen naar voren en liet toen haar vervallen gezicht tegen dat van Rachel rusten in de hoge spiegel tegenover haar. Rachel voelde het koude glas tegen haar wang. Ze deed haar ogen open en keek naar de vrouw die ze was geworden, terwijl ze zichzelf in de weerspiegeling probeerde te vinden. De tranen stroomden over haar wangen. Ze keek naar de jongere vrouw die naast haar stond, die haar hand naar haar uitstak om haar te troosten.

Alsjeblieft, Jackie, ik heb genoeg gezien. Ik wil terug. Nu.

Het zou haar grote dag worden. Haar eerste dagje uit. De eerste stap in het herinburgeringsprogramma dat de vonnisherzieningscommissie had aangeraden. Ze had twee weken van tevoren een datum opgekregen.

Iets om naar uit te kijken, had Jackie opgewekt gezegd. Ze had nieuwe kleren voor haar gekocht, die ze had betaald van haar uitkering, het spaargeld dat Rachel in de loop der jaren bij elkaar gelegd had. Een grijze broek met rechte pijpen en een scherpe vouw in het midden. En een bijpassend grijs jasje. En ook schoenen van echt leer, instappers met een puntige neus en een sierlijke hak. Rachels voeten voelden er enorm in. Ze probeerde er in haar cel op te lopen en hoorde steeds het klikje wanneer de leren zolen de tegelvloer raakten. Ze was gewend aan sportschoenen, zachte schoenen die bijna onhoorbaar waren, met voldoende ruimte voor haar tenen. Ze paste haar kleren aarzelend, voorzichtig, bang om haar vertrouwde gevangeniskleding af te leggen.

Jackie had ook make-up voor haar meegebracht.

Kom op, Rachel. Probeer dit ook eens. Je weet nog wel hoe dat moet, dat weet ik zeker. Of niet?

Ze reikte het haar allemaal aan in een kleine plastic toilettas, met een rits en blauwe bloemen aan de buitenkant. Rachel ging aan haar bureau zitten met haar zakspiegeltje boven op haar radio. Ze spreidde de inhoud van de toilettas voor zich uit. Vloeibare make-up in een tube. Lippenstift in een zilveren metalen hulsje. Mascara, eyeliner, bruine oogschaduw. Zelfs rouge, een glanzende, donkerroze tint. Ze ging er met haar wijsvinger over en smeerde het uit op haar hand. Het gloeide en glansde als huid na een dag in de zon.

Ze pakte de tube en kneep een lichtbruine wormachtige sliert op haar handpalm. Ze smeerde het uit over haar gezicht. Over haar voorhoofd, over haar neus en over haar kin. Ze stak haar kin omhoog zodat de huid van haar hals strak trok en wreef de make-up erover, van de ene vooruitgestoken pees naar de andere. Ze veegde haar vingers af aan een stuk wc-papier en maakte toen het flesje eyeliner open. Ze liet het kleine kwastje in de zwarte vloeistof zakken. Ze verfde zorgvuldig eerst om haar rechteroog, en toen haar linker. Ze opende de mascara en draaide aan de huls terwijl ze het stijve borsteltje eruittrok. Haar wimpers gingen omhoog en uit elkaar terwijl ze ieder haartje van een glanzend zwart laagje voorzag. Ze vulde de holte tussen het ooglid en de oogkas in met een donker poeder, zodat haar ogen in haar hoofd wegzonken. Daarna pakte ze de lippenstift en draaide hem om zodat ze de naam kon lezen. Klaproos, stond er op het etiketje. Ze draaide aan de zilverkleurige huls en de puntige rode stift kwam eruit. Ze hield de spiegel zorgvuldig in haar linkerhand. Haar eigen lippen zagen bleek. Ze bevochtigde ze met haar tong. Nu glansden ze in het gedempte licht boven haar hoofd. Ze drukte ze tegen haar spiegelbeeld en voelde het koude glas tegen haar tanden. Ze had al jaren niemand gekust. Ze had de verborgen lippen van andere vrouwen hier gezogen, gelikt, en met haar tong geplaagd. Maar ze had nooit hun mond gekust. Ze wilde niet in hun ogen kijken of hen in de hare laten kijken. Dat bewaarde ze voor een andere keer. Nu trok ze met de dikke rode punt een lijn om haar mond en vulde de ruimte in door de lippenstift heen en weer te halen, zodat er een dikke laag op haar lippen kwam te liggen. Ze kon het parfum ruiken en de kunstmatige zoetheid proeven.

Martin had er een hekel aan als ze lippenstift op had. *Dat heb je niet nodig,* had hij tegen haar gezegd. *Je hebt toch wel een mooie mond. Ik vind het mooi dat hij bleek is. Ik vind het lekker dat hij steeds donkerder wordt als ik je maar blijf kussen.*

Ze dacht aan de eerste keer dat ze met elkaar naar bed waren geweest, hoe hij haar meegenomen had naar de badkamer en de make-up met een vochtige handdoek van haar gezicht had geveegd. *Kijk eens,* zei hij, terwijl hij haar de bruine en rode strepen op de handdoek liet zien. *Kijk eens hoe lelijk dat is. Kijk eens hoeveel mooier je bent zónder.*

En hij beet op haar lippen, zachtjes met zijn boventanden aan de tere huid knabbelend tot ze rood, bijna paars, werden. De kleur van membranen die volliepen met bloed. De speciale huid van donkere en geheime plekken.

Ze leunde achterover en keek naar het gezicht in de spiegel. Dat was niet het hare. Ze hield de spiegel scheef zodat ze haar lichaam kon zien. Het grijze mantelpakje en de keurige zwarte schoenen met de puntneuzen en het kleine hakje. Er ging een rilling van afkeer door haar heen. Ze schopte de schoenen van haar voeten, plukte aan de wol die strak om haar armen en benen zat, trok de kleren van zich af en smeet ze op een hoop in de hoek bij de wc. Ze richtte de spiegel op haar naakte lichaam en liet hem van boven naar beneden gaan. Haar ribben waren duidelijk zichtbaar en haar maag was hol. De huid van haar heupen was doorweven met zilverachtige strepen, als satijn dat door de punt van een schaar uit elkaar wordt getrokken. Haar borsten waren klein als altijd, maar nu hingen ze en accentueerden haar borstbeen en sleutelbeenderen. Ze ging met haar hand door haar schaamhaar. Het krulde om haar vingers, dichtbegroeid, zwart als altijd. Ze hurkte en keek weer naar haar gezicht in de spiegel. De huid van haar lichaam was wit, maar erboven torende het kunstmatige bruin van de make-up op haar gezicht, het zwart om haar ogen, en het felle rood van haar mond. Ze stond op en liep naar de wastafel in de hoek. Ze hield haar handen onder de warme kraan en pakte de zeep. Ze liet die lekker schuimen en voelde hoe het spul in haar ogen prikte. Ze hield haar gezicht onder de waterstraal, zeepte het vervolgens weer in en boende met haar vingers tot het water donker zag. Ze hijgde. Ze begroef haar gezicht in de ruwe stof van de handdoek en pakte toen de spiegel weer. Er zaten nog steeds zwarte strepen bij haar ogen en er zaten spoortjes rood in de fijne rimpeltjes om haar mond. Ze jammerde en liet opnieuw warm water in de wastafel lopen. Ze bleef haar gezicht wassen en afspoelen en opnieuw wassen, tot het bleek en schoon zag.

Zo bleek als het gezicht dat ze in de zijspiegel van Jackies auto zag toen ze zich door het verkeer naar de North Circular Road wurmden.

Ik kan dit niet, zei ze. Ik kan dit nooit meer. Ik kan de gevangenis niet uit als het zover is. Dwing me alsjeblieft niet, Jackie.

En waarom kun je het niet? vroeg het stemmetje binnenin haar. En het stemmetje binnenin haar gaf antwoord. Omdat ik dan onder ogen moet zien wat er gebeurd is, en ik een manier zal moeten vinden om het weer goed te maken. En nu, na al die jaren, denk ik niet dat ik dat kan. Hoe dan ook.

Het midden

1

Het was een interessant geval, de zaak Rachel Beckett, dacht Andrew Bowen terwijl hij vanachter zijn bureau opstond en de gang overstak naar de keuken om de eerste kop koffie van die dag te halen. Het was een zeldzame gebeurtenis in het dagelijks leven van een reclasseringsambtenaar om een tot levenslang veroordeelde toegewezen te krijgen. Het was maar twee keer eerder in zijn loopbaan voorgevallen. En hij had nooit met een vrouw te maken gehad. Natuurlijk had hij eerder vrouwen in zijn kantoor ontvangen die gedood hadden. Het waren er zelfs aardig wat. Ze hadden hun man of vriend vermoord, of hun kinderen. Maar volgens het oordeel van de rechter hadden ze in een opwelling gehandeld. Uit angst, zelfverdediging, als reactie op agressie, een reactie uit woede of waanzin. Absoluut niet op de manier waarop Rachel Beckett volgens de rechtbank gedood had. Langzaam, opzettelijk, nauwkeurig. Met voorbedachten rade. En nu had het ministerie, in zijn wijsheid, besloten dat ze voldoende berouw had getoond en haar misdaad had bekend en dat het tijd was dat ze haar vrijlieten. Onder voorwaarden natuurlijk. En om negen uur vanochtend, op 10 mei, had ze een afspraak met hem.

Berouw, dat was nu eens een interessant onderwerp. Van *rouwen*, verdriet hebben. Verdriet hebben over iets wat in het verleden gedaan is. Of niet? Hij had zich altijd verwonderd over voorbeelden van berouw. Hij dacht aan de energie die ging zitten in het ontkennen van de misdaad die begaan was. De uitgebreide verdediging die voor de rechtbank gevoerd werd, getuige-deskundigen die opgeroepen en betaald werden. Snikkende getuigenissen, het met de hand op het hart ontkennen dat er iets fout gedaan was. En dan, ineens, jaren later, nadat de realiteit van het gevangenisleven was doorgedrongen, kwam daar de heer Berouw, fris en glimmend, en nieuw, en oprecht.

Pardon, meneer, ik heb het nooit zo bedoeld.

Pardon, meneer, ik heb het wel gedaan, maar het was een foutje, een ongeluk. Dit was mijn bedoeling niet.

Pardon, meneer. Goed, ik geef het toe. Ik heb het gedaan. Ik heb het gepland. Ik heb het helemaal uitgedacht, maar laat me eruit. Ik zal het nooit meer doen, dat beloof ik.

Zo vroeg in de ochtend was het stil in de keuken. Hij bleef een ogenblik staan en luisterde. Zijn collega's kwamen steevast ruim een uur nadat hij begonnen was binnendruppelen. Ze weten het feit dat ze te laat waren aan het verkeer. Hij schreef zijn eigen punctualiteit aan hetzelfde verkeer toe. Hij stond anderhalf uur eerder op om de spits voor te zijn, zei hij, en ze keken hem allemaal aan alsof er een draadje bij hem los was. Het kon hem niet schelen. Ze mochten hun dagen indelen zoals ze dat wilden. In naam was hij de baas, maar ze wisten allemaal wat voor soort baas hij was. Zo voorkomend dat hij soms onverschillig leek. En iedereen vond het prima. Een gemakkelijk leventje, dat wilden ze allemaal. En wie was hij om daartegenin te gaan?

Hij vulde een glazen kan met water en goot gemalen koffie, Colombiaanse, zijn favoriete koffie, in een nieuw papieren filter. Hij hief de kan op, schonk in één soepele beweging het water op en zette snel de lege kan eronder. Hij wachtte terwijl hij naar het zachte gezoem van het apparaat luisterde en liep vervolgens om het grenen tafeltje heen om op het mededelingenbord naast het raam te kijken. Zijn schoenzolen maakten een bevredigend plakkerig geluid op het linoleum. Hij hing de verschillende mededelingen recht die zomaar lukraak in het kurk waren geprikt. Er was een cursus over jonge wetsovertreders die binnenkort aan de universiteit van Dublin zou beginnen. Die maakte deel uit van het buitenschoolse cursusaanbod. Avondcursussen voor volwassenen. Hij zag zijn naam naast twee van de lezingen staan. 'Jonge wetsovertreders – de therapeutische benadering' en 'Jonge wetsovertreders – identificatie en behandeling'. Jezus, hij was vergeten dat hij beloofd had mee te doen. Dat kwam slecht uit. Hij moest iemand vragen om bij Clare te blijven. Ze vond het vervelend als hij 's avonds wegging. Ze kon zich overdag alleen thuis prima redden. Vooral als hij haar gewassen had en eten had gegeven en alles wat ze maar nodig kon hebben binnen handbereik had gelegd voor hij 's ochtends naar zijn werk ging. Maar 's avonds was het anders, zei ze altijd. Ze kon niet tegen de combinatie van duisternis en alleen zijn.

Hij zuchtte en voelde de opluchting op het moment dat hij zijn adem uitblies. Heel even maar. Hij had zich niet gerealiseerd dat hij zijn adem inhield, vasthield, zoals hij alles binnen wilde houden. En toen voelde hij de tranen die tegenwoordig zo gemakkelijk kwamen, waardoor er een waas voor zijn ogen kwam. Hij zocht naar een zakdoekje. Hij snoot zijn neus. Hou op, dacht hij, doe dat nou niet op een dag als vandaag. Het was zo belangrijk om alles onder controle te houden. Dat maakte het zo prettig om vroeg aan het werk te gaan. Dan was hij van huis weg. En van Clare. Haar ziekte, haar pijn, haar wanhoop, en haar naderende dood. Zoals iedere dag, vroeg hij zich af hoe snel die zou komen. Misschien zou hij haar vanavond, als hij terugkwam van zijn werk, opgerold in een bal aantreffen, haar spieren al in een toestand van rigor mortis. Ze zou geprobeerd hebben hem te bellen, hulp te vragen. Maar ze zou niet beseft hebben dat hij de stekker van de telefoon eruitgetrokken had voor hij wegging, zodat er geen hulp kon komen. Van hem of van iemand anders. Het zou lijken op een ongeluk, het onvermijdelijke resultaat van de ziekte die haar leven de afgelopen tien jaar geleidelijk had verwoest. Hij wist hoe het zou lijken. Hij had het helemaal uitgedacht. Hij had het gepland. Hij had gerepeteerd wat hij zou zeggen. Tegen de dokter, tegen de politie. Ik begrijp het niet. Er was niets aan de hand toen ik vanochtend wegging. Nou ja, voor zover je dat kunt zeggen van iemand die vergevorderde multiple sclerose heeft. Ze zei dat ze zou bellen als het niet ging, maar ze heeft me niet gebeld. Ik ben het grootste deel van de dag op kantoor geweest, afgezien van een paar uur op de rechtbank. Maar Clare had mijn mobiele nummer, en mijn secretaresse weet altijd waar ik ben, en trouwens, als ze mij niet te pakken kon krijgen, had ze altijd nog een ambulance kunnen bellen. Ze wist wat ze moest doen.

Maar het was nog te vroeg. Dat wist hij. Clare had nog een hele weg te gaan. Zonder hulp kon ze niet meer staan of lopen. Hij dacht aan alle medische termen die de afgelopen tien jaren zo gewoon voor hen waren geworden. Paresthesie, abnormale sensaties zonder uitwendige oorzaak – slapende ledematen voor leken. Propriasesthesie, het onvermogen om de positie van de ledematen ten opzichte van de rest van het lichaam te bepalen. Retrobulbar neuritis, de ontsteking van de oogzenuw, waardoor ze slecht zag en een pijn achter haar ogen had die haar leven steeds meer ging beheersen. Ze had nu geen controle meer over haar blaas en het werd steeds moeilijker om te slikken, te hoesten, om het slijm uit haar borst te krijgen. Wat stond haar te wachten? Ze wisten het allebei. Ze had de dokter gevraagd het haar precies te vertellen. Ze zou uiteindelijk aan longontsteking overlijden, dát en de ontstekingen aan de urinewegen, waar ze nu al zo'n last van had. Maar wanneer? Hoelang konden ze het nog verdragen?

In de keuken hing de gezellige geur van verse koffie. Hij pakte de kan en schonk een grote beker koffie in, waar hij melk bij schonk uit een pak dat open op het formicablad van de koelkast stond. Hij liep terug naar zijn kantoor. Hij ging zitten en sloeg het dossier van Rachel Beckett open. Hij zag haar geboortedatum: 31 augustus 1957. Ze was tweeënveertig. Net zo oud als hij. En nu kreeg ze een tweede kans, terwijl ze nog jong genoeg was om ervan te genieten. Hij probeerde zich te herinneren hoe ze er al die jaren geleden had uitgezien toen ze terechtstond wegens de moord op haar man en tot levenslange gevangenisstraf werd veroordeeld. Hij had haar een aantal keren gezien, op de voorpagina van de krant, op de televisie en in de Round Hall van het Four Courts-gebouw, zittend, met haar dochter op haar knie en haar vader naast haar, en maar wachten en wachten. Hij werkte in die tijd in Mountjoy, liep hele dagen de rechtbanken in en uit, en zij was een bezienswaardigheid. Voor iedereen. Ze was mooi, herinnerde hij zich. Frêle was de beste manier om haar te beschrijven. Zo'n tegenstelling tussen hoe ze eruitzag en wat ze had gedaan. Zei iedereen. Wanneer hij tijdens het proces even een paar minuten de tijd had, wipte hij bij rechtbank nummer vier naar binnen. En hij had het geluk er net te zijn toen de jury terugkwam, vierentwintig uur nadat ze zich hadden teruggetrokken. Ze hadden de tijd ervoor genomen en hadden de hele nacht afgezonderd gezeten. Hij herinnerde zich dat het een meerderheidsstandpunt was, tien tegen twee. Hij herinnerde het zich allemaal zo goed. Een van de juryleden huilde. Maar Rachel Beckett huilde niet. Ze zei alleen heel luid en duidelijk: Nee, dat geloof ik niet. En toen was ze weg. Geen tijd om afscheid te nemen. Weggevoerd door gevangenbewaarders. Weggehaald uit het zicht van fatsoenlijke mensen.

Een zoemer op zijn bureau ging. Hij keek op zijn horloge. Het was precies negen uur. Dat was goed. Ze was het vermogen om punctueel te zijn niet kwijtgeraakt. Hij keek naar de bewakingsmonitor die tegenover hem aan de muur hing. Er stond een camera op de voordeur gericht. Hij keek naar haar terwijl ze wachtte om binnengelaten te worden. In het korrelige zwartwit was het moeilijk te zien hoe ze eruitzag. Maar haar haar zat anders, dat zag hij wel. En zoals ze stond, haar houding. Hij drukte op de knop. Zijn secretaresse nam op.

'Je kunt tegen mijn eerste cliënte zeggen dat ze naar boven mag komen, Maggie,' zei hij.

Hij keek naar de monitor, naar de manier waarop ze vooroverboog om de stem te kunnen horen die door de intercom kraakte. Hij zag haar een lange, dunne arm uitsteken en tegen de deur duwen. De camera in het trappenhuis pikte haar signaal weer op. Ze droeg een jas die te groot voor haar was en ze hield een plastic tas in haar hand. Ze zag er ziek en kwetsbaar en slecht op haar plaats uit. 'Het is je tweede kans, stomme trut,' zei hij hardop toen hij haar op zijn deur hoorde kloppen. 'Jij hebt de jouwe, en ik heb de mijne nodig.' En hij stapte bij zijn bureau vandaan en liep naar haar toe.

2

Haar zitslaapkamer was vier meter vijftig bij drie meter vijftig. Ze had het met haar voetstappen uitgemeten. Vier meter vijftig bij drie meter vijftig was vijftien komma vijfenzeventig vierkante meter. Ze ging met haar rug naar de muur staan en keek naar het plafond. Hoe hoog was het? Ze liep naar het midden van de kamer, onder het loshangende peertje, hield haar hoofd achterover en schatte. Vier meter zestig, dacht ze. Dat klopte wel ongeveer voor een huis als dit in Clarinda Park in Dun Laoghaire, Victoriaans, rond 1860 gebouwd, drie verdiepingen aan de voorkant, vier aan de achterkant. Ze vergeleek de kamer met haar cel in de vrouwengevangenis. Die had ze ook opgemeten. Drie bij twee vijfenzeventig. In totaal nog geen negen vierkante meter. Om in te slapen, eten, poepen. Een nettowinst van zeven vierkante meter. En dat was zonder de badkamer die ernaast lag, met een wc, wastafel, een ouderwets, groot vrijstaand bad met een doucheaansluiting. En een slot op de deur.

Ze stopte haar hand in de zak van haar spijkerbroek en voelde de bevredigend zware sleutelbos die de huisbaas haar die ochtend had gegeven.

'Raak ze niet kwijt, hè?' zei hij. 'Ik weet niet meer hoe vaak ik het slot op de voordeur heb moeten veranderen, en ik tel het bij uw huur op als u de schuldige bent. Oké?'

Ze had alleen maar naar hem geglimlacht. Ze was niet van plan om die sleutels ook maar een ogenblik uit het oog te verliezen. Nu hield ze ze voor zich en schudde ze zachtjes heen en weer. Ze tinkelden tegen elkaar, een lieflijk muzikaal geluid, heel anders dan het lelijke gerammel van de enorme, zware sleutels die haar leven zo lang hadden beheerst. Het eerste geluid waar ze iedere ochtend om halfacht wakker van werd. Het eerste van het dubbele slot op haar celdeur dat opengedaan werd. De harde, bevredigende *bonk* als de schoot weer soepel in het slot gleed. Het gepiep van de rubberen zolen van de gevangenbewaarster op het geboende linoleum van de galerij. Maar de deur toch stijf dicht, onbeweeglijk, tot het ontbijt van acht uur. Dan ging het tweede slot open en werd de deur met een zwaai opengegooid, ditmaal met een schreeuw en een brul.

'Kom, dames, opstaan, opstaan. Je bed uit. Tijd voor het ontbijt.'

De eerste keer dat ze gestraft werd. Al haar voorrechten kwijt. Geen brieven, geen telefoongesprekken, geen bezoek. De directeur had haar hoofdschuddend aangekeken, met een eerder droevig dan kwaad gezicht. 'Ik sta verbaasd over je, Rachel.' Hij praatte zó zachtjes dat ze voorover moest buigen om hem te verstaan. 'Heel erg verbaasd. Een vrouw met jouw opleiding en achtergrond. Wat bezielde je in vredesnaam?'

Het was eigenlijk heel simpel. Het was woede, en een razend, onstuitbaar verlangen om iemand pijn te doen. Iets dat ze niet meer had gevoeld sinds ze klein was, wanneer ze op het schoolplein het slachtoffer werd van pesterijen of wanneer een leraar haar onheus bejegende. Ze had geleerd hoe ze haar drift moest beheersen, hoe ze hem in goede banen moest leiden, moest indammen en achter een kil, gesloten gezicht verbergen. Maar ditmaal niet. Nu wilde ze die stomme vrouw met haar vuist de mond snoeren, haar neerbuigende activiteitenbegeleidsterachtige opmerkingen smoren. Hoe noemden de anderen hen ook alweer? Kangoeroes, staand op hun achterpoten, veilig in hun blauwe uniform, met hun insignes die hun rang aangeven, hun sleutelbossen, hun kameraadschappelijke houding en hun grappig bedoelde opmerkingen. Rachel had nooit eerder een vrouw geslagen. Ze balde haar hand tot een vuist en stompte hem in het zachte, weelderige middenrif van de bewaarster, zodat die naar adem snakte en met een rood gezicht en knikkende knieën achteruit de cel uit wankelde. De reactie was snel en agressief. Een van de andere bewaarsters pakte haar bij haar haar en trok haar hoofd met een ruk achterover. Een andere pakte haar handen en trok ze op haar rug, haar twee kleine handen in één grote vuist.

'Vuile rottrut. Wie denk je wel dat je bent? Je voelt je zeker te goed voor ons, hè?'

Ze werd in de isoleercel gesmeten en daar achtergelaten, terwijl ze om zich heen boegeroep en gefluit en gejuich van de vrouwen hoorde die haar tot dan toe hadden uitgelachen, over haar fluisterden, haar bespotten en naar haar sneerden. Nu was ze een van hen. Daar bestond geen twijfel meer over.

En nu zat ze hier, in deze kamer op de bovenste verdieping van een Victoriaans huis in Dun Laoghaire, met iets wat ze twaalf jaar niet had gehad. Een uitzicht. En wat voor uitzicht! Het was zo mooi dat ze niet durfde te bewegen omdat ze bang was dat het een droom bleek te zijn, of het soort hallucinatie die ze vaak had wanneer ze uit een droom wakker werd. Het enige raam in de kamer was een erker met drie zijden, waar een uitgezakt katoenen gordijn voor hing. De ruiten waren smerig en er zaten spinnenwebben in iedere hoek. Ze liep er langzaam naar toe en stopte even bij iedere stap. Ze deed haar ogen een ogenblik dicht, kneep ze heel hard dicht, zodat felle wormpjes van licht over de binnenkant van haar oogleden gleden. Toen deed ze ze weer open en slaakte een kreet over het uitzicht. Het was de zee, die zich tot aan de horizon uitstrekte. Hij was zó blauw dat ze een vreugdekreet slaakte. Het blauw van de hydrangea die haar moeder in een kuip naast hun voordeur had gezet, met vleugjes paars en mauve.

Ze deed nog een stap naar voren en keek eerst naar rechts en toen naar links. Aan de ene kant kon ze tot aan de krokodilvormige heuvel van Howth kijken, aan de andere kant tot aan de gladde muren van de steengroeve aan de Dalkey-zijde van Killiney Hill. Onder haar strekten de rode pannendaken en de toppen van bomen zich uit – kastanjes, platanen, donkergroen nu het hoogzomer was. Ze zag het verkeer dat de heuvel af stroomde en onderaan bij de stoplichten bleef staan, en de voetgangers die zich van de ene kant van de weg naar de andere verspreidden, en ze raakte in paniek. Ze zou nooit zo worden als die mensen daar beneden. Ze hield zichzelf voor de gek als ze dacht dat ze zich ooit zo onder hen zou kunnen begeven alsof ze erbij hoorde, zonder het gevoel dat ze bespied werd, in de gaten gehouden werd en dat iedere beweging of verandering in haar houding genoteerd werd.

Zo was het vanochtend toen ze voor het kleine kantoor vlakbij George's Street stond, waar ze naar toe was gegaan voor een afspraak met haar nieuwe reclasseringsambtenaar. Ze was vroeg. Ze had geen idee meer hoelang ze erover zou doen om de vierhonderd meter van Clarinda Park naar Northumberland Avenue af te leggen. Hoever, hoelang, hoeveel tijd moest ze ervoor uittrekken? Dus had ze het ruim genomen. Voor het geval er veel verkeer was en het veel tijd zou kosten om de straat over te steken. Voor het geval het te druk was op de trottoirs en ze geen manier kon vinden om langs de persoon vóór haar te manoeuvreren. Voor het geval, voor het geval, voor het geval. Duizend redenen waarom haar tocht eeuwig kon duren, en daarom was ze te vroeg. Ze moest nog minstens tien minuten wachten voor ze op de bel moest drukken om haar aanwezigheid aan te kondigen. Ze bleef voor de dikke metalen deur staan en zag de bewakingscamera op haar gericht. Ze keek op en wendde haar gezicht af. Ze kende dit soort camera's. Ze hingen door de hele gevangenis. Je kon ze alleen maar negeren en verachten. Maar, terwijl ze daar stilletjes stond te wachten, vroeg ze zich af wie haar in de gaten hield. In de gevangenis wist ze het. Soms had ze het gevoel dat de camera's twee kanten op werkten. Als ze naar haar keken, kon ze hen net zo goed zien in hun benauwde kleine bewakingskantoortje, met het bureau vol papieren, overal halve koppen koude thee. En dezelfde gevangenbewaarsters die dag na dag, week na week, maand en jaar na maand en jaar naar dezelfde monitoren keken, van de ene camera naar de andere, werden net zo vertrouwd voor haar als haar eigen gezin ooit was geweest.

Ze bleef staan wachten tot het tijd was om aan te bellen en binnengelaten te worden. Een kleine, mollige vrouw verscheen boven aan een steile trap die vanaf de begane grond naar boven leidde. Ze stelde zichzelf voor.

'Maggie Byrne, de secretaresse van meneer Bowen. Als u ooit het een of ander nodig mocht hebben, dan kunt u mij bellen,' zei ze, haar zachte bleke gezicht vol rimpels van bezorgdheid. Toen wees ze naar de deur achter haar. 'Hij verwacht u.' En ze tikte op de bruine gefineerde deur en duwde hem open.

In de gevangenis waren haar reclasseringsambtenaren altijd vrouwen. Aangenaam, vriendelijk, bezorgd. Ze had hen in de loop der jaren zien komen en gaan. Had spelletjes met hen gespeeld om te zien hoe ze hen zover kon krijgen dat ze over hun leven buiten de gevangenis spraken, tot ze het onherroepelijk een keer doorkregen en hun mond hielden. Het gaf geen pas het persoonlijke met het zakelijke te vermengen, zo waren ze gewaarschuwd.

'Laat ze niet te veel van je te weten komen. Dat is geen goede manier om te werken. Zij zitten binnen. Jij bent buiten. Hou die twee gescheiden.'

Maar bij Rachel praatten ze hun mond nog weleens voorbij. Zij was anders. Zij sprak hun taal. En soms vergaten ze het.

Andrew Bowen zou het niet vergeten. Dat zag Rachel onmiddellijk aan de manier waarop hij haar liet staan terwijl hij door de papierstapel vóór hem op het bureau bladerde. Ze bleef doodstil staan. Ze vertrok geen spier. Ze wachtte. En toen keek hij op, keek haar aan en glimlachte. Hij gebaarde naar de stoel die schuin naar zijn grote, gepolitoerde bureau gericht stond. Ze ging zitten. Hij was heel mager. De kraag van zijn witte overhemd leek veel te groot voor zijn nek. Zijn vingers waren lang en slank. Zijn handen waren voortdurend in beweging; ze rolden een potlood heen en weer terwijl hij sprak. Hij praatte zachtjes, zodat ze zich voorover moest buigen om hem te kunnen verstaan. Ze schoof onrustig heen en weer in haar stoel. Hij vertelde haar hoe haar nieuwe leven eruit zou zien. Er was werk voor haar, een baan bij een stomerij in het grote nieuwe winkelcentrum dat pas in de stad was geopend. Het was heel eenvoudig werk. Ze hoefde zich geen zorgen te maken dat er te veel van haar verwacht zou worden. Om te beginnen moest ze hem één keer in de week komen opzoeken.

'En daarna,' zei hij, en schraapte zijn keel, 'als dat goed gaat, kunnen we over een jaar of zo overwegen het terug te brengen naar één keer in de twee weken, en ten slotte naar één keer in de maand. En dan, wie weet.' Hij zweeg en legde de wijsvinger van zijn linkerhand tegen zijn bovenlip. 'Wie weet, iemand in jouw positie is natuurlijk nooit helemaal zonder toezicht, maar als alles goed gaat, kan het een formele situatie worden. Iedere maand of wat een telefoontje, misschien één keer per halfjaar een bezoek. Een berichtje als je van plan bent van werk te veranderen, te verhuizen, of een verhouding aangaat. Dat soort dingen. Wie weet hoe het je in de toekomst zal vergaan. Maar ik weet zeker dat we allebei het beste ervan hopen, nietwaar, Rachel?'

Ze knikte sprakeloos, zich plotseling bewust van de realiteit van haar leven zoals hij dat zag. Ze stond op. 'Dank u,' zei ze. 'Dank u wel, meneer Owen. Het zal allemaal wel goed komen.'

'Wacht even.' Zijn stem klonk ineens hard. 'Wacht even voor je weggaat. Ik moet je nog informeren over de voorwaarden van je tijdelijke invrijheidstelling. Zodat er geen misverstand mogelijk is. Zodat we elkaar goed begrijpen.

Punt één. Je mag niet omgaan met iemand die je in de gevangenis hebt gekend. Is dat duidelijk?

Punt twee. Jij onderneemt geen poging om contact op te nemen met iemand die op de een of andere manier bij het slachtoffer van je misdaad betrokken was. In het bijzonder een lid van zijn familie. Is dat duidelijk?

Punt drie. Je houdt je te allen tijde aan de wet. Als je je niet aan deze voorwaarden houdt, ga je onmiddellijk terug naar de gevangenis. Is dat duidelijk?

En punt vier. Je zult de wensen van je dochter respecteren. Je onderneemt geen stappen om met haar in contact te treden zonder overleg vooraf. Begrepen?'

Zijn woorden dreunden in haar hoofd. Bevelen, beperkingen, grenzen. Haar verantwoordelijkheid nu. Haar plicht. Ze voelde zich in de val gelokt en raakte in paniek. Ze draaide zich om voor hij uitgesproken was en liep snel naar de deur. Ze deed hem open. De trap lag als een donkere tunnel voor haar. Ze rende naar buiten en door de drukke straat, mensen en auto's ontwijkend, terwijl haar hart in haar keel bonkte en haar adem door haar borst schuurde. Ze stopte niet voor ze weer in haar kamer was en met haar dierbare sleutels haar deur op slot draaide. Ze was doordrenkt van het zweet, dat in straaltjes tussen haar borsten liep. Het raam lag voor haar, en het uitzicht gloeide in het ochtendlicht. Ze liep er langzaam achteruit bij vandaan en keek om zich heen. De kamer was veel te groot. Dat kon niet zo. Ze mat hem weer op. Een kleine negen vierkante meter. Dat was alles wat ze nodig had. Ze begon de meubelen te verschuiven: het smalle eenpersoonsbed, de tafel en twee stoelen, de zware kleerkast met de deur die niet dicht wilde, de boekenkast, de kast met haar beker, bord en schaaltje, haar lepel, mes en vork, haar twee pannen en een koekenpan. En de kartonnen doos die ze meegenomen had uit de gevangenis, met haar knipselboek, de paar foto's van Amy, van haar vader en moeder, van Martin, en de map met officiële brieven die ze verzameld had. De verslagen van haar rechtszaak.

Ze boog voorover en trok aan het grote rechthoekige kleed, grommend van inspanning, niesend van het stof tot ze het van zijn keurige plaats in het midden van de kamer had getrokken, waardoor de kale vloerdelen waar het kleed normaal lag te voorschijn kwamen. Ze duwde en trok en sleepte tot alles binnen de benodigde ruimte van negen vierkante meter stond. Het laatste wat ze weghaalde was haar kaart, de kaart die ze mee-genomen had uit de gevangenis. Ze haalde hem voorzichtig van de muur en hing hem, knielend op haar bed, op een plek waar ze hem gemakkelijk kon aanraken. Toen ging ze liggen. Ze had een wandeling langs de zee willen maken, misschien wel zover als het strandje bij Sandycove. Haar tenen in het fijne witte zand stoppen. Naar moeders en kinderen kijken die in de rusti-ge golfjes speelden die om haar enkels kabbelden. Denken aan de dagen dat ze Amy een hand gaf en met haar het water in liep, haar drijvende lichaam tegen haar aan hield. Maar nu kon ze er niet meer heen. Bij de gedachte aan al die open ruimte en de zee die zich tot aan de horizon uitstrekte kreeg ze kippenvel. De herinneringen drongen zich op achter haar gesloten ogen, dus drukte ze haar vingers er hard tegenaan zodat het helemaal zwart was.

Ze lag stevig in een bal opgerold tot haar ademhaling rusti-ger werd. Toen stak ze haar hand uit naar het gladde, stijve pa-pier van de kaart. Ze had er een paar plaatsen aan toegevoegd sinds ze uit de gevangenis was. Ze had een zwarte viltstift ge-bruikt. Maar nu was ze uitgeput. Ze trok het laken over haar hoofd. Het was bijna donker, zoals de nachten in de gevange-nis. Bijna donker, maar niet helemaal.

3

Tien dagen sinds haar vrijlating en nog steeds werd ze iedere ochtend om halfacht wakker. Luisterde, wachtte, probeerde de geluiden te begrijpen die door de vloeren van dit oude huis opstegen. Bijna net zo oud als de gevangenis, dacht ze, van dezelfde materialen gebouwd. Steen, hout, pleisterwerk. Maar in de gevangenis zat er een harde laag over. Tegels, beton, metaal. Waardoor het weergalmde als een stel klokken in een echoput.

Ze ging voorzichtig onder haar nest van dekens verliggen en bewoog aarzelend haar armen en benen. Het was zó stil dat ze niets anders kon horen dan haar eigen adem en het gefluit van de boiler boven haar hoofd op zolder. Er is zeker iemand op, dacht ze. Er waren nog vijf kamerbewoners in huis. Ze was een paar van de huurders op de trap tegengekomen. Ze leken allemaal jong, veel jonger dan zij. Behalve de oudere dame met het valse hondje, die in de kamer aan de andere kant van de overloop – boven de voordeur – woonde. Er woonden een jongen en een meisje in de kamer onder haar. Ze kon de geluiden horen van hun televisie en van de muziek die ze draaiden, die door de kieren in de vloer naar boven drongen. Ze was twee nachten geleden plotseling wakker geworden en hoorde harde stemmen. Geschreeuw en gegil, toen stilte en een luid gesnik. Later klonken er gelach en de onmiskenbare orgastische kreten van gevrij. Ze had haar vingers in haar oren gestopt en dekens om haar hoofd gewikkeld, maar zelfs dat kon het niet tegenhouden. Je hoorde dat soort geluiden niet in de gevangenis, dacht ze. De muren tussen de cellen waren te dik, en hoewel de deuren het grootste deel van de dag openstonden, waren de vrouwen de kunst van het stille orgasme volledig meester.

Ze had ook de geur van dope uit de kamer van het stel opgevangen. Ze bleef stilstaan op de overloop, leunde tegen het gevlekte behang en snoof hem met graagte op. In de gevangenis had ze haar eigen voorraad. Ze was een betrouwbare klant. Ze betaalde wat ze moest betalen en bewees iemand nog weleens een dienst. Bovendien was ze anders, speciaal. Ze zat al zo lang in de gevangenis als de meeste trouwe gasten zich konden herinneren. Ze had hen zien opgroeien, kinderen krijgen, verliefd worden, een verhouding beginnen, een verhouding beëindigen. Ze had hen een schouder geboden om op uit te huilen en had geluisterd naar hun verhalen over mishandeling, uitbuiting of zelfvernietiging.

'Wil je mijn brief voor me schrijven, Rachel?' vroegen ze dan. 'Zeg eens wat ik tegen mijn advocaat moet zeggen. De sociale dienst wil mijn kinderen bij mijn moeder weghalen en ze in een tehuis onderbrengen. Wat moet ik doen? Zeg het eens, Rachel,' smeekten ze. 'Wat moet ik zeggen?'

En ze had hun verteld wat ze moesten doen en hoe ze het moesten doen en vertaalde hun woorden in de taal van de hiërarchie. Ze vroeg zich af hoe het hen nu allemaal verging terwijl ze op de overloop stond en de joints van het stelletje rook, en moest eraan denken hoe dezelfde geur op de galerijen in de muffe gevangenislucht hing. Toen ging de deur open en het meisje stak haar hoofd om de deur.

'Wat is er?' vroeg ze. 'Wilt u iets?'

'Nee.' Rachel schudde haar hoofd toen ze aan de voorwaarden van haar proeftijd dacht. 'Nee, ik ben alleen een beetje moe. Die trappen zijn een beetje te veel voor me.'

'O.' Het meisje keek haar zonder nieuwsgierigheid aan, liep weer naar binnen en sloeg de deur achter zich dicht.

Ze leek van Amy's leeftijd, dacht Rachel. Zeventien, achttien. Maar Amy leek vast niet op haar met de ringetjes door haar neus en navel, haar haar in dikke, vervilte pijpenkrullen en haar nagels in verschillende kleuren gelakt. Amy zou ook niet met haar vriendje in een klein kamertje in een vervallen huis in Dun Laoghaire wonen, met een bijstandsuitkering en een beetje dealen erbij.

Of wel? Rachel liep langzaam de rest van de trappen op, haar boodschappentas een loodzware last in haar hand, de geur van de stomerijchemicaliën die in haar huid en haren hing. Ze gaven een sterke, doordringende geur af, waar ze zo'n afkeer van kreeg dat ze het bad met warm water liet vollopen en zich met zeep boende tot haar vingers verweekt waren en er een grijze laag zeep om haar heen dreef.

Het was bijna een jaar geleden sinds ze haar dochter voor het laatst had gezien. Het was de dag voor Amy's zeventiende verjaardag. Amy had duidelijk gemaakt dat ze haar niet op de dag zelf wilde opzoeken. Ze had andere plannen, een feestje met haar pleegouders en haar schoolvrienden.

'En heb je een vriend?' had Rachel haar gevraagd.

Amy had haar schouders opgehaald. 'Misschien.'

'Is hij leuk?'

'Wat denk je?'

De ontmoeting vond plaats op neutraal terrein. Een klooster aan de westkant van de stad, vrijwel leeg, op een klein groepje oudere nonnen na die zich aan hun gebouw en tradities vastklampten. Rachel wachtte in de lange donkere gang en ijsbeerde over de zachtgele en rode plavuizen. Ze keek ernaar terwijl de minuten verstreken en ze zorgvuldig haar ene voet voor de andere zette. Iedere tiende plavuis was versierd met een klein zwart kruis. De twee gevangenbewaarsters die met haar meegekomen waren, keken argwanend toe.

'Wat ben je aan het doen, Rachel, hinkelen?'

Ze gaf geen antwoord. Ze had gesprekken met bewaarsters opgegeven. Ze had niets meer tegen hen te zeggen.

Toen Amy en haar pleegmoeder eindelijk kwamen, vroeg Rachel of ze naar de tuin zouden gaan.

'Het is wel een beetje koud, hè?' De pleegmoeder, die Pat heette, deed beschermend een stap naar voren. 'Amy heeft net griep gehad.'

Moeder en dochter zaten in stilte tegenover elkaar aan de glimmende mahoniehouten tafel. Rachel stak haar hand uit. Terwijl haar vingers over het glanzende hout kropen, stond Amy op.

'Ik moet je iets vertellen.'

Rachel keek naar haar. Haar haar was fijn en springerig, lichtbruin, toen ze klein was. Rachel kamde het altijd in een paardenstaart en deed er een strik omheen. Nu was ze heel donker. Haar haar was kortgeknipt als dat van een jongen. Het stond haar goed. Haar huid was ook donker, maar haar ogen waren lichtgrijs, als die van haar vader.

Rachel wachtte. Amy schraapte haar keel en rechtte haar schouders. Ze was klein, maar kaarsrecht en ze zag er heel gezond uit. Rachel had de foto's gezien. Amy die de honderd meter sprint op school won. Amy die met hoogspringen won. Amy die aan de gymnastiekuitvoering meedeed. Amy die een veldloop liep voor haar atletiekvereniging.

'Ik wilde gewoon zeggen dat ik besloten heb – Het is míjn beslissing, het heeft niets met mijn moeder te maken,' ze zweeg even, 'met Pat, of met de maatschappelijk werkster of met iemand anders. Ik heb besloten dat ik je niet meer wil zien.'

Rachel liet haar blik van Amy's gezicht naar de terrasdeuren achter haar dwalen. Erachter lag een terras met een kleine stenen voederplank voor vogels. Er zaten koolmeesjes te eten. Ze zag hoe hun kopjes op en neer gingen, kijkend, luisterend, op hun hoede voor gevaar zoals zij dat had moeten zijn.

'Het spijt me.' Ze hoorde de stem van haar dochter als van veraf. 'Ik weet dat dit pijn doet. Maar ik moet aan mezelf denken en aan mijn toekomst. Tenslotte,' ze zweeg opnieuw, en toen ze weer begon te praten, klonk haar stem hoog, op het randje van hysterie, 'dacht jij al die jaren geleden ook alleen maar aan jezelf. Je dacht niet aan mij en wat voor invloed alles op mijn leven zou hebben, hè? Hoe ik het zou vinden om op te groeien met een moeder in de gevangenis omdat ze mijn vader heeft vermoord. Hoe dat voor mij zou zijn. Hè? Hè?'

Ze begon te huilen en haar gezicht werd rood en de tranen sprongen uit haar ogen, zoals, herinnerde Rachel zich, toen ze klein was en haar teen had gestoten of haar knie had geschaafd of haar lievelingsbeer kwijt was. Rachel stond op. Ze liep om de tafel heen en ging naast haar dochter staan. Ze pakte haar hand en draaide hem om. Ze gaf een kus op de handpalm en legde haar vingers erop. Toen liep ze naar de tuindeuren en deed ze open. De vogels vlogen in paniek op toen ze kwam aanlopen, en schreeuwden met luid geklik en gefluit hun ongenoegen uit. Amy's pleegmoeder had gelijk, het was koud buiten. Te koud. Als Rachel zelf een echte moeder was geweest, dan zou ze dat geweten hebben en het beste voor haar kind hebben gedaan.

Haar kind. Amy was nog steeds haar kind. De eerste gedachte die bij haar opkwam als ze 's ochtends wakker werd en de laatste die bij haar bleef tot ze ging slapen. En niets en niemand kon daar iets aan veranderen. Ze kroop langzaam onder de dekens vandaan en begon zich aan te kleden. Vanochtend was ze vrij.

Er was haar verteld dat ze pas om halftwee hoefde te beginnen. 'Want het is vanavond koopavond, dan zijn we tot negen uur open. Dan moet je hier tot die tijd blijven. Goed?' De vrouw die de stomerij bestierde, de vrouw van de eigenaar, had Rachel zich snel gerealiseerd, bekeek haar van top tot teen.
'Het wordt heel druk. Je staat er alleen voor. Niet even snel een kopje koffie gaan halen. Ik kom om negen uur om de kas leeg te halen en de boel af te sluiten. Heb je me begrepen?' Rachel had haar heel goed begrepen. Ze herkende het type. Een kenau. Uit hetzelfde hout gesneden als dat kreng Macken in de gevangenis. Ze klemde haar lippen op elkaar en haar mondhoeken zakten, terwijl ze haar handen tot vuisten balde toen ze antwoord gaf.
Ze keek naar de klok op de schoorsteenmantel. Het was nog maar net acht uur. Ze zette thee en dronk snel een kop. Ze brandde haar mond. Ze spoog de hete thee uit en dronk snel een glas koud water. Ze kon maar niet wennen aan de thee die ze zelf zette. Gevangenisthee was altijd lauw. Net als de rest van het eten. Afgekoeld tijdens de wandeling van de rij bij de keukendeur naar de cellen waar iedere gevangene in haar eentje at. Opgesloten. De zware klap van metaal op metaal als de deuren dichtsloegen, het gebed voor het eten. Het signaal om hun plastic messen en vorken te pakken. Ze trok de kleren aan die ze de avond tevoren had klaargelegd. Alles klaargelegd zodat ze de volgende ochtend niet hoefde te kiezen. Spijkerbroek, een witte katoenen bloes, en een spijkerjasje. Dezelfde kleren die ze in de gevangenis had gedragen. Haar uniform. Haar gevoel van veiligheid. Ze poetste haar tanden en borstelde haar haar. Ze stopte geld in haar zak. Ze pakte de sleutelbos. Ze boog voorover en keek op de kaart. Ze liep haar route met haar vinger na. Het zou niet zo moeilijk te vinden zijn. Maar ze moest opschieten. Als ze Amy wilde zien, moest ze opschieten.

4

Het lichaam lag op de plaats waar het door het tij was neergelegd, op de hoop rotsblokken en zeewier tussen het zwemstrand dat plaatselijk bekend was onder de naam Forty Foot en het pad dat net voorbij het oude fort liep. Jack Donnelly kon het ruiken, terwijl hij voorzichtig over de glibberige stenen manoeuvreerde en onbeholpen over plasjes stilstaand zout water sprong. Hij had nooit begrepen waarom mensen hier zwommen. Het was ijskoud, zelfs midden in de zomer, en wat hem betrof was het er smerig. Te dicht bij de stad. Ook al werd de zee regelmatig geteisterd door storm, was hij van mening dat de wind het vuil en afval eerder naar het strand terugvoerde dan dat het de rotzooi naar het troosteloze grijs van de Ierse Zee dreef.

En dat was precies wat er was gebeurd met het lichaam dat nu aan zijn voeten lag. Joost mocht weten waar het te water was geraakt, maar waar het ook was geweest, het had zich niet kunnen onttrekken aan de aantrekkingskracht van de kust. Hij haalde een schone zakdoek uit zijn zak en hield hem voor zijn neus terwijl hij zich vooroverboog om het beter te kunnen zien. De walm hing voor hem als een akelige mist van zee. Hij kneep zijn neus dicht en probeerde niet te kokhalzen terwijl hij naast de dode man knielde. Het was een man, had hij vastgesteld, al was hij er op het eerste gezicht niet zo zeker van geweest. Halflang melkboerenhondenhaar hing over een gezicht dat de sporen vertoonde van de vraatzucht van zeedieren. Delen van de wangen en het voorhoofd waren volledig weggevreten, en, zag hij tot zijn afkeer, de lippen en de huid onder de kin ook. God, wat had hij hier toch een hekel aan. Hij kon de moed niet meer opbrengen voor de harde werkelijkheid van zijn baan. Het kwam hem de strot uit.

Hij kwam met een kreun overeind, terwijl hij zijn ontbijt omhoog voelde komen. Duffy, de agent in uniform, gniffelde toen hij Jacks bleke gezicht zag.

'Wat denkt u, verdronken of iets anders?' vroeg hij.

'Wat dacht je verdomme nou dat ik was, een of andere helderziende?' Jack liep bij het lichaam vandaan en keerde het de rug toe. 'Waar is de patholoog? Komt hij zo?'

Hij liep naar het weggetje dat langs de kust voerde en hurkte op een grote droge rots. Vanaf die plek kon hij het lichaam duidelijk zien. En nu hij buiten het bereik van de stank was, kon hij beter nadenken. Volwassen man, waarschijnlijk tussen de twintig en vijfentwintig, ondervoed, zo te zien aan de magere armen en benen die uit zijn gescheurde T-shirt en broek staken. Het was hem opgevallen dat de nagels van de jongen tot op het leven waren afgebeten en dat hij zware blauwe plekken op zijn ribbenkast en schenen had. Dat kon zijn gekomen door de zee die hem heen en weer geslingerd had, of door een pak rammel. Wat het ook was, de lijkschouwer zou het hem wel vertellen. En wat hij hem ook zou vertellen, was dat er naaldenprikken in de bleke, zachte huid van de binnenkant van de armen zaten, mogelijk ook in zijn liezen. Jack wist zeker dat het een junkie was. Zelfs dood, nadat hij in zee had gelegen, zag hij er nog zo uit. Het was onmiskenbaar.

Hij ging zitten en keek hoe het forensische team zijn werk deed. De ochtend ging langzaam voorbij. Het was hier heerlijk in de zon, dacht hij. Grote huizen, die een kapitaal waard waren. Families van aanzien. De gegoede middenstand. Welopgevoede kinderen. Hopen geld. Geen zorgen. Ze zouden allemaal opgelucht zijn te horen dat het lichaam op de rotsen aangespoeld was. Dat het gewoon aangespoeld was, net als de plastic flessen en gebruikte condooms die hier op het strand terechtkwamen en verstrikt in het zeewier lagen tot het hoog water ze opnieuw losmaakte. Ze zouden allemaal tot hun geruststelling horen dat het niet een van hun kinderen was die de rust verstoorde in die keurige, rustige straten waar dezelfde families al jaren woonden. Hij keek naar de auto's die voorbijreden, die langzaam tot stilstand kwamen terwijl de inzittenden naar het witte zeildoek tuurden dat over de dode jongen lag. Dan hadden ze iets om over te praten tijdens hun borrel voor het eten, dacht hij, en verweet zichzelf vervolgens zijn benepen gedachten. Hij moest nodig klagen over de rijken, dacht hij terwijl hij opstond en zich uitrekte. Hij stak zijn armen hoog boven zijn hoofd en maakte zich zo lang mogelijk, waarna hij zijn gezicht naar de zee keerde, zodat de wind zijn fijne haar achteroverblies. Zou hij er niet alles voor geven om een van hen te zijn? In een mooi huis met uitzicht op zee en een nieuwe Mercedes of BMW op de oprijlaan. Op deze manier lukte het hem nooit, dacht hij terwijl hij de lijkzak naar de ambulance volgde en zag hoe de mannen hem in de wagen laadden. Hij moest iets drastisch doen om uit de schulden te komen die hij de afgelopen anderhalf jaar opgebouwd had. Het was een enorme last op zijn schouders. Alles wat hij bezat en verdiende scheen aan Joan en de twee kinderen toe te behoren. Van de kinderen vond hij het niet erg. Hij was het hun verschuldigd. Hij hield van hen. Ze hadden hem nodig. Maar Joan, dat was een heel ander verhaal.

Toch waren er anderen slechter af dan hij. Daar werd hij later die middag aan herinnerd terwijl hij op Andrew Bowen zat te wachten in de bar van Walsh's pub, net om de hoek bij Andrews kantoor. De jonge onbekende, die was verdronken, was, zoals Jack had voorspeld, een heroïneverslaafde. Een van de velen in Dun Laoghaire. Hij had een voorwaardelijke straf gekregen, de laatste keer dat hij wegens bezit was veroordeeld. Wat had het voor zin om een kleine vis naar Mountjoy te sturen, dacht de rechter blijkbaar. Jack wist niet goed wat hij ervan moest denken. Natuurlijk was er geen rehabilitatie in de gevangenis. Het enige wat de jongen zou hebben gedaan was nog slimmere manieren bedenken om aan zijn spul te komen en stoned te worden. Maar aan de andere kant, het zou ook niet zo'n gek idee zijn geweest om dat rotzakje uit de buurt weg te halen. Hoe dan ook, het was nu eenmaal gebeurd. En op de een of andere manier was de jongen, die aan de hand van zijn vingerafdrukken geïdentificeerd was als Karl O'Hara, tenslotte halfdood geslagen en vervolgens, volgens de getijdenexperts, ergens tussen de havenmuren en Dalkey Island in het water gesmeten. Hij leefde nog toen hij in de zee terechtkwam, want zijn longen zaten vol zeewater. Jack hoopte voor hem dat hij niet bij bewustzijn was geweest, al was hij dat volgens de patholoog-anatoom wél. Bij bewustzijn, maar creperend van de pijn. Beschadigde nieren en lever, drie gebroken ribben, een zwaar gekneusde enkel en een gebroken rechterarm. Dat arme joch had een goed pak slaag gehad. Hij had drie tot vier dagen in het water gelegen, maar toen Jack zijn moeder een uur geleden opzocht, had ze gezegd dat ze hem al weken niet meer had gezien. Jack had niet geweten hoe snel hij weer naar buiten moest. De vrouw zag er jong uit, veel jonger dan hij zou hebben verwacht van een moeder van een twintigjarige. Goedgekleed en netjes opgemaakt. Net zo schoon en keurig als haar huis. Ze was blijkbaar aan het stoffen toen Jack op de deur klopte. Ze had de hele tijd dat hij met haar praatte een stofdoek in haar hand en was voortdurend in beweging. Ze veegde onzichtbare stofjes van de glimmende eettafel en stoelen. Veegde kleine vlekjes en streepjes van de koperen knoppen van de binnendeuren. Hij kon met moeite een grijns onderdrukken en knipoogde stiekem naar Tom Sweeney, die op de stoep was blijven staan. Ze zou een fantastische schoonmaakster zijn na een misdaad. Ze zou geen vingerafdruk overslaan.

Maar ze had hem absoluut niets te vertellen over haar zoon.

'Ik heb hem al maanden niet meer gezien,' zei ze op neutrale toon. 'Ik heb hem niet meer gezien sinds hij de nieuwe tv en magnetron en cd-speler heeft gepikt. Hij heeft zelfs al mijn cd's van Garth Brookes meegenomen. Ik had die rotzak wel kunnen wurgen. Dus heb ik hem de deur uitgeschopt. Tot dat moment had ik steeds excuses voor hem bedacht, medelijden met hem gehad, geprobeerd hem te helpen.'

Als moeder, dacht Jack.

'Maar daarna moest ik het wel opgeven.' Ze zwaaide met de stofdoek boven haar blonde hoofd. 'Zijn vader heeft altijd gezegd dat ik hem verwende. Hem alles gaf. Omdat hij de enige jongen was. En de jongste. En de knapste.' Ze gebaarde naar de ingelijste foto's op het dressoir. Familiefoto's. Moeder met baby in de armen, in een gehaakt doopkleed gewikkeld. Eerste communies en heilige vormsels. Vier blonde hoofdjes glimlachten. Drie leuke kleine meisjes, en een net zo leuk klein jongetje. Ze had gelijk, Karl was ooit een leuk jongetje geweest.

Toen begon ze in te storten, en haar woede maakte plaats voor een gevoel van verlies, dat, zo wist Jack, waarschijnlijk al maanden op erkenning wachtte. Hij bood aan om thee te zetten, maar ze bracht hem naar de voordeur, die ze met een ruk opentrok.

'Ik heb jullie soort niets meer te vertellen,' zei ze. 'Als jullie je werk goed hadden gedaan, zou mijn Karl nu nog leven. Dan zou hij een normale, gezonde, vrolijke jongen zijn, met een baan en een auto en een meisje. Het is allemaal jullie schuld. Jullie geven geen zier om mensen als hij. Het interesseert jullie niet. We hebben geen donder aan jullie. Rot op,' zei ze terwijl ze een stap achteruit deed om hen langs te laten, 'loop naar de hel en laat mij met rust.'

Er zat iets in. Hij wist dat ze op allerlei manieren volkomen gelijk had. Hij zei iets dergelijks tegen Andrew Bowen terwijl ze wachtten tot het schuim op hun bier een beetje ingezakt was.

'Ze willen ook niet veel, hè?' was Andrews reactie. 'Het is nooit bij haar opgekomen dat haar lieve zoontje weleens de verantwoordelijkheid voor zijn eigen daden had kunnen nemen. Ik heb vaak genoeg geprobeerd het hem te vertellen, de keren dat hij bij me kwam. Maar het was tegen dovemansoren gezegd.'

Jack keek hoe het schuim op zijn bier romig werd en wachtte tot hij het kon drinken. Andrew, zag hij, wachtte niet. Hij had er een kopstoot van whisky bij besteld en daar had hij al de helft van gedronken. Jack pakte zijn glas. Hij hief het op bij wijze van heildronk voor hij het aan zijn lippen zette.

'Sorry.' Andrew keek beschaamd. 'Ik heb vandaag een rotdag.'

'Ja?'

'Ja.' Andrews smalle gezicht betrok. Hij pakte zijn glas. Hij nam een diepe teug en veegde met zijn hand het schuim van zijn bovenlip. 'Nou, om je de waarheid te zeggen, is het niet de dag zelf die rot is. Het is het naar huis gaan waar ik echt van baal.'

'Kun je haar niet in een ziekenhuis of een of ander verpleegtehuis laten opnemen?'

'O, God nee, natuurlijk kan dat niet.' Andrew klonk geïrriteerd. 'Natuurlijk kan dat niet. Wat zouden de mensen niet zeggen?'

'Kan het je nu nog iets schelen? De "mensen" zorgen niet voor haar zoals jij doet.'

'Dat kan ik haar niet aandoen, Jack. Haar huis is in feite het enige wat ze nog heeft, en al haar kleine rituelen. Dat houdt haar nog in leven. Zonder die dingen zou ze het opgeven.'

'En wat houdt jou in leven, hè?'

Andrew haalde zijn schouders op en pakte zijn whiskyglas. 'Dit, denk ik. Dit helpt goed.' Hij nam een slok en zette het glas zorgvuldig op het glimmende tafelblad neer. 'En...' Hij zweeg.

'En, ja, ga verder.' Jack klonk nieuwsgierig.

'En, je weet wel, "en". Moet ik het voor je spellen?'

'Dat hoeft niet, maar het zou weleens interessant kunnen zijn, wat pikante details in de conversatie.' Jack glimlachte naar hem en zag hoe Andrew plotseling begon te blozen.

'Ah, ga weg. Hou erover op. Gun iemand een privé-leven. Laten we zeggen dat het iets is om naar uit te kijken na een saaie dag op kantoor. Maar nu even wat anders.' Andrew stak zijn handen op toen Jack begon te protesteren. 'Vreemd genoeg heeft zich vandaag iets interessants voorgedaan op het werk.'

'Ja?' Jack trok zijn wenkbrauwen op. 'Je meent het. Je blijft me verbazen. Interessant – met die stoet mislukkelingen die iedere dag langs je bureau voorbijtrekken. Je kunt me nog meer vertellen.'

'O jee.' Andrew leunde achterover en sloeg zijn armen over elkaar. 'Over rotdagen gesproken, wat is er met jou aan de hand?'

'Ach, dat wil je niet weten.' Jack dronk zijn glas leeg en wenkte de barkeeper.

'Vrouwen, eh, huidige, ex, zoiets?'

'Laten we het er niet over hebben. Ik word er alleen maar somber van. Kom op. Vertel me eens iets over interessante zaken bij de reclassering en de sociale dienst. Verras me.'

En hij was verrast. Al had het, achteraf, eigenlijk geen verrassing moeten zijn. Er had een brief van het ministerie van Justitie moeten komen, waarin stond dat een gevangene van het kaliber van Rachel Beckett op het punt stond voorwaardelijk vrijgelaten te worden en van plan was bij hen in de buurt te gaan wonen. Het zou hem bijzonder verbazen als ze niet op de een of andere manier op de hoogte waren gesteld. Het was standaardprocedure. En tenslotte was ze geen gemiddelde mannenmoordenares. Haar man was een politieman. En niet zomaar een politieman, maar iemand die heel bekend was en hoog in aanzien stond, uit een familie van politiemensen. Zat tijdens de jaren tachtig bij de inlichtingendienst toen het er in het noorden warm aan toe ging. Had veel schaduwwerk verricht, had recherchewerk gedaan. Praktisch een held. En toen hij doodgeschoten was en ze met het verhaal kwam over de mannen die ingebroken hadden en hem hadden doodgeschoten, geloofde iedereen haar. In het begin. In ieder geval tot na de begrafenis. Toen begon haar zorgvuldig samengestelde verhaal gaten te vertonen.

Vertel het me nog eens, Rachel, hoe laat gebeurde het?

Beschrijf die mannen nog eens, Rachel, als je het niet erg vindt. Hoe zagen ze eruit – waren ze lang of kort, dik of dun, hoe waren ze gebouwd, hadden ze een accent? Wat zeiden ze tegen je? Wat zeiden ze tegen Martin?

Je was absoluut de hele tijd alleen, hè? Afgezien van die 'gemaskerde mannen', de hele tijd absoluut alleen, is dat wat je zegt?

Jij en Martin, konden jullie het goed met elkaar vinden, Rachel? Was alles goed tussen jullie? Weet je dat wel helemaal zeker?

En je weet het zeker van die 'gemaskerde mannen', is er niets anders dat je ons wilt vertellen?

Omdat we iets gevonden hebben. Zie je, je weet vast nog wel dat je ons verteld hebt dat ze Martins wapen hadden gestolen, nadat ze hem ermee neergeschoten hadden. Dat ze dat hadden meegenomen toen ze weggingen. Nou, weet je, we hebben dat wapen gevonden, in een plastic zak, in een afvalcontainer, nog geen kilometer hier vandaan.

En weet je wat we verder nog in diezelfde container gevonden hebben? Een nachtjapon. En weet je waar hij vol mee zat, Rachel? Met Martins bloed. En weet je van wie we denken dat die nachtjapon was? We denken dat hij van jou was.

En weet je wat we op het wapen hebben aangetroffen? We hebben vingerafdrukken aangetroffen, en we zouden nu graag jouw vingerafdrukken willen nemen, als je het niet erg vindt, zodat we jou in ons onderzoek kunnen uitsluiten. Gewoon voor de zekerheid. Dat het niet de jouwe zijn. Want we hebben het wapen en de kogel getest die tot Martins dood hebben geleid. En weet je, je had volkomen gelijk wat dat betrof. Die kogel kwam inderdaad uit Martins wapen.

En zo was het maar doorgegaan. Hij herinnerde zich de details. Zijn eerste zaak nadat hij rechercheur was geworden. Eigenlijk een groentje binnen het team. Maar op de een of andere manier was hij bij Michael McLoughlin toen ze naar het huis gestuurd werden. Hij had het bloed gezien. Het bloed dat over de hele vloer verspreid was. De vrouw, over haar toeren, met handboeien aan de radiator vastgemaakt. En wat hij niet had gezien of zelf had gehoord, had hij van de politie gehoord die bij het verhoor was geweest. Vanaf de informele gesprekken die met koffie en koek in haar woonkamer plaatsvonden, met haar dochtertje dat, net terug uit het ziekenhuis, op de bank lag te slapen, tot de arrestatie en het officiële verhoor, dat had plaatsgevonden in een verhoorkamertje op het politiebureau van Stillorgan, in een kamertje dat ongetwijfeld naar angst en verschraalde tabakslucht en ellende rook.

Ze hadden dagenlang feestgevierd nadat ze in staat van beschuldiging was gesteld. De oude Michael McLoughlin was de inspecteur die haar arresteerde. Hij was de grote held, in zijn element, in de tijd toen hij nog alles aankon. Inclusief de drank.

'Hoe ziet ze eruit?' vroeg Jack, die zich herinnerde hoe ze er toen uitzag.

Andrew haalde zijn schouders op. 'Hoe ziet iemand eruit die zo lang binnen heeft gezeten?'

'Ik weet het niet. Denk eens aan Nelson Mandela. Hij zag er blakend van gezondheid uit toen hij van Robbeneiland kwam. Ze hebben er toch een naam voor? Het schone-slaapster-syndroom, is dat het niet? Het is dat geregelde leven, geen alcohol of drugs, gewoon eten, voldoende lichaamsbeweging in de buitenlucht. Ik herinner me dat ik er eens een artikel of zo in een van de Engelse kranten over heb gelezen. Ze hadden berekend dat hij lichamelijk minstens twintig jaar jonger was dan hij in werkelijkheid was.'

'Ja, Jack, maar er is één groot verschil tussen onze Nelson en Rachel Beckett. Hij had geen kwaad geweten. En driekwart van de wereld stond aan zijn kant. Hij had gelijk en God of wie je ook wilt noemen aan zijn kant. Ik vrees dat hij in dat opzicht in het voordeel was.'

'Dus ze is geen stuk meer?'

'Hangt ervan af wat je met "stuk" bedoelt. Haar haar is nu grijs. Ze is heel mager, bijna doorschijnend. Haar huid heeft dat uitgedroogde, alsof ze slecht eet. Maar weet je…' Andrew dronk zijn tweede glas leeg en hief het met een vragend gezicht op naar Jack. Jack knikte. 'Over een paar maanden, de zeelucht, zon…' Zijn stem stierf weg.

'Stuk' was het woord dat Jack toen waarschijnlijk had gebruikt. Sommigen waren wat explicieter, meer uitgesproken. Ze kenden haar allemaal en waren allemaal op enig moment wel een beetje verliefd op haar geweest. Ze was de dochter van die oude Jennings. Zijn jongste, zijn enige meisje, zijn oogappel. En ze waren allemaal verbaasd toen zelfs Martin Beckett voor haar viel. Martin was zo niet. Hij was niet het type dat zich bindt.

'Weet je nog tijdens het proces, Jack, wat ze allemaal zei over Martins broer, Dan? Probeerde ze hem niet de schuld te geven?'

Niemand van hen had er ook maar een woord van geloofd. Michael McLoughlin had het van het begin af aan van de hand gewezen. Hij herinnerde zich hoe hij terugkwam op het bureau, nadat hij bij haar thuis was geweest. Nadat hij haar geconfronteerd had met het wapen en haar over de vingerafdrukken had verteld, dat ze overeenkwamen met de hare. Hij kwam binnengelopen en zei tegen iedereen in het vertrek dat de dame weer met een prachtig verhaal op de proppen was gekomen. Ze gaf de broer overal de schuld van. En had ze een reden voor haar beschuldigingen? Het zou logisch zijn geweest als ze iets met elkaar hadden gehad. Maar ze hield voet bij stuk dat ze alleen maar vrienden waren, verder niets.

Vertel eens, Rachel. Vertel ons nog eens wat er werkelijk is gebeurd. Je neemt afstand van je verhaal over de 'gemaskerde mannen', hè? Je zegt dat jij en Martin ruzie hadden. Waar ging dat over? Niets bijzonders, zeg je. Hij was dronken. Hij was de laatste tijd wel vaker dronken. En als hij dronken was, werd hij agressief. Is dat nu je verhaal? Nou, over één ding heb je gelijk. Hij was inderdaad dronken. Er zat meer dan vijf maal de wettelijk toegestane hoeveelheid in zijn bloed.

Dus je was bang voor wat hij ging doen, je was bang voor hem. Dus belde je je zwager voor hulp. Waarom ging je niet gewoon zelf weg, gewoon je jas aan en weg? De auto stond in de garage, je was een vrije vrouw. Waarom bleef je dan in huis met een man van wie je beweerde dat hij dronken en agressief was? Vertel ons dan eens wat er daarna gebeurde. Vertel eens over Dan Beckett.

'Jij bent naar het proces geweest, hè, Andrew?'

Alle kleur was uit Andrews gezicht weggetrokken. Hij zag er uitgeput uit. Hij zette zijn bril af en wreef tussen zijn ogen. Hij staarde naar zijn spiegelbeeld, wazig, dubbel, in de spiegel aan de muur tegenover hem. Hij wist dat hij moest gaan, dat Clare op hem wachtte. Maar hij kon het niet aan. Nog even niet.

'Hé, Bernie, doe nog eens hetzelfde,' riep hij naar de barkeeper. Hij wierp een blik op Jack, die tegen de kussens hing en handenvol geroosterde pinda's achteroversloeg. Andrew kende hem op de een of andere manier al jaren. Hij was getuige geweest van zijn promoties bij de politie en had zijn huiselijke perikelen gevolgd. Hij moest toegeven dat Jack er de laatste tijd goed uitzag, ondanks zijn klaagzangen over zijn vrouw. Hij was afgevallen, had zijn zwarte haar in een soort Brad Pitt-stijl laten knippen en hij had niet meer die houding van een geslagen hond, die hij, de laatste paar maanden voor hij eindelijk uit huis ging, had gehad. Hij wachtte tot de barkeeper hun glazen met een klap op het tafeltje had gezet, zijn geld had aangenomen en zich achter de bar had teruggetrokken, en zei toen: 'Het proces? Het proces van Beckett? Ja, daar ben ik een paar keer geweest.'

'Wat vond je van Dan Beckett?'

Andrew haalde zijn schouders op. 'Hij had een alibi. Zijn moeder, hè? Zei ze niet dat hij op dat moment bij haar thuis was? En ik geloof dat de algemene gedachte was dat het onwaarschijnlijk was dat ze zoiets zou verzinnen om de moordenaar van haar zoon te beschermen. Ook al was de verdachte haar andere zoon.'

'Haar aangenomen zoon, Andy. Dat moet je niet vergeten.'

'Ja, oké, haar aangenomen zoon. Maar toch degene die beschuldigd was. Je zou toch denken dat zíj in ieder geval wilde dat er recht zou geschieden, hè?'

'Zelfs toen uitkwam dat ze een verhouding hadden gehad. Rachel, haar schoondochter, met Dan, haar zoon?'

'Maar zelfs jullie geloofden niet dat Dan erbij betrokken was geweest, hè? Jullie geloofden niet wat zíj zei dat er gebeurd was. Jullie hebben hem toch nooit aangeklaagd voor het een of ander?'

'Nee. We hebben hem inderdaad wel verhoord. Dat herinner ik me. Zijn vader was meegekomen. Tony Beckett, nog zo'n oudgediende. Ik heb hem nooit gekend, maar alle anderen wel. Het halve bureau werkte stiekem voor zijn bewakingsfirma. Hielden hier en daar een oogje in het zeil. Dus kenden ze Dan ook allemaal. Ze hadden allemaal verhalen over Dan, over dat hij Tony's boodschappenjongen was. Hij bracht hem overal heen in die grote ouwe zwarte Mercedes van hem. Kocht voor hem zijn Cubaanse sigaren en zijn flessen Bushmills. Bracht hem naar de golfclub voor zijn avondeten en reed hem daarna weer naar huis, die ouwe Tony snurkend achterin en Dan zo nuchter als wat. Hij bracht hem ook altijd naar de meisjes in de massagesalons die ze bewaakten.'

'Echt waar, massagesalons? Op zijn leeftijd, wat een mazzelpik.'

'Ja, die jongens van de zedenpolitie wisten er alles van. Maar eerlijk gezegd weten ze alles van de spelletjes en voorkeuren van de helft van de hoekstenen der maatschappij. Zij kunnen je wat verhalen vertellen. Maar in ieder geval, toen Dan dus binnenkwam om verhoord te worden, was het een en al schouderklopjes en herinneringen ophalen. De goeie ouwe tijd, de geweldige golfpartijen. Maar ze kregen sowieso niets uit hem.'

'En zo ging het tijdens het proces ook. Hij zei dat Martin op de bank lag te slapen toen hij wegging. De jury geloofde hem en ze geloofden haar niet.'

'Dat klopt, daar kwam het wel op neer. En jij, wat dacht jij? Toen. En nu je haar ontmoet hebt, wat denk je nu?'

'Wat ik nu denk, Jack, is dat ik al aan de late kant ben. Ik drink snel mijn glas leeg en dan ga ik naar huis. Dat denk ik.' Hij pakte zijn glas en dronk het leeg. Hij zette het lege glas keurig op de onderzetter, stond op, pakte zijn aktetas, knikte en liep naar de deur.

Arme donder, dacht Jack. Wat een leven. Om hem heen begon de bar vol te lopen. Het was een vreemde plek om te drinken voor een reclasseringsambtenaar, dacht hij, niet voor het eerst. In een oogopslag zag hij verscheidene vroegere en huidige cliënten van Andrew. Het waren vast allemaal maten van die arme dode Karl O'Hara geweest. Hij zou de komende tijd nog veel meer van hen zien. Zijn hart zonk hem in de schoenen toen hij erover nadacht en dacht aan de toestand van het lichaam van die arme knul, en hij moest er opnieuw aan denken hoe Martin Beckett er dood uitzag. Het was geen fraai gezicht. Een enorme wond in zijn kruis. Zijn halve onderbuik weggeschoten. Een afschuwelijke lucht. Overal bloed. Opgedroogd, donker, plakkerig.

Maar zijn gezicht was tenminste ongeschonden gebleven. Ze hadden hem na de lijkschouwing en alle forensische formaliteiten naar het huis van zijn ouders gebracht. Er was een enorme menigte die de laatste eer wilde bewijzen. Jack durfde bijna niet naar de kist te lopen. Maar Martin zag er goed uit. Heel bleek, met zijn blonde haar over zijn voorhoofd gekamd. Zijn oogleden gesloten over zijn felblauwe ogen. En zij zat naast hem op een rechte stoel, zwijgend, verstijfd van verdriet, dacht hij. Jack maakte deel uit van het politie-escorte naar de kerk. Hij had contact opgenomen met Dan Beckett over de begrafenis. De ouders wisten er helemaal geen raad mee, zo overstuur waren

ze. Op de een of andere manier had hij Dan altijd graag gemo-
gen. Hij was veel gemakkelijker in de omgang dan zijn afstan-
delijke, moeilijke, ambitieuze jongere broer. Maar ja, zoals hij
nadrukkelijk tegen Andy had gezegd, waren ze alleen maar
adoptieve broers. Geen bloedverwanten. Wat maakt dat nu uit,
vroeg hij zich af terwijl hij zijn glas leegdronk en zijn zoute,
vette vingers aan een verkreukt zakdoekje afveegde. Het moest
iets zeggen. Het moest iets betekenen. Er moest een verschil
zijn, in persoonlijkheid, in karakter, net zoals er in het uiterlijk
is. Hij stond op en trok zijn colbert aan. En toen vroeg hij zich
af of Dan Beckett wel wist dat zijn schoonzus na al die jaren
vrij was.

5

Het was zo koud, de dag dat Martin overleed. Begin maart, overal narcissen die stonden te bloeien met de belofte van de aanstaande lente, maar ijs op de wegen vroeg in de ochtend en een lage grijze lucht die de hele week al sneeuw beloofde. Ze herinnerde zich de kou in de lucht, hoe het was, terwijl ze langs de kustweg naar het DART-station liep. Vandaag stond er een oostenwind, dus ook al was de meizon warm op haar gezicht en handen, ze voelde een rilling over haar rug, kippenvel op haar bovenarmen en haar tepels die hard werden.

Het was die hele week koud, al die jaren geleden. Ze herinnerde zich het rood van Amy's wangen terwijl ze op de drempel stond te springen en te huppen, terwijl ze wachtte tot Rachel naar buiten kwam om het portier van de auto open te doen. Ze ging die nacht bij haar vriendinnetje van de kleuterschool slapen. Het kind, herinnerde Rachel zich, heette Lulu. Haar ouders waren Engels. Lulu was jarig en haar moeder nam hen mee naar een film. Welke was het? Een Disney-tekenfilm of zoiets als *ET*? Ze wist het niet meer, maar ze wist nog wel hoe opgewonden Amy was. Het kind kon niet stilstaan. Ze sprong op en neer terwijl haar lappentas heen en weer zwaaide. De tas die Rachel voor Kerstmis voor haar gemaakt had, net groot genoeg voor haar nachtjapon, en haar beer en haarborstel en tandenborstel.

'Kom nou, mama. Schiet nou op. Ik loop te wachten. Ik loop te wachten.' Rachel hoorde Amy's stem, zangerig terwijl ze telkens dezelfde zinnetjes herhaalde, heen en weer rende van de voordeur naar het tuinhek, en Rachel aan het slot morrelde, in haar tas keek of ze haar portemonnee had en de brieven die ze wilde posten, zich toen herinnerde dat Amy haar muts op moest, en terug het huis inliep om hem te zoeken. En al die tijd hoorde ze Amy's stemmetje.

'Ik loop te wachten, ik loop te wachten. Kom nou, mama, domme mama, slome mama. Ik loop te wachten. Ik loop te wachten.'

Maar Amy moest haar muts op, anders kreeg ze misschien weer oorontsteking. Ze had een hekel aan die muts. Rachel wist wat ze zou zeggen.

'Nee, mama, ik wil hem niet op, mijn hoofd gaat ervan jeuken.'

Maar ze moest erop aandringen, ook al betekende het dat Amy ging huilen of een driftaanval kreeg. Anders zou ze weer oorpijn krijgen van die koude wind.

En net toen Rachel alles voor elkaar had en de deur dichtgedaan had en gecontroleerd had of hij wel op slot zat, hoorde ze de telefoon overgaan. En ze draaide zich om, aarzelde, bleef staan en vroeg zich af wie het was. Was het soms Martin? Hij had gezegd dat hij de avond ervoor zou bellen, maar dat had hij niet gedaan. Hij was weer eens weg. Zoals altijd de laatste tijd. Dit keer was het Los Angeles. Een of andere internationale conferentie voor forensische deskundigen, geloofde ze. Ze was kwaad. Hij had gezegd dat hij zou bellen en dat had hij niet gedaan. Ze wist zeker dat hij het nu was. Ze draaide zich om naar de deur.

'Wacht even, schat, ik ga nog even naar binnen. Misschien is het papa wel, wil je niet even gedag tegen hem zeggen?' En ze haalde haar sleutels te voorschijn, maakte het chubbslot en vervolgens het yaleslot open, duwde de deur open en rende de gang door naar de keuken. En net toen ze erbij was, net toen ze de hoorn van de haak haalde, stopte hij met rinkelen, en klonk er niets anders dan de ingesprektoon in haar oor. En toen een ander geluid. Harder, verschrikkelijk hard. Een gepiep van remmen, als een geluidseffect uit een tv-film, en een gil, en een klap. En nog een gil. Gejammer. En ze draaide zich om. Ze kon door de gang, de openstaande voordeur, het kille felle licht op de parketvloer, en via het tegelpad naar het hek, en het open hek zien dat er een auto was gestopt. En nu was het stil.

Die hele week was het zo koud. Ze herinnerde zich dat ze maar niet warm kon worden. Terwijl ze naast Amy in de ambulance zat, waarmee ze haar in vliegende vaart naar het ziekenhuis vervoerden, kreeg ze het maar niet warmer. Amy zag er volkomen ongeschonden uit. Er was bijna niets aan haar te zien, een schrammetje op haar wang en een wondje boven haar rechteroog. En toen hoorde Rachel de ambulancebroeder zachtjes vloeken en ze zag hoe Amy's gezicht van kleur veranderde; ze werd plotseling heel wit en haar ademhaling klonk oppervlakkig en gejaagd. Ze begon te kreunen en keek naar haar moeder. Ze was bang. Rachel zag hoe de ambulancebroeder zijn hand uitstak om haar pols te voelen. Snel de strakke zwarte band om haar bovenarm bond en met zijn stethoscoop luisterde.

'Wat is er, wat gebeurt er met haar?' Rachels stem weergalmde tegen het glanzende interieur van de ziekenauto en wedijverde met het hoge geluid van de sirene. Hij gaf geen antwoord. Zijn vingers voelden Amy's pols en gingen vervolgens naar haar hals. En al die tijd werd het gezichtje van het kind steeds witter, totdat Rachel het gevoel had dat ze voor haar ogen zou verdwijnen.

Ook zo koud toen ze in de wachtkamer zat, nadat ze Amy weggevoerd hadden, en iedere keer dat de klapdeuren opengingen, werd ze omhuld door een koude luchtstroom die de andere deuren een beetje openduwde, de deuren die naar de kamertjes van de spoedeisende hulp leidden, waarvan ze wist dat Amy er lag. En iedere keer dat de deuren piepend opengingen, dacht ze dat er iemand kwam vertellen dat het goed met Amy ging, prima zelfs. Het was niets ernstigs. Maar als dat het geval was geweest, zou ze daar geweest zijn, naast haar bed met haar handje in de hare, in plaats van te zitten wachten in de kou. En toen stond er ineens een jonge arts tegenover haar. Er zat bloed aan zijn operatieschort en hij had donkere kringen onder zijn ogen. Ze voelde zijn hand op haar schouder toen hij haar vertelde dat Amy's milt gescheurd was. Ze had inwendige bloedingen. Ze moesten haar gaan opereren. Ze had al een hoop bloed verloren. Wilde zij haar officiële toestemming geven? Hij reikte haar een papier en pen aan. Haar hand trilde terwijl ze schreef, en toen ze ernaar keek, zag ze dat ze haar meisjesnaam had gebruikt, Jennings; ze had zichzelf Rachel Jennings genoemd en kraste het snel door. Schreef er Beckett voor in de plaats. Wat stom van me, wat onnozel, zei ze terwijl ze het papier teruggaf.

Maar de jonge dokter was al weg, terug door de zware klapdeuren, waarvan de tocht in haar gezicht blies terwijl ze probeerde na te denken. Waar was Martin en hoe zou ze het hem vertellen?

En nog zo koud vier dagen later, terwijl ze ineengedoken in de garage zat en wachtte tot Martin in slaap viel, tot de alcohol tot zijn hersenen was doorgedrongen. Luisterend naar zijn stem die naar haar schreeuwde, die haar uitschold. Wachtend tot het stil was en ze wist dat hij was gaan liggen, zijn ogen dicht, zijn lichaam ontspannend, zodat ze het huis binnen kon gaan en om hulp kon bellen. Maar ze wist niet wat hij daarbinnen precies aan het doen was. Iedere keer dat ze de deur naar de keuken van het slot wilde halen, hoorde ze weer een geluid dat wel van hem afkomstig kon zijn. Ze kon het risico niet nemen. Hij had haar al pijn gedaan. Hij had haar in haar maag gestompt en haar vervolgens geschopt toen ze op de grond lag, zodat ze, als ze in- en uitademde, het gevoel had dat een van haar ribben door haar longen stak. En toen ze bij hem vandaan wilde kruipen, probeerde hij op haar enkel te stappen, maar door de plotselinge beweging raakte hij uit zijn evenwicht en viel ook om. En terwijl hij, brullend van woede, op de grond lag, was zij wankelend overeind gekomen en snel naar de keuken gelopen, waar ze de verbindingsdeur naar de garage had opengedaan, en vervolgens snel de sleutel in het slot had gestoken. Dus toen hij haar achternakwam en op de deur beukte en timmerde, bleef de deur gesloten.

Ze was op de betonnen vloer gaan zitten en zat nu trillend en ineengedoken tegen de grasmaaier in de hoek. Ze was op blote voeten en had haar nachtjapon stevig om haar knieën getrokken. Ze had in bed gelegen toen hij thuiskwam, waar ze probeerde iets van de slaap in te halen die ze tekort gekomen was toen Amy op intensive care lag, omringd door slangen en draden en apparaten en bloed dat vanaf de zak aan de standaard in haar arm drupte. Rachel was bij haar toen ze voor het eerst haar ogen opendeed, om water vroeg, glimlachte, en weer in slaap viel. En eindelijk had ze naar het dringende advies van de verpleegsters geluisterd en was naar huis gegaan. Ze was in bed gekropen en had haar ogen dichtgedaan. En toen ze ze weer opendeed, stond Martin naast haar. Ze stak haar hand naar hem uit. Maar hij deed een stap achteruit en ze zag de blik in zijn ogen. De blik die ze maar al te goed kende. Waardoor hij op slag veranderde. Waardoor zijn gezicht donker werd, zijn lippen samengeperst werden en zijn felblauwe ogen waterig grijs werden. Zijn handen balden tot vuisten terwijl hij zei: 'Bloed? Wiens bloed? Niet dat van mij, het kan dat van mij niet zijn geweest.'

Toen vertelde hij het haar, heel zorgvuldig zoals de dokter het hem had uitgelegd.

'Dus u bent bloeddonor, meneer Beckett. Geweldig. Wij zijn dol op mensen als u. En u bent O-negatief? Nog beter. We hebben altijd O-negatief nodig. De meest voorkomende bloedgroep, zoals u ongetwijfeld weet. Met vrijwel ieder bloedtype verenigbaar.' Hij keek op Amy's kaart. 'Maar uw dochter heeft bloedgroep A. Dus haar moeder moet ook bloedgroep A hebben, want A is altijd dominant. Wist u dat?'

Hij glimlachte op die alleswetende manier die dokters hebben.

'Maar dat heb jij niet, hè, Rachel? Weet je nog hoe we ons zorgen maakten, over dat gedoe met resus negatief en positief toen je zwanger was? Dat herinner je je nog wel, natuurlijk herinner je je dat nog wel. En toen ontdekten we dat je O-positief was. Nietwaar? Dus daar zat ik dan, bij Amy's bed, na te denken, me af te vragen of het de jetlag was waardoor ik in de war was. En weet je wat ik toen deed, Rachel? Ik ging bellen. Ik belde mijn oude vriend Peter Browne – weet je nog, Peter Browne, de patholoog? En ik zei: ik zit met een zaak waar ik problemen mee heb. En ik vroeg hem naar bloedgroepen. En weet je wat hij tegen me zei, Rachel?'

Hij boog voorover en trok haar aan haar haar overeind.

'Mijn oude vriend Peter Browne, hij zei tegen me: vader O-negatief, moeder O-positief. De bloedgroep van het kind is O. Als de bloedgroep van het kind A is, dan moet de vader of de moeder bloedgroep A hebben, want A is altijd dominant. Wist jij dat, Rachel? Dat geloof ik nooit.' Hij sleepte haar over de grond.

'Dus de volgende keer dat je iemand anders neukt, moet je op je bloedgroep letten, heb je dat gehoord, kutwijf?'

Nu hoorde ze hem buiten terwijl hij de metalen roldeur van de garage probeerde open te maken. Maar die had ze ook van binnenuit op slot gedaan. Hij bonsde een paar keer op de deur, maar ze wist dat hij niet te veel lawaai wilde maken, dat hij niet de aandacht van de buren wilde trekken in het stille doodlopende straatje waar ze al woonden sinds ze zes jaar geleden waren getrouwd. In het uit twee verdiepingen bestaande huis met het rode pannendak en het tuintje aan de voorkant en het uitgestrekte gazon en de struiken aan de achterkant. De vijver die ze zelf had gegraven en met dikke vijverfolie had afgedekt en met zuurstofplantjes en waterlelies en vissen had gevuld. En de mooie kas die ze had ontworpen en die Daniël had gebouwd, dat eerste jaar toen zij en Martin net getrouwd waren en Martin naar Letterkenny werd overgeplaatst, om grenspatrouilles uit te voeren.

Ze wachtte en wachtte tot het stil was. Toen deed ze de kofferbak open en haalde Martins wapen eruit. Hij moest het daar niet laten liggen, zei ze altijd. Het is gevaarlijk. Dat zou hij toch zeker moeten weten. Maar hij lachte en zei: 'Allemachtig, alleen als het geladen is. Een vuurwapen zonder kogel is net een hond zonder tanden. Heeft je vader je dat niet verteld toen hij je leerde schieten?'

Als ze maar bij de kast in zijn werkkamer kon komen waar hij de kogels bewaarde. Als ze het geweer maar kon laden en hem rustig kon houden terwijl ze het uitlegde. Terwijl ze hem vertelde wat er gebeurd was. Dat het er niet toe deed. Het zou nooit meer gebeuren. Het had niets te betekenen. Ze zouden nog meer kinderen krijgen. Hij hield hoe dan ook van Amy en zij hield van hem. Hij was haar vader, hoe dan ook. Als ze hem daar maar kon houden, rustig kon houden, op een afstand kon houden, terwijl ze hem smeekte naar haar te luisteren, hem smeekte haar te vergeven. Terwijl ze wachtte tot die blik in zijn ogen veranderde. Zoals altijd, na verloop van tijd. Wanneer ze iets fout had gedaan, een vergissing had begaan, hem reden had gegeven om kwaad te worden. Wanneer ze hem boos had gemaakt, kon ze het op de een of andere manier altijd wel weer goedmaken.

Maar hij was wakker toen ze uit de garage, door de keuken de hal in sloop. Hij lag op zijn rug op de bank, met een glas whisky in zijn hand. En hij riep haar en lachte haar uit toen ze met het geweer tegenover hem ging staan. En zei: 'Stomme trut, wat dacht je daarmee te gaan doen? Je zou me toch niet neerschieten, ook al hing je leven ervan af. Niet jij, leugenaarster en bedriegster en lafaard. Kom dan, vertel het me maar. Wie was het? Biecht maar op. Ik heb het recht het te weten. Tenslotte speel ik al jaren vader voor een kind dat niet van mij is. Zeg het maar.'

Dus vertelde ze het hem. Flapte het eruit. Omdat ze dacht dat het op de een of andere manier beter was dat het niet zomaar iemand was. Dat het iemand was die hij kende. In de veronderstelling dat hij het gevoel zou hebben dat hij het haar zou kunnen vergeven. Dat hij zou kunnen accepteren wat er was gebeurd. Dat het weer goed zou komen. Zoals het was geweest. Maar ze was het vergeten. Om de een of andere reden die ze nooit heeft kunnen begrijpen, was ze vergeten hoe hij over Daniël dacht.

'Die bastaard die zichzelf mijn broer noemt. Jij en hij, samen. Waar? Hier in huis? Hier in mijn bed, in mijn kamer? Hier, onder dit dak? Mijn dak? Jij en hij? Nota bene. Hoe kon je? Als ik geweten had dat hij je aangeraakt had – dat weet je, hè? – dan zou ik je nooit meer aangeraakt hebben. Nooit meer. Je weet toch, hè, dat hij letterlijk een bastaard is, hè? Mijn moeder heeft me over zijn moeder verteld. Een vijftienjarige ergens in de klei, die zwanger was geraakt. Maar we weten niks van zijn vader. Een of andere gelukkige klootzak die even wat lol heeft gehad en ervandoor was voor hij de consequenties onder ogen hoefde te zien. Precies wat ik met jou had moeten doen, Rachel. Ik weet niet wat me bezielde toen ik met jou trouwde. Ik moet wel stapelgek zijn geweest.'

Hij stak zijn hand uit en pakte de loop van het geweer, trok hem naar zich toe en trok haar mee.

'Kom op, dan zal ik je even helpen. Ik zal je laten zien wat je ermee moet doen. Wat ik ermee zou doen.'

Ze liepen samen de keuken uit, door het gangetje, naar het kamertje aan de voorkant van het huis. Zijn kamer, waar hij zijn boeken en papieren bewaarde, zijn privé-zaken, zoals hij altijd zei.

'Hier.' Hij trok de bovenste lade van het bureau open. Hij haalde er een doos kogels uit. Hij deed hem open. Hij trok het geweer uit haar handen. Hij klapte het open en stopte de kogels in de kamer. Hij klapte het dicht. Hij gaf het aan haar.

'Hier.' Hij glimlachte naar haar. 'Dit zou ik nu een wapen noemen.'

De auto's scheurden langs haar terwijl ze op de kruising van Merrion Square en Clare Street stond. Ze probeerde hun afstand te schatten, maar het was hopeloos. Twaalf jaar lang had ze niet verder gekeken dan de muren van de binnenplaats van de gevangenis. Niets binnen die grenzen bewoog zich voort met een snelheid die niet menselijk was. Hoe kon ze weten hoe ver een bewegend voorwerp zich bij haar vandaan bevond, hoe moest ze die betrekkelijke snelheid bepalen? Ze zette één voet op de weg en aarzelde. Ze boog naar voren, en trok zich terug. Dacht aan het geluid dat de auto maakte toen hij Amy aanreed. En de oudere man die achter het stuur zat, die huilde toen hij het kind op de grond zag en maar bleef zeggen: 'Ze liep gewoon voor mijn wielen, ik kon er niets aan doen.'

Nu bleef Rachel staan en wachtte. Er moest iets met de lichten zijn. Ze bleven maar op rood staan. Om haar heen staken andere voetgangers over, liepen langs haar. Zo nu en dan keek iemand nieuwsgierig om. Ze wilde haar hand uitsteken en aan een mouw of een jas trekken, om hulp te vragen. Het werd steeds later. Amy kon nu ieder moment door Leeson Street naar school lopen. Ze moest in beweging komen, anders liep ze haar mis. En dan moest ze weer wachten tot ze tussen de middag uit school kwam.

De tranen liepen over haar wangen. Ze draaide alle kanten op. Wat moest ze er debiel uitzien, dacht ze. Een krankzinnige vrouw met grijs haar en een grijs gezicht, die in een drukke straat voor gek stond. De auto's raceten voorbij, minderden vaart en stopten. Er klonk een zoemer, een hoog gekrijs. Het groene mannetje lichtte op. Ze haalde diep adem en rende tussen het verkeer door. Ze bleef rennen, terwijl ze haar spijkerjasje stevig vasthield en haar sleutels in haar zak rammelden. De veters van haar sportschoenen dansten heen en weer. Ze staarde naar haar voeten terwijl ze rende en zag schoenen in allerlei vormen en maten voorbijkomen. Zwart, van leer, glimmend, duur. Met gespen, sierlijke gaatjes, blokhakken en naaldhakken. Rechte neuzen, smal toelopend. Ooit had ze dat soort schoenen gedragen. Cadeautjes van Martin. Elegant, chic. Nu zag ze haar spiegelbeeld in de etalageruit van de drogisterij op de hoek van Merrion Row, omringd door foto's van mooie vrouwen die met make-up en parfum adverteerden, en haar eigen gezicht, gerimpeld en getekend, dat naar haar staarde.

Wat had ze al die jaren geleden gedaan op die koude dag in maart dat Martin stierf? Ze had haar eigen leven weggegooid toen ze het geweer op hem richtte en de trekker overhaalde. Waarom had ze het gedaan? Wat bezielde haar? De bel ging terwijl ze samen in de hal stonden. Ze zag de gestalte van een man door het matglas.

'O,' Martin maakte een laatdunkend gebaar met zijn hoofd, 'ik snap het al. Je kon dit niet in je eentje aan. Je moest de cavalerie erbij halen. Nou, waar wacht je op? Laat de bastaard binnen.'

Ze stak haar hand uit naar de grendel. Aarzelde. Hoorde hem weglopen naar de keuken. Hoorde glas en aardewerk breken. Draaide zich om en zag dat hij alles uit de kastjes haalde. De borden, schalen, het vaatwerk liet vallen. Op de plavuizen liet vallen. Met zijn schoenen op de scherven porselein en glas stampte. Ze draaide zich om en deed de deur open en ging aan de kant om Daniël langs te laten. Ze hoorde het woedende geschreeuw, de scheldwoorden. Hoorde bij beiden de opgekropte woede van jaren naar buiten komen. Ze liep de woonkamer in, met het geweer in haar handen. Hoorde de stem van haar man, de afkeer, de weerzin, de bitterheid. Ze voelde een schaamte die ze nooit eerder had gevoeld. Hoorde hem zeggen: 'De koekoek in het nest, dat was een mooie truc, hè? Je ei in het nest van een andere man leggen, zodat die man jouw vondelingetje voor je opvoedt. Godvergeten mooi. Maar daar weet je alles van, hè, Daniël, of hoe je in werkelijkheid ook heet. Besef je wel,' en hij zweeg even en keek naar Rachel, 'hoeveel je aan deze familie te danken hebt? Als mijn moeder niet zo naar een baby had verlangd en mijn vader er niet van overtuigd had dat een of ander ongewenst mormel het waard was, wat zou er dan met jou zijn gebeurd, vraag ik me af. Geef daar maar eens antwoord op als je kunt. Nou, ik denk dat we dat allemaal wel weten, hè? Je zou in dat kindertehuis grootgebracht zijn, hè? Dat kindertehuis waar de priesters de kleine jongetjes slaan, ze verkrachten als ze brutaal zijn en kleine smeerlapjes van ze maken. En wat voor toekomst zou je dan hebben gehad?'

Ze keek naar Daniël. Hij zag heel bleek en bleef roerloos staan.

'En je nam de hele hand, hè? Jij nam de hele hand en stelde ze nog teleur ook. Altijd in de problemen. Deed nooit wat je moest doen. Je hebt mijn moeders hart bijna gebroken met de manier waarop je je gedroeg.'

'Hou op, Martin. Hou op.' Eindelijk hervond ze haar stem.

'Ophouden? Ik ben nog niet eens begonnen.' Hij keerde zich naar haar en deed een stap in haar richting. 'Was nooit thuis. Kon niet met normale mensen omgaan. Vond je eigen soort. Die bende joyriders met wie je omging, die die vrouw met dat kind aanreden en ze voor dood lieten liggen. Dat heb je toch gedaan?'

'Nee, Martin, hou op, hou alsjeblieft op!' gilde ze tegen hem.

'Waarom zou ik? Jij hield toch ook niet op? Jij ongelooflijke, walgelijke trut. Hoe kon je met hem naar bed gaan, terwijl je wist hoe ik over hem dacht? En dan me ook nog met het kind opschepen. Ik had moeten weten dat ze niet van mij was. Ze lijkt sprekend op hem, hè?'

'Niet doen.' Daniël was ook in beweging gekomen. Dichterbij gekomen. 'Niet doen.'

'Wat niet doen, Danny boy? Jij hoeft me niet te vertellen wat ik wel of niet moet doen. Nu, en in het vervolg, zeg ik wat er gedaan wordt. Want weet je, Danny boy? Ik heb net een besluit genomen, een heel belangrijk besluit. Ik ga op het aanbod van mijn vader in. Ik ga bij de politie weg en neem de zaak over. En weet je wat dat betekent? Dat betekent dat je een nieuwe baas krijgt, een nieuwe man achter in de Mercedes. Een nieuwe man die je naar de diners op de golfclub brengt, naar de meisjes in de massagesalons. Een nieuwe man om je leven door te laten leiden, aan wiens grillen je tegemoetkomt zolang je het kunt verdragen. Maar op de een of andere manier, Danny boy, denk ik niet dat het heel lang zal zijn, want, op de een of andere manier, denk ik dat je ineens ontslagen zult worden.'

Hij keerde zich weer naar Rachel. Hij pakte de fles whisky van tafel en nam een diepe teug.

'En wat jou betreft, trut, jij bent op staande voet ontslagen. Ik stel voor dat je dat geweer neerlegt en opdondert en dat jij en dat kind van je nooit meer terugkomen.' Het was alsof hij langs haar wilde lopen. Ze probeerde voor hem te gaan staan.

'Nee,' zei ze, 'ik hou van je, Martin. Het had niets te betekenen tussen Danny en mij, het gebeurde gewoon. Je moet me geloven. Alsjeblieft, Dan, vertel jij het hem alsjeblieft.'

En plotseling keerde Martin zich tegen Dan, wilde zijn hand om zijn keel leggen, en toen had hij iets in zijn hand, een mes, een keukenmes. En ze gilde, gilde om hem te waarschuwen, en toen klonk er een geluid dat zo hard was dat haar oren ervan suisden. En een stank, de stank van een vuurwapen dat van dichtbij afgeschoten wordt. En Martin lag op de vloer. Hij was geschrokken, hij bloedde, zijn dijbeen lag open, maar hij leefde nog. Hij riep: 'Help me, Rachel. Help me.' En toen klonk er een tweede schot, van dichtbij. En ditmaal was hij stil; er kwam geen geluid uit zijn open mond. Zijn ogen waren dicht en hij kreunde nog één keer zachtjes. En toen was het stil, een ogenblik maar, en toen hoorde ze haar eigen stem die schreeuwde: 'Waarom heb je dat gedaan, waarom heb je dat gedaan, wat heb je gedaan?'

En Daniël keek naar haar en keek naar het geweer in zijn handen en zei niets.

En toen zag ze haar nachtjapon, dat hij bedekt was met kleine bloedvlekjes, en ze zei: 'Wat moeten we doen? We moeten de politie bellen. We moeten het iemand vertellen. Hoe leggen we iedereen uit wat er gebeurd is? Wat zal iedereen denken? Dan, wat moeten we doen?'

En hij legde het haar uit, langzaam en kalm. Hij zou het wel regelen. Hij trok haar nachtjapon over haar hoofd. Hij haalde andere kleren voor haar uit de slaapkamer. Hij kleedde haar aan. Toen haalde hij Martins handboeien uit diens auto en maakte haar aan de radiator vast. Hij zei dat hij haar auto zou meenemen en hem ergens dumpen. Hij zou het geweer en alle andere spullen weggooien waar ze niet gevonden zouden worden. Hij zou het allemaal regelen. Ze hoefde zich geen zorgen te maken. Ze moest hem vertrouwen. Vroeg of laat zou iemand haar opzoeken. En dan zou ze hun het verhaal vertellen. Ze zou hun vertellen wat hij had gezegd. En dan zou het goed zijn. Ze zouden haar geloven.

Maar ze geloofden haar niet. Ze had hem vertrouwd en voor alles geboet. Was een oude vrouw geworden, met een verschrompeld lichaam en een dood hart. Niemand die van haar hield. Niemand om van te houden.

Zelfs het meisje niet dat met haar vriendinnen bij de bushalte op de hoek van Stephen's Green vandaan liep. Zwart kortgeknipt haar, donkere wenkbrauwen die de lijn van haar oogkas volgden, een geelbruine huid met een vage roze gloed op haar jukbeenderen. Lachend en schertsend, zo nu en dan zingend. Tot ze Rachel op haar zag wachten, en toen veranderde haar uitdrukking. Ze ging sneller lopen, zodat ze de anderen achter zich liet, liep vlak langs Rachel en negeerde haar uitgestoken hand. Ze liep de trap op naar de deur van de school. Bleef staan. Keek naar haar. Zei op zo'n toon dat alleen Rachel haar kon horen: 'Ik heb toch al gezegd dat ik je niet wil zien. Ga weg en laat me met rust. Ik meen het. Ik meen het echt.'

En toen was ze weg. De andere meisjes liepen voorbij. Een van hen haalde vijftig pence uit haar zak. Ze drukte de munt in Rachels hand, keek naar haar vriendinnen en gniffelde: 'Dat was mijn goede daad voor vandaag, hè?'

Het was zo'n koude dag in maart, toen Martin stierf. Soms had ze het gevoel dat ze nooit meer warm zou worden. Ze draaide zich om en liep in de richting van het kanaal. Ze deed haar hand open en liet de munt op het trottoir vallen. Hij draaide rond op het steentje bij haar voet en rolde in de goot. Net als ik, dacht ze. Daar hoor ik thuis. En de zon verdween achter een wolk, en de dag werd donker.

6

Blauw zover het oog reikte. Het lichte blauw van de hemel tegen het donkerder blauw van het water, vijftien kilometer verderop aan de rand van de horizon. En beneden hem het dichte donkergroen van de pijnbomen bovenop het klif, het heldere goud van de bloeiende brem, en tussen hen en onder hen het brons en bruin van de varens.

Daniël Beckett boog over het stenen muurtje en keek naar beneden. Op het gemaaide gazon voor het huis lag overal kinderspeelgoed. Een fiets op zijn zijkant, de wielen nog ronddraaiend. Een kinderwagen er keurig naast geparkeerd, met een grote wit-met-roze pop die zorgvuldig tegen de kanten kussentjes gezet was. Een lang touw, met een plankje, hing langzaam zwaaiend aan de lage tak van een enorme eikenboom. Heen en weer, heen en weer, alsof hij door een reusachtige onzichtbare hand in beweging werd gehouden. En ergens in de verte hoorde hij zijn zoon en zijn dochter – spelend, schreeuwend, lachend, gillend – en de stem van zijn vrouw die naar hen riep dat het tijd was om naar bed te gaan, naar binnen te komen, welterusten te zeggen.

Hij boog nog verder voorover; hij drukte zijn lichaam tegen de stenen rand en stak zijn nek uit om te zien waar ze kon zijn. Maar ze was niet te zien. In de moestuin, dacht hij. En hij stelde zich voor hoe ze eruitzag, met haar lange haar in een vlecht, haar blouse in haar spijkerbroek, haar rugwervels duidelijk zichtbaar door de strakke stof terwijl ze vooroverboog en rechtop stond – spittend, trekkend, knippend, vleiend en koesterend, orde scheppend waar eens chaos heerste.

En hij dacht eraan hoe zijn leven was geweest. Voor hij haar ontmoette. En kreeg weer dat vertrouwde gevoel van paniek en angst, terwijl hij overeind kwam en bij de rand vandaan liep, terug naar de kamer in de klokkentoren, hoog boven de tuin. Zijn speciale kamer. Hij stak zijn hand uit om de terrasdeuren open te doen en zag zijn spiegelbeeld in de ruit. Een duistere figuur. Donker haar, dat van zijn brede voorhoofd op zijn schouders viel. Een donkere baard, nu met nog maar een paar grijze haren, net als de kleur van zijn ogen, bleek in contrast met zijn geelbruine huid. Hij bleef staan en bekeek zichzelf. Hij zag zijn brede lichaam, uitgedijd en zachter door jaren van luxe en gemak. Geluk, kon hij het wel noemen, nu hij aan het hoofd van de zaak stond die zijn vader was begonnen, die hij eens aan zijn jongste zoon had willen nalaten. Maar nadat die zoon was gestorven, had hij zich tot Daniël, de oudste, gewend voor hulp en troost.

Daniël liep naar de archiefkast in de hoek. Hij haalde zijn sleutelbos te voorschijn en draaide de kast open. Hij haalde er een grote archiefdoos uit. Hij zette hem op het bureau en deed hem open. Hij bladerde door de verzameling krantenartikelen en zag voor het eerst in jaren het gezicht van de vrouw die hij voor zijn gevoel achter zich had gelaten, veilig opgeborgen, uit het oog, uit het hart, tot vandaag.

'Je herinnert je haar vast nog wel, hè, Dan?' Dat zei een van de mannen die parttime voor hem werkten. Hij was een politieagent van het wijkbureau, die volgend jaar zou trouwen en de aanbetaling op een nieuw huis wilde verdienen. 'Jij herinnert je haar vast wel. Blijkbaar een hoop mensen nog.'

Natuurlijk herinnerde hij zich haar nog; hij herinnerde zich alles aan haar. De kleur van haar haar en haar ogen. Haar hand in de zijne. Haar stem die naar hem riep. Wat had hij naar haar verlangd. Wat had hij haar onder Martins neus weggekaapt. Had zo genoten van haar, en van de gedachte hoe zijn broer zou lijden als hij het wist. En hij had tot die nacht gewacht, toen ze hem opbelde en om hulp vroeg. En die had hij haar gegeven. Hij had haar inderdaad geholpen. Hij had het wapen aangepakt toen zij het hem aanreikte. Maar ze was hem niet dankbaar geweest en had haar verdiende loon gekregen voor haar ondankbaarheid.

En nu was ze terug. Hij keek op van de stapel artikelen en staarde weer naar de zee. Hij liep naar de openstaande deur en hoorde zijn vrouw roepen. Ze riep zijn naam.

'Daniël,' riep ze. Hij luisterde naar haar stem met het lijzige

Amerikaanse accent. 'Daniël, waar ben je? Kom naar buiten. Het is hier heerlijk. Daniël. Daniël.' Een plotselinge windvlaag steeg op langs het klif, griste de woorden uit haar mond en blies ze weg terwijl de deur naar het balkon met een klap dichtviel. En nu was er alleen nog maar stilte.

7

'En, vertel eens, waarom heb je het gedaan?'

'Wat gedaan?'

Andrew Bowen zuchtte en leunde achterover in zijn stoel. Hij zette zijn bril af en legde hem op het bureau voor hem. Hij wreef zachtjes over de botten onder zijn wenkbrauwen, pakte zijn bril weer en zwaaide hem heen en weer.

'Rachel,' zei hij langzaam, 'hou je niet van de domme.'

De klacht was gistermiddag doorgekomen, net toen hij op het punt stond om weg te gaan. Hij kwam van de maatschappelijk werkster van Amy Beckett. Blijkbaar was Amy tussen de middag overstuur thuisgekomen. Haar moeder stond die ochtend ineens bij school; ze viel haar lastig en zette haar voor schut tegenover haar vriendinnen, had ze gezegd. Haar maatschappelijk werkster pikte het niet.

'Ze is er altijd heel duidelijk over geweest, volkomen eerlijk. Ze heeft het ons allemaal gezegd, inclusief haar moeder, toen het ernaar uitzag dat de vrouw met proefverlof zou gaan. Ze wilde absoluut geen enkel contact met haar hebben.'

Andrew had geluisterd, aantekeningen gemaakt. Hij kende de maatschappelijk werkster goed. Ze heette Alison White. Ze hadden jaren geleden samen op Trinity College gezeten.

'Ik geef toe, het was niet wat we wilden, dat weet jij ook, Andrew. We hebben altijd geprobeerd de verhouding tussen de twee aan te moedigen, hoe moeilijk het ook was. Amy is een heel slim meisje dat weet wat ze wil. Ze wil haar moeder niet om zich heen hebben. En op haar leeftijd, nu ze op het punt staat eindexamen te doen, is ze oud genoeg om haar eigen beslissingen te nemen. En bovendien, Andrew, weet je hoe het systeem in elkaar steekt. Als Rachel Beckett haar dochter zo graag wilde zien, dan wist ze wat ze moest doen. Ze had het jou moeten vragen of contact met mij moeten opnemen. Niet verdomme zomaar ineens op de stoep staan. Dat kán gewoon niet. Ben ik duidelijk genoeg?'

Dat was ze. Maar zo was ze nu eenmaal altijd geweest. Bot, neigend naar onbeschoft. Een hoop mensen moesten niets van Alison White hebben. Dat kon haar niets schelen. Ze moest er altijd om lachen en zei dat het kwam omdat ze een protestant uit het noorden was. Andrew herinnerde zich dat hij met haar en anderen uit hun klas weleens dronken werd. Dat wil zeggen, zij werden allemaal dronken. Alison nooit. En er kwam altijd een moment waarop Alison keihard zei: 'God, wat zijn jullie katholieken toch een giller. Jullie willen zo graag een verenigd Ierland, maar heb je er weleens aan gedacht hoe het zou zijn met een miljoen tegendraadse protestanten zoals ik, die jullie het leven zuur maken? Die alles willen veranderen? Die, om mee te beginnen, die verdomde angelusklok van jullie op de radio afschaffen? Wat nuchterheid in dat achterbakse jezuïetenwereldje van jullie brengen.'

Dan was het een ogenblik stil, en vervolgens bestelde Andrew, voor het commentaar van de andere kant kwam, nog gauw een laatste rondje voor ze naar huis gingen. Voor Alison te veel zei, te veel bruggen verbrandde.

'Dus moet je er iets aan doen, Andrew. Je moet ervoor zorgen dat het nooit meer gebeurt, want áls het nog een keer gebeurt, dan moet ik stappen ondernemen en dat zal Rachel niet leuk vinden. Oké?'

Het was stil in Andrews kantoor op de eerste verdieping. De computer op het bureau gonsde zachtjes, en van buiten af klonken er stemmen, hard toen er een deur openging en daarna waren ze weg. Hij keek vanaf de andere kant van het bureau naar Rachel. Een paar weken geleden zou hij haar niet herkend hebben als hij haar toevallig op straat was tegengekomen. Maar nu hij naar haar keek, zag hij dat de veranderingen alleen aan de buitenkant zaten. In de kleur van het haar en het bleke gezicht. Wanneer ze hem recht in de ogen keek, erin slaagde een paar minuten lang oogcontact met hem te houden, dan was ze dezelfde vrouw die hij zich van al die jaren geleden herinnerde. Nu staarde ze naar haar handen. Ze waren voortdurend in beweging, haar lange vingers die de rimpels in de huid gladstreken, over de botten van haar polsen gleden, zich om haar bovenarmen klemden voor ze weer naar beneden dwaalden. Ze frunnikte aan de smalle gouden ring om de derde vinger van haar linkerhand, draaide hem maar rond, schoof hem naar boven, over haar knokkel heen, bijna tot aan het topje van haar vinger en duwde hem vervolgens terug naar het plekje waar hij veilig was. Terwijl hij naar haar keek, schoof ze heen en weer op de harde houten stoel en hij zag hoe haar borsten onder haar witte overhemd bewogen. Ze sloeg haar benen over elkaar en zette ze weer recht, terwijl ze haar kuiten om elkaar klemde, en hij zag dat haar heupbeenderen door het spijkergoed van haar goedkope, vale broek staken. Toen keek ze op en keek hem aan.

'Ik ben naar mijn dochter gegaan, omdat ze dat is. Mijn dochter. Niets kan daar iets aan veranderen, niets kan er iets anders van maken dan dat het is.'

'Maar ze wil jou niet zien, Rachel. Dat heeft ze je verteld. En jij hebt ermee ingestemd. Het is, als ik me niet vergis, een van de voorwaarden van je voorlopige vrijlating. En daar moet je je aan houden. Anders wordt het een verdomd lastige situatie. Begrijp je dat?'

Ze staarde weer naar haar handen. Hij zag hoe ze zichzelf aanraakte. Gebaren van troost, dacht hij. En hij dacht aan de nachten dat hij alleen lag, met zijn handen tussen zijn dijen, doezelend, wachtend op een geluid van Clare, die een kreet van pijn of angst slaakte, om hulp en troost vroeg. Ooit hadden ze samen geslapen, hun lichamen gekruld als bladeren van de varen, de een om de ander. Maar lang voor ze ziek was geworden, was hij in een andere kamer gaan slapen. Hij had allerlei excuses bedacht. Maar hoe kon hij haar uitleggen dat hij op een ochtend wakker geworden was en zich realiseerde dat hij niet langer van haar hield? Dat hij een vergissing had begaan? Dat zij niet de vrouw was met wie hij de rest van zijn leven wilde doorbrengen? En toen, terwijl hij in de vrije val van de onverschilligheid zweefde, ontmoette hij iemand, iemand die dapper en mooi was, die hem uitdaagde, aan het denken zette, nieuwe werelden, nieuwe mogelijkheden opende. Maar Andrew kon, als altijd, geen besluit nemen. Bang om de stap te zetten, zich opnieuw te binden. En net toen hij klaar was om weg te gaan, vertelde Clare hem dat ze ziek was, dat ze binnen niet al te lange tijd hulpbehoevend en afhankelijk zou zijn, dat ze niet zonder hem kon leven. En dat was dat. Achteraf besefte hij dat hij zich opgelucht had gevoeld. Nu kon hij er op de laffe manier van afkomen. Nu was hij Andrew de goede, Andrew de heilige, Andrew die nooit op zijn woord terugkwam. Misschien, als hij Clare had verlaten toen haar ziekte nog nauwelijks zichtbaar was, had ze misschien iemand anders gevonden, iemand die echt van haar hield en haar wilde, niet iemand als hij die alleen maar zijn plicht deed.

Rachel keek op en keek hem een ogenblik aan voor ze haar ogen weer neersloeg.

'Rachel, waarom ben je eigenlijk hier komen wonen? Deze stad, deze streek moet toch wel een hoop herinneringen voor je hebben? Dat moet het allemaal toch wel een stuk moeilijker maken?'

Ze staarde hem aan, met een verwonderde trek op haar gezicht. Toen sprak ze. 'Waar moest ik anders heen? Dit is net zo-goed mijn thuis als iedere andere plek, buiten de gevangenis dan. En ik heb de afgelopen twaalf jaar van de zee gedroomd. Ik moest er weer heen. Je hebt geen idee hoe heerlijk het is om hem iedere dag vanuit mijn raam te zien, erlangs te lopen, hem te ruiken, het zoute water weer op mijn huid te voelen. Je hebt geen idee.'

Hij knikte. 'Goed. Dat zijn jouw woorden. Maar ik waarschuw je. Nog meer gedonder en je zit weer vast. Het is ontzettend belangrijk, vooral tijdens het eerste halfjaar, dat je gedrag onberispelijk is. Dat is waar voorwaardelijke vrijlating om draait, Rachel. Het heeft niets definitiefs of onherroepelijks. Tenslotte zit je nog steeds een levenslange gevangenisstraf uit. We kunnen ons niet veroorloven dat je ook maar met een enkel probleem of schandaal in verband gebracht wordt. We hebben al geluk dat de pers en de andere media er niet achtergekomen zijn dat je niet meer in de gevangenis zit. Maar dat is waarschijnlijk slechts een kwestie van tijd. Jouw rechtszaak was zo'n enorm verhaal; er is vast wel een of andere snotneus van een journalist aan het rondneuzen. En als er enige negatieve publiciteit zou komen, dan moeten wij onze beslissing wel heroverwegen. En wat denk je,' zijn vingers roffelden op het dossier op zijn bureau, 'hoe zóu het zijn om weer terug te moeten?'

Ze staarde hem weer aan en ditmaal sloeg ze haar ogen niet neer. Ze werd rood, toen liep het bloed uit haar wangen en zag ze weer wit. Ze stond op.

Hij observeerde haar terwijl ze de buitendeur achter zich

sloot. Ze bleef staan, aarzelde en keerde zich toen naar de camera. Ze rechtte haar schouders en glimlachte naar hem. Zelfs de vervorming van de groothoeklens kon de verandering in haar gezicht niet verbloemen. Even was ze weer mooi. Maar toen verdween de glimlach weer zo snel als hij gekomen was en ervoor in de plaats kwam een uitdrukking van verslagenheid en berusting. Hij keek naar haar tot ze buiten het beperkte bereik van de camera was gekomen. Hij had haar willen vragen hoe ze nu over haar man dacht. Hoe ze over zijn dood dacht. Hij vroeg zich af of ze om hem had getreurd. Hij wilde begrijpen hoe je schuld en verdriet kunt combineren. Hij wilde weten wat ze door al die jaren heen gedacht had. Wanneer ze in het donker in haar cel lag, wat voor beelden van haar man zag ze dan? En wat voor leugens moest ze zichzelf vertellen om beheerst te blijven? Hij wilde het weten, omdat hij wilde weten hoe hij zich ging voelen. Erna. Nadat hij de beslissing genomen had en ernaar gehandeld had.

Hij stond op vanachter zijn bureau en liep naar de overloop. Hij haalde een sleutelbos uit zijn zak en maakte het deurtje open van het houten kastje dat aan de muur zat geschroefd. Hij stak zijn hand erin en drukte op de stop/eject-knop van de videorecorder. Het apparaat klikte en zoemde en er kwam een cassette uitgegleden. Hij pakte een andere van de plank erboven en stopte hem in de brede gleuf van de recorder. Toen liep hij terug naar zijn kantoor met de oude band in zijn hand. Hij plakte er een sticker op, zette er een datum op en zette zijn eigen apparaat aan. Hij keek hoe de band naar binnen gleed, met een klik op zijn plaats schoof, en drukte toen op 'play'. Hij keek naar haar gezicht, vol vreugde in het zonlicht, en vroeg zich af hoe lang het zou duren voor ze weer zo kon glimlachen. Hij keek naar haar en vroeg het zich af. Keer op keer op keer.

8

Het was eigenlijk wel een teleurstelling, dacht Jack terwijl hij door het winkelcentrum slenterde, een appel at en bedacht wat hij tussen de middag zou eten. Uiteindelijk hing er geen echt mysterie om de dood, de moord, liever gezegd, op de jonge Karl O'Hara. Hij was gewoon een junkie die door een andere dealer was vermoord. Het was allemaal heel schokkend, tragisch en deprimerend. Maar het was geen mysterie. Jack had alle mensen een bezoek gebracht van wie de computer de namen had uitgebraakt, onder wie de vriendin van Karl. Ze huilde bittere tranen boven het kleine jongetje dat vrolijk op haar knie op en neer wipte terwijl ze vertelde hoe Karl een tijdje aan de methadon was gegaan, dat het aanvankelijk lukte, maar dat hij toch weer was overgegaan op het echte werk. En dat, toen de baby geboren was, hij tegen haar had gezegd dat hij er helemaal mee zou stoppen en de dingen op een rijtje zou krijgen. En een tijdje leek het goed te gaan. Ze kregen een flatje aangeboden van de woningbouwvereniging en er kwam voor de verandering eens wat geld binnen. Maar toen realiseerde ze zich dat Karl niet alleen gebruikte, maar ook dealde. Ze probeerde hem over te halen ermee te stoppen. Maar hij zei dat het alleen maar was tot hij wat geld bij elkaar had. Dan zou hij ermee stoppen, een bestelbusje kopen en een bezorgdienst beginnen, net als zijn vader.
'Wat ging er mis?' Jack boog zich naar haar over en kietelde de baby onder zijn dikke, rode kin. De baby keek hem aan met een uitdrukking van volkomen verbazing, wendde zijn blik af, keek weer naar hem en barstte in een opgewonden schaterlach uit.
Het was met Karl het bekende oude liedje. Hij gebruikte

meer van het spul dan hij verkocht. Proefde er regelmatig van. Het moest een keer fout gaan, en aan het eind van een heel lange dag was het Karls tengere, ondervoede en verschrompelde kleine lichaam dat het onderspit delfde.

Het vriendinnetje had haar koffers gepakt om naar Londen te gaan. Ze zou bij haar zus gaan wonen.

'Ik heb genoeg van de rotzooi hier,' snikte ze terwijl de baby zich op zijn stevige beentjes optrok en aan haar neus en haar trok. Jack nam het kind van haar over, waarbij hij ervoor zorgde dat hij het natte en stinkende achterste niet op zijn schoot zette.

'En voor je weggaat,' zei hij terwijl hij de plakkerige vingertjes van de peuter van zijn das losmaakte, 'vertel je me toch nog wel wie die klootzak is geweest die jouw Karl in zee heeft gegooid, hè?'

Inderdaad. En ze vertelde hem nog veel meer dan hij had gevraagd. Allerlei informatie die de komende dagen heel goed van pas zou komen. Terwijl hij haar de baby weer teruggaf en stiekem zijn handen afveegde aan een verfrommeld papieren zakdoekje uit zijn broekzak, haalde hij een stel briefjes van twintig pond te voorschijn.

'Die kun je misschien wel gebruiken, voor de kleine.'

Ze wendde zich af en begon nog harder te huilen. Hij schoof het geld onder een plastic schaaltje met papperige cornflakes en stond op.

'Sterkte,' zei hij, en meende het.

Arme meid, dacht hij terwijl hij de supermarkt binnenliep en in de rij voor de broodjestoonbank ging staan. Geen geweldige start in het leven voor moeder of kind. Hij dacht aan zijn eigen dochters. Ze waren zes en tien – slimme meisjes, leuk en lief. Goedgemanierd, deden het goed op school, totaal geen problemen. Ze schenen het niet eens moeilijk te hebben met de breuk tussen hem en hun moeder. Hij kon nog steeds niet geloven dat hij inderdaad de stap had gezet. Hij woonde nu al drie hele maanden in zijn eentje in een flat met één slaapkamer in het nieuwe project bij de binnenhaven, nauwelijks groot genoeg voor hun drieën, als ze om het weekend kwamen logeren.

Het was de jongste van de twee, Rosa, die al de echt moeilijke vragen stelde.

'Hou je niet meer van mama? Hou je nog van ons? Waarom ben je weggegaan als je zegt dat je van ons houdt? Hou je van iemand anders? Mama zegt dat je een vriendin hebt. Ze zegt dat je weer gaat trouwen en dat je dan misschien nog meer kinderen krijgt en dat je ons dan niet meer wil. Is dat zo, papa? Kom je vanavond naar huis? Waarom kom je vanavond niet naar huis? Mama maakt je lievelingseten klaar, gegrilde kip met een heleboel knapperige aardappelen. Kom je vanavond weer naar huis, voor één nachtje? Alsjeblieft, papa, we missen je.'

Dat was typisch iets voor Joan, om het hem allemaal te laten uitleggen.

'En, papa, we vinden haar nieuwe vriend niet aardig. Hij rookt. Overal stinkt het. Hij slaapt aan jouw kant van het bed, en hij wil altijd voetballen kijken als wij het niet willen. We willen dat je naar huis komt en hem wegstuurt.'

Hij vond het vervelend de bedrogen echtgenoot te zijn. Hij zag dat iedereen op het werk het wist. Ze deden er beleefd over. Maar hij had het gegrijns en het stiekeme gefluister wel gezien en gehoord. Hij vroeg zich af of Joan ooit met een van zijn vrienden naar bed was geweest. Hij vroeg het haar toen hij haar eindelijk durfde te confronteren met de berichten op het antwoordapparaat, de sigarettenpeuken in de asbak in de woonkamer, het gebruikte wegwerpmesje in de pedaalemmer onder de wastafel, terwijl zijn elektrische scheerapparaat op het planchet stond.

'Dat is het enige waar je om geeft, hè, Jack?' schreeuwde ze hem toe. 'Dat ik dat zielige nestje van je bevuild heb. Je denkt voor de verandering eens aan jezelf, hè, Jack? Je geeft geen donder om me. Dat heb je ook nooit gedaan. Waarom ben je met me getrouwd? Vertel het eens? Of misschien moet ik het je vertellen, dan komt het er eindelijk eens een keer uit.'

Toen kromp hij ineen, terwijl hij erop wachtte.

'Je neukte me graag, hè? Ik was gemakkelijk. Ik zag er toen leuk uit en ik was beschikbaar. En weet je nog, toen we verloofd waren, als we ruzie of een meningsverschil over iets hadden, wat dan jouw antwoord was? Jack, zeg het me nu maar. Dan ging je weg en zoop je helemaal klem en dan kwam je naar mijn flat en dan vielen we in bed en dat was dat. Maar het kon zo niet doorgaan, hè? Vroeg of laat moest je toch met me gaan praten, me leren kennen, mij jou laten leren kennen. Maar dat wilde je niet, hè? En toen ik de meisjes had gekregen, dacht ik dat je het nu wel zou willen, maar op de een of andere manier wilde je het niet. Je praatte liever met hen, wilde hen beter leren kennen dan je ooit mij leerde kennen. Dus loop alsjeblieft niet te zeuren over wat ik heb gedaan. Probeer het niet eens.'

Ze had die avond nog een hoop meer gezegd. Over de manier waarop hij leefde. Of liever gezegd, waarop hij níet leefde. Ze had in een hoop gevallen nog gelijk ook, moest hij toegeven. En hij vroeg zich een ogenblik af of dit misschien de grote ommekeer was waardoor het goed tussen hen zou komen. Hij probeerde haar te kussen, maar ze wilde niet. Ze stuurde hem weg. En het was gemakkelijker om te doen wat zij wilde, al zag hij nu wel in wat die trut op het oog had. De geschiedenis herschrijven, de gekwetste onschuld spelen tegenover iedereen die ze kenden, zodat niemand met hem meeleefde.

En wat had hij met de rest van zijn leven gedaan? Kruimeldieven gevangen en opgesloten. Krankzinnige klootzakken gevangen en ook opgesloten. Het was allemaal behoorlijk zinloos, dacht hij. Niet zo hoog op de lijst van dienstverlening aan de mensheid. Maar aan de andere kant, wie was hij om zo onverschillig te doen? Er waren een hoop andere kerels, wist hij, die van deze manier van leven hielden en het heel bevredigend vonden. Die van ieder mannelijk moment genoten. Maar hij niet. Het probleem was dat hij ook niet van iets anders hield. Doelloos, dát ben ik, dacht hij terwijl hij zijn blik over de lijst met broodjes liet dwalen en, zoals altijd, Zwitserse kaas en tomaat koos, en echt zielig.

Hij betaalde zijn broodje en liep het winkelcentrum uit. Zijn ogen traanden van het felle zonlicht. Hij zocht in de zak van zijn colbert naar zijn zonnebril. Hij ging op een bankje zitten op het geplaveide plaatsje tussen de winkels en het nieuwe bioscoopcomplex dat ze net hadden gebouwd. De metalen rugleuning voelde lekker warm aan toen hij ertegen leunde en een hap kaas en tomaat nam. Ondanks zijn sombere stemming verheugde hij zich erop die middag die klootzak van een dealer op te pakken. Dat was nu eens nuttig, dat was de moeite waard. Hij zag overal voorbeelden van het handwerk van die vent om zich heen. In de bleke, norse gezichten van de jongelui die om hem heen hingen, naar elkaar scholden en naar iedereen die te dichtbij kwam. Junkiestemmen, dacht hij. Een onnatuurlijke toon die niets te maken had met accent, maar alles met onwerkelijkheid.

Hij at zijn broodje op en leunde achterover. Zijn ogen vielen dicht achter de donkere glazen en zijn hoofd zakte op zijn borst. Hij doezelde. En schrok wakker toen er ineens vlakbij een autoalarm afging. Hij knipperde met zijn ogen, zette zijn bril af en wreef in zijn ogen, zette hem weer op, rekte zich uit, ging rechtop zitten en keek op zijn horloge om zich ervan te vergewissen dat zijn lunchpauze nog niet voorbij was. Hij zag voor het eerst de vrouw in haar eentje in de hoek schuin tegenover hem zitten, ingeklemd tussen een rij geparkeerde auto's en een afvalbak. Ze haalde eten uit een plastic trommeltje. Een appel, een sinaasappel, een klein broodje, een flesje water. Ze stalde ze keurig naast zich op het bankje uit. Ze keek om zich heen, alsof ze controleerde of niemand haar zag en begon toen te eten. Snel, netjes brak ze kleine stukjes van het broodje, sneed met een plastic mes stukjes van de appel en maakte de sinaasappelschijfjes los. Haar bewegingen waren precies en netjes. Ze deed hem denken aan de mussen die op huppelpootjes tussen de wandelaars hipten en stukjes voedsel oppikten die onzichtbaar waren voor het menselijk oog. Pas toen ze klaar was en opstond, zich naar hem toewendde om de sinaasappelschillen in de afvalbak te gooien, herkende hij haar. Andy Bowen had gelijk. Ze was geen stuk meer.

Hij bleef doodstil zitten terwijl hij zich afvroeg of ze hem zag. Maar ze was volledig in zichzelf gekeerd. Ze ging weer op het bankje zitten en stopte haar lunchtrommeltje weg. Ze nam de laatste slok water uit de fles en borg hem op in haar tas. Toen stond ze op en liep weg.

Zou hij haar volgen of niet? Hij dacht eraan hoe het daar die dag in het huis was geweest. Hoofdinspecteur Michael McLoughlin die over het lichaam gebogen stond. Overal bloed. Het was zoveel. Volgens het lijkschouwingsrapport was hij leeggebloed. Hij herinnerde zich dat McLoughlin er naderhand over praatte, dat hij zei dat het leek alsof iemand hem met een bijl te lijf was gegaan, en dat hij had opgemerkt hoe kalm ze was. Ze dachten eerst dat het shock was, omdat ze ten minste twaalf uur, maar misschien zelfs wel veertien uur, in hetzelfde vertrek met hem had doorgebracht. Ze had hem zien doodgaan. En toen ze haar losmaakten, de handboeien van haar polsen deden, toen raakte ze over haar toeren en begon ze inderdaad te huilen. Maar het was het dochtertje over wie ze zich zorgen maakte. Ze moesten meteen naar het ziekenhuis bellen om te vragen hoe het met haar ging na het ongeluk. Dat was het enige waar ze zich zorgen over scheen te maken, dat het goed ging met het kind, dat ze niet overstuur was. Michael Mc-Loughlin zei altijd dat ze onmiddellijk hadden moeten beseffen dat er iets niet klopte. Maar ze was zo uitgesproken over alles, over wat er die nacht in huis was gebeurd.

Het huis. Waar hij hoe vaak uitgenodigd was? Hij herinnerde zich dat de eerste keer voor de doop van het kind was. Martin had een algemene uitnodiging doen uitgaan. Iedereen was welkom. Het was een prachtige, zonnige dag. En een fantastisch feest. Martin was het middelpunt, tot hij zó dronken werd dat hij omviel. Achteraf, nu hij zelf twee kinderen had, vroeg hij zich af hoe Rachel het allemaal had kunnen opbrengen. En er was het moment, herinnerde hij zich achteraf, dat hij naar boven was gegaan, waarschijnlijk om de badkamer te zoeken, dat hij een paar deuren die op de overloop uitkwamen opendeed en haar de baby zag voeden. Het was donker in de kamer en hij had snel de deur dichtgetrokken, opgelaten bij het zien van haar borst, zo vol en wit in het licht van de overloop. Hij zag dat er iemand bij haar was, die in kleermakerszit op de vloer naast haar lage stoel zat, zijn hand op het hoofdje van de baby, en zag dat het Dan was. Nou ja, hij was tenslotte de peetvader van de baby. Hij had de hele middag met haar rondgesjouwd, haar vol trots aan iedereen laten zien en hij had Rachel geholpen met de hapjes en de drank en zo. Terwijl Martin had gedaan wat hij altijd deed. Met zijn maten rondhangen. Die andere lui van de inlichtingendienst. De elite, dachten ze graag. Altijd een groep apart.

Hij herinnerde zich dat hij zich op de een of andere manier – wat was het? – schuldig voelde, dat hij in het rustige, serene wereldje van de baby was binnengedrongen. En zich ineens verantwoordelijk voelde voor de herrie die van beneden kwam, voor al die lui die zich in de keuken en de woonkamer vol lieten lopen, en voor de stank van alcohol en sigaretten die de kleine, stille kinderkamer binnendrong. Hij vroeg zich af of hij weg moest gaan. Maar Martin pakte hem bij zijn arm toen hij de hal binnenkwam en duwde een glas bier en een bord worstjes in zijn handen, en dat was dat.

Het was een fantastisch huis. Vroeger in ieder geval. Hij behoorde tot het team dat het doorzocht, op zoek naar geheimen. Er waren er geen. Er lag niets verborgen. Alleen de geur van kruit die was blijven hangen, het sterkst in de woonkamer, naast het bebloede kleed. Hij herinnerde zich ook dat hij de nachtjapon had gepakt die ze in de afvalcontainer hadden gevonden en hem had vergeleken met de andere in de ladekast en de kleding in de kleerkast. En hij voelde zich rot, schuldig en onbehaaglijk, toen hij bij de kast vandaan liep en naar het bed keek. Het was onopgemaakt. Er was een kop thee op het nachtkastje omgevallen. Er lag ondergoed op de vloer, en er was een paar schoenen onbeholpen in een hoek gesmeten. Het rook er bedompt.

Was ze er sindsdien nog een keer naar teruggegaan? vroeg hij zich af, terwijl hij wachtte en tot tien telde. Toen stond hij op en liep naar het trottoir, waar hij linksaf sloeg om de hoofdstraat in te gaan. Hij zag haar voor zich uit. Haar grijze haar viel duidelijk op tussen het winkelende publiek. En hij moest denken aan haar vader, die zijn instructeur was toen hij in Templemore studeerde. De oude Gerry Jennings. Een goeie vent, een van de beste. Zo trots op zijn dochter. De eerste in de familie die naar de universiteit ging. Nota bene om architect te worden. Dingen maken, dingen bouwen. Geld verdienen, Gerry, had iemand gezegd, en ze moesten allemaal lachen. En hij lachte met hen mee. Ja, geld verdienen om mij te kunnen onderhouden als ik oud ben, als ik van jullie af ben.

Ze stopte bij de voetgangerslichten en wachtte tot ze op groen sprongen. Hij bleef achter haar, wendde zijn gezicht van haar af, terwijl hij haar via de ruit van de kiosk in de gaten hield. Toen het licht op groen sprong, aarzelde ze even en stak toen snel de straat over, waarbij ze bijna tegen een jonge vrouw met een baby in een wandelwagentje en een kind aan de hand botste. Hij draaide zich om en stak ook over, net op tijd om haar door de grote bronzen deuren te zien verdwijnen van de enorme moderne kerk die het centrum van de stad domineerde.

Misschien een aanval van boetedoening, dacht hij terwijl hij bleef staan, zijn wijsvinger en middelvinger van zijn rechterhand in het wijwaterfont doopte en automatisch, zonder erbij na te denken de woorden 'In naam van de Vader, de Zoon en de heilige Geest, Amen' mompelde, en als altijd zijn moeders warme hand op de zijne voelde en haar fluisterende stem in zijn oor hoorde. Het was binnen veel donkerder; alleen door de plafondhoge glas-in-loodramen aan de noordkant van het schip stroomde licht naar binnen. Sint-Michael, de aartsengel, overwon het kwaad in geel, blauw en rood, terwijl de Heilige Geest in de vorm van een grote witte duif vanaf zijn plekje in de hemel toekeek. Er was een mis en hij zag dat Rachel halverwege tussen het altaar en de laatste rij banken was gaan zitten. Ze zat geknield, met gebogen hoofd en haar handen voor haar gezicht geslagen. Haar grijze haar viel hier niet op, tussen deze parochie van oudere gelovigen. Hij ging in de bank het dichtst bij de deur zitten en deed zijn ogen dicht. Ze had er heel bijzonder uitgezien op de dag van de begrafenis van haar man. Ze was natuurlijk in het zwart, maar hij herinnerde zich dat ze een witte roos bij zich had. De foto die de volgende dag op alle voorpagina's stond, was van het moment dat ze hem in het open graf gooide. Een kleine witte vlek tegen het donker eromheen.

Hij herinnerde zich de rit van het mortuarium van St.-Vincent's Hospital naar de enorme, in Spaanse stijl opgetrokken kerk aan het eind van Kill Avenue. Hij had de kist over het gangpad helpen dragen. Hij schoof onrustig heen en weer toen hij aan het gewicht moest denken en hoe de kist in zijn schouder had gedrukt. Hij had zijn best gedaan er niet aan te denken wat erbinnenin lag. Maar ondanks zichzelf begon hij zich Martins lichaam voor te stellen, hoe het eruit zou zien als het glimmende eikenhouten deksel wegschoof. Bij die gedachte struikelde hij en gleed bijna uit op de glanzende marmeren vloer, en om zich staande te kunnen houden, moest hij zich vastgrijpen aan degene die aan de andere kant liep, en hij voelde de warme ruwheid van het zware donkerblauwe uniform. Opluchting toen ze bij het altaar kwamen en hun last op de wachtende schragen konden leggen.

Wat een publieke gebeurtenis. Zo volop in de schijnwerpers. Het spelen van de Last Post, het weghalen van de vlag, het zorgvuldig opvouwen en overhandigen. De commissaris van politie die haar de hand kwam schudden en zijn medeleven tonen. Zelfs de minister van Justitie en de adjudant van de president en een hele troep politici. Tv-camera's, kranten. De hele santenkraam. En het enige wat ze waarschijnlijk wilde, was alleen zijn, in haar eentje rouwen, zonder het toeziend oog van de natie. Maar het oog van de natie op de begrafenis was niets vergeleken met wat erop volgde. Er waren die avond al die jaren geleden heel wat levens verwoest.

Hij hoorde het zilveren geluid van klokken en deed zijn ogen open. Om hem heen maakten de vromen zich klaar om ter communie te gaan. Op het altaar hief de priester de zilveren schaal en kan.

'Neem dit tot u, allen, en eet. Want dit is het lichaam van Mijn Zoon dat Hij voor u heeft opgegeven. Neem dit tot u, allen, en drink. Want dit is het bloed van Mijn Zoon dat hij voor u heeft opgegeven.'

De klokken luidden weer. Als één persoon begonnen de mannen en vrouwen in de banken om hem heen het gangpad op te schuifelen. Hij keek naar de zwijgende stoet en bleef wachten om te zien of zij zich zou aansluiten. Maar ze verroerde zich niet. Hij stond op en sloot aan. Toen hij langs haar liep, keek hij omlaag. Ze staarde voor zich uit. De tranen stroomden over haar wangen en ze bewoog stilletjes haar lippen. Hij ging tegenover de priester staan. Hij hief zijn handen, met de ene palm kruiselings over de andere. Hij deed zijn ogen dicht en hoorde het monotone gemompel: 'Het lichaam van Christus, het lichaam van Christus, het lichaam van Christus.' Hij voelde de hostie tegen zijn huid en hief zijn handen naar zijn mond. Het speeksel op zijn tong absorbeerde de droge hostie en deed ze smelten. Hij slikte. Hij werd overspoeld door een gevoel van vrede terwijl hij zich omdraaide en terugliep naar zijn plaats. Het wonder was geschied, zoals altijd. Hij geloofde weer. Alle twijfel was van hem afgespoeld. Nu knielde hij om te bidden en hij struikelde over zijn woorden. 'Heilige Vader, help me, voor nu en altijd. Heilige Moeder, bescherm mij en mijn kinderen tegen zonde en onheil.' Hij boog voorover en drukte zijn voorhoofd tegen zijn knokkels. 'Dank u, Heer, voor de gave van het eeuwige leven. Dank u, Heer, dank u.'

Rachel had de man achter in de rij voor de communie gezien. Hij was veel jonger dan de anderen en hij was hier meestal niet op dit tijdstip. Het was haar gewoonte geworden om in het schemerdonker van de kerk te zitten en naar de mis te luisteren. Er school troost in de bekende woorden en niemand merkte haar ooit op. Alle ogen waren op de priester en het altaar gericht. En dat vond ze prettig. Maar hij had naar haar gekeken. Ze voelde zijn blik in haar richting meer dan dat ze hem zag toen hij langsliep. Ze zag hoe hij zijn hoofd boog en zijn handen uitstak om de hostie in ontvangst te nemen en ze had eigenlijk verwacht dat hij opnieuw naar haar zou kijken terwijl hij naar zijn plaats terugliep. Maar zijn ogen waren neergeslagen, zijn uitdrukking naar binnen gekeerd.

Ze kwam overeind en schuifelde de bank uit. Ze wist zeker

dat het tijd was om terug te gaan naar haar werk. Vandaag had Mickey, de aardige man die naast haar in het winkelcentrum in de hakken- en sleutelbar werkte, gevraagd of ze met hem tussen de middag ging eten. Maar ze had nee gezegd, een smoes verzonnen. Zijn gevoelens waren gekwetst, dat kon ze zien. Hij keek naar zijn handen – vol eelt, gehard, schoensmeer rond zijn nagels en in de rimpels van zijn handpalmen ingetrokken, zodat ze eruitzagen als een ets of een houtgravure, vond ze – draaide ze om en om. Toen keek hij haar weer aan en zei: 'Misschien een andere keer dan,' terwijl hij zijn jas aantrok, het klapblad optilde en wegliep. Ze knikte naar zijn rug, terwijl haar maag omhoogkwam. Hoe kon ze hem uitleggen dat het niets persoonlijks was? Dat ze, omdat ze twaalf jaar lang in haar eentje, in haar cel, had gegeten, nu onmogelijk kon voorstellen hoe het was om in het gezelschap van iemand anders te eten. Bijten, kauwen, slikken, al die handelingen moesten in afzondering gedaan worden. Ze kon nu net zomin meer in het openbaar eten als naakt over straat lopen. Het kon gewoon niet. Daarom ging ze tussen de middag altijd terug naar haar kamer, of naar het hoekje bij het winkelcentrum, achter de geparkeerde auto's, waar niemand anders kwam. Maar dat zou ze hem of iemand anders nooit kunnen vertellen. Ze zouden het niet begrijpen.

En toen ze langs de man achterin bij de deur naar de straat liep, keek hij naar haar op, recht in haar gezicht. En ze zag wie hij was, en kende hem, en kromp ineen bij de herinnering. De huiszoekingen en het verhoor. De stoet van getuigen tijdens het proces. De woorden die over haar gesproken werden. Tegen haar. Ze probeerde zich te herinneren. Was er een naam die bij dat gezicht hoorde? Deed het ertoe? Hij was een van hen. De mensen die leugens over haar verteld hadden. Die zo'n zielige figuur van haar gemaakt hadden. Wier herinneringen zo verward waren dat ze soms dacht dat ze er nooit meer enige chronologische volgorde in zou krijgen. Ervoor, erna, toen, nu, het was één mengelmoes. En de enige manier om het allemaal duidelijk te krijgen was de taak afmaken die ze al zoveel jaren aan het plannen was. De tijd was bijna rijp om te beginnen. Bijna, maar niet helemaal. Binnenkort was ze er klaar voor, en dan zou alles anders worden.

9

Nog een gezicht dat al dan niet bekend was. Bolle wangen, een brede mond met lippenstift, lange, gouden oorhangers die fonkelden als het licht erop viel, en een bedelarmband die bleef hangen aan de wol en het tweed van de pakken en jassen die de vrouw in een hoop op de toonbank voor Rachel legde.

'Ik heb hier geen haast mee, hoor, meid. Ik ben gewoon de winterkleren aan het uitzoeken. Ik wil graag dat alles schoon en netjes is voor de zomervakantie. Je weet wel.'

Rachel had de stem van de vrouw nooit eerder gehoord. In de dagen dat ze in Court Number Two zat en toekeek en luisterde terwijl de rechtszaak tegen haar ten overstaan van iedereen uiteengezet werd, hoorde ze de stemmen van de juristen, de eisende en de verdedigende partij, de rechter, de getuigen, maar nooit de stemmen van de twaalf leden van de jury. Afgezien van de man die tot hun voorzitter was gekozen, die hun beslissing bekend zou maken. Vrijheid en rechtvaardigheid of gevangenis en ongenade.

Acht mannen en vier vrouwen waren uit de lijst van juryleden geselecteerd. Ze had gezien hoe de selectie vorderde. Haar advocaat had uitgelegd dat de openbare aanklager en de verdediging elk tegen vier juryleden bezwaar konden maken. Maar het bezwaar kon op niets meer dan uiterlijk en intuïtie gebaseerd zijn. Zij zouden proberen zoveel mogelijk vrouwen voor haar te pakken te krijgen. Dat is vanzelfsprekend, zei haar advocaat. Vrouwen zouden zich beter in haar situatie kunnen inleven. Dat was in eerdere zaken steeds het geval geweest. Maar ze hadden pech.

Rachel had de zes dagen dat het proces duurde tegenover hen gezeten, onrustig heen en weer schuivend op de harde houten bank, terwijl ze probeerde niet in elkaar te zakken of te hangen, haar best deed om alert en geïnteresseerd te kijken, eruit te zien als het soort mens dat ze zouden geloven. Achter haar zat haar vader. Iedere dag. Haar moeder bleef thuis. Rachel was benieuwd wie haar zouden steunen en in haar geloven. Vroeger had ze vriendinnen gehad. Meisjes die ze van school en van de universiteit kende, met wie ze contact was blijven houden door hun jaren van werk, huwelijk, moederschap heen. Een paar van hen kwamen, met hun tweeën, en bleven een uur, soms korter. Vormden met hun lippen een excuus vanaf de andere kant van de volle rechtszaal.

Sorry, ik moet weg. Moet de kinderen van school halen, van de peuterspeelzaal, voetbaltraining. Moet terug naar mijn werk, heb een deadline. Sorry, tot gauw. Bel me. Maak je geen zorgen. Het komt goed.

Terwijl de jury zat te luisteren. Alle twaalf. De acht mannen en de vier vrouwen. Inclusief de vrouw met de bungelende oorhangers en de rammelende bedelarmband, de gepoederde wangen en de rode mond, die nu een stapel kleren over de toonbank schoof. Van wie het gezicht vertrok van verdriet, de mollige schouders schokten en de tranen door de groeven aan weerszijden van haar mond liepen toen de voorzitter opstond om de uitspraak te doen.

Toen had ze zachtjes gehuild, en ze was blijven huilen terwijl de jury uitspraak deed. En daarna? Rachel wist het niet. Want daarna was er geen tijd meer voor iets of iemand, behalve om afscheid te nemen van Amy, haar nog een laatste keer in haar armen te houden, de muskusachtige zoete geur op te snuiven die uit haar felblauwe trui opsteeg terwijl Rachel haar kuste en kuste. Op haar wangen en voorhoofd, haar mond, haar handen en vingers, rood van de kou op die gure novemberdag. Tot de gevangenbewaarster haar op de schouder tikte en zei dat ze moest gaan. Dat het tijd was. Dat het busje stond te wachten.

'Het busje?' Rachel keek eerst naar haar op en toen weer naar Amy, die zachtjes was begonnen te jammeren.

'Het busje, het gevangenisbusje. Kom op, Rachel. Laat ons niet wachten.' En ze legde haar hand op haar onderarm en gebaarde dat ze op moest staan. 'Deze kant op. Goed zo. Niet moeilijk doen.'

Rachel bleef in de Round Hall staan en keek alle kanten op. Naar haar vader die het kind opgetild had en haar troostend in zijn armen hield, haar snoep en lekkers beloofde 'als je lief bent voor opa'. Zo zou het dus worden. Moeder en dochter – hun gehoorzaamheid werd geëist. Bij de een door middel van dreigementen, bij de ander door omkoping.

Haar advocaten liepen energiek naar de voordeur. De menigte die haar sinds het begin van het proces omringd had, verdween. Ze knoopten hun jas dicht tegen de waterkou, pakten hun tas en koffertje. Hun gesprekken gingen langs haar heen.

'Vanavond? Ik heb wel zin om naar de film te gaan. En jij?'

'Ik heb zin om uit eten te gaan, en dan een paar biertjes in de pub.'

'Ik blijf lekker thuis. Een warm bad en een fles wijn. Ik ben kapot. En ik heb nog een belangrijke zaak die morgen begint.'

Ze bleef naast de gevangenbewaarster staan en zag hoe de Round Hall leeg raakte, als het tij dat afnam en haar achterliet. En op de een of andere manier realiseerde ze zich dat het voorbij was.

Het proces, de stoet van getuigen, de aaneenschakeling van bewijzen, de getuigenissen, de juridische argumenten, de discussie over de procedure. Ze had het allemaal gehoord. Ze had geluisterd terwijl de dagen verstreken. En het verhaal van de dood van haar man werd voorgelegd aan de rechtbank. Het Openbaar Ministerie was met zijn bewijzen gekomen. Het geweer met haar vingerafdrukken erop. Haar kleding, waar zijn bloedvlekken op zaten. Het forensische bewijs dat de afstand tussen de bloedvlekken overeenkwam met de positie van waaruit het geweer afgevuurd was. Het medische bewijs dat de eerste wond boven in zijn rechterbovenbeen de dijslagader had doorboord en daarmee de bloeding had veroorzaakt. Dat die echter niet noodzakelijkerwijs fataal hoefde te zijn. Als hij medische hulp had gekregen, zou hij het gered hebben. Dat het tweede schot dat het bekken doorboorde hem fataal geworden was, omdat de kogel de darmbeenslagader doorboorde, waardoor het bloed zijn buik inliep. Dat hij door de rampzalige bloeding leegbloedde. Dat hij in een shock raakte, dat hij onmiddellijk het bewustzijn verloor, dat hij binnen een half uur was overleden. De getuigenis van haar buren die zeiden dat ze ruzieachtige geluiden hadden gehoord. En ja, ze hadden iets anders gehoord, een paar knallen. Ze dachten dat het de uitlaat van een auto was. Maar nee, ze hadden niemand anders in het huis gezien. Ze hadden niemand die avond zien komen of gaan.

Niets, behalve dat ze laat in de avond een auto hadden horen wegrijden, na elven of zo.

'En heeft u gezien van wie die auto was? En wie er achter het stuur zat?' De officier van justitie boog voorover terwijl hij de vraag stelde.

De jonge vrouw die naast hen woonde aarzelde. Ze wist het niet zeker, zei ze. O, ze was er zeker van dat het de auto van Rachel Beckett was, dat wist ze zeker. En ze dacht dat mevrouw Beckett erin zat, maar daar was ze niet helemaal zeker van.

'Niet helemaal zeker, juist. Over hoeveel procent hebben we het dan? Vijfenzeventig, tachtig, negentig procent?'

Weer die aarzeling. Rachel staarde naar haar, dwong haar naar haar te kijken. Maar ze boog haar hoofd, zweeg even en zei toen: 'Het was behoorlijk donker, maar ik zou zeggen dat ik meer dan negentig procent zeker ben dat zij het was.'

Rachel wachtte op het kruisverhoor van haar verdediging. Maar dat kwam niet.

'Waarom heeft u haar niet aangepakt?' had ze haar strafpleiter daarna gevraagd.

'Omdat,' had hij gezegd, 'we op die manier nog steeds de twijfel in ons voordeel hadden. Als ik haar het vuur nader aan de schenen had gelegd, wie weet wat ze gezegd zou hebben.'

Ze keek naar Daniël toen hij als getuige opgeroepen werd. Ze had hem nog nooit zo kalm en vol zelfvertrouwen gezien. Hij vertelde een samenhangend verhaal. Mevrouw Beckett, Rachel, zijn schoonzus, had hem gebeld. Zei dat ze bang was, dat zij en Martin ruzie hadden en dat Martin dronken was.

'Vroeg ze om hulp?'

'Ja.'

'En wat zei u?'

'Ik zei dat ik zou komen en met Martin zou praten.'

'Vertelde ze u waar de ruzie over ging?'

'Ja.'

'En?'

'Ze zei dat Martin erachter was gekomen dat wij een aantal jaren geleden een verhouding hadden gehad. Dat hij woedend was. Dat hij een einde aan het huwelijk wilde maken.'

'Wat wilde ze dan dat u deed?'

'Ze wilde dat ik kwam om Martin duidelijk te maken dat het niets voorstelde. Dat het niets te betekenen had. Dat het helemaal voorbij was.'

'En heeft u dat gedaan?'

'Nou, ik was het wel van plan, maar toen ik er aankwam, lag Martin te slapen. Hij was op de bank in slaap gevallen. Het had dus niet veel zin om rond te blijven hangen. Dus ging ik weg.'

'Wat zegt u dan van de verklaring van de verdachte? Dat u het was die het fatale schot heeft afgevuurd en die tegen haar heeft gezegd dat u de bewijzen zou verdoezelen – het wapen en haar kleding – dat u met haar auto zou weggaan en hem ergens onderweg zou dumpen, zodat het net leek alsof hij gestolen was. En dat u het was die het verhaal heeft bedacht, het belachelijke verhaal over de lui die haar man hebben vermoord.'

Ze keek naar hem. Ze probeerde zijn blik te vangen. Ze wist dat als hij wist wat er aan de hand was, hij het juiste zou doen. En toen hoorde ze zijn woorden.

'Dat is volkomen bezijden de waarheid. Wie zou er zoiets in vredesnaam geloven? Mijn broer was nog in leven toen ik wegging.'

'En waar was u tussen 10 en 12 uur op de desbetreffende avond?'

'Ik was bij mijn moeder in Greystones. Ze voelde zich niet goed. Ik had haar gebeld toen ik klaar was met mijn werk en ze had gevraagd of ik langs wilde komen, omdat mijn vader weg was. En dat heb ik gedaan, ik ben er blijven slapen.'

Ze had gezien hoe mevrouw Beckett getuigde. Ze luisterde nauwgezet naar de woorden die ze gebruikte. Ze zag er oud en breekbaar uit, maar haar stem klonk sterk.

'Mijn zoon was bij me. Hij bracht me naar bed. Hij bleef naast me zitten tot ik in slaap viel.'

'En hoe laat was dat?'

Ze aarzelde. De hele rechtszaal wachtte. Toen zei ze: 'Het was negen uur. Ik herinner me dat ik de klok in de hal nog hoorde slaan. Ik kon niet slapen. Hij haalde een video voor me, een van mijn favoriete oude films: *High Society* met Grace Kelly en Bing Crosby. Ik ben gek op die film. Ik viel in slaap. Hij was die avond zo lief voor me. Hij maakte me wakker voor het einde, omdat hij weet dat ik er dol op ben, en toen kwam hij om het uur bij me kijken om te zien of het wel ging.'

En Rachel keek naar haar en luisterde terwijl de strafpleiter haar verhoorde. Haar keer op keer vroeg.

Weet u het zeker?

Bent u er absoluut van overtuigd?

Weet u het zeker?

En op iedere vraag antwoordde ze ja, ja, ja.

Tot de rechter er ten slotte tussen kwam. Zei dat hij genoeg had gehoord. Dat hij met deze manier van vragen geen stap verder kwam.

En toen was het allemaal voorbij. En ze liep over het parkeerterrein naar het busje, terwijl ze de wind van de rivier aan haar haren en jas voelde trekken, de ketting tussen de handboeien aan haar polsen voelde trekken terwijl ze haar hoofd ophief en om zich heen keek, naar de verlichte ramen van het gerechtsgebouw en de mensenmassa aan de andere kant van de hekken die zich naar huis haastte.

Toen huilde ze niet; dat deed ze pas toen ze de volgende ochtend vroeg in haar gevangeniskleren onder haar gevangenisdeken lag en probeerde te begrijpen wat er was gebeurd. Dit kan niet, zei ze. Dit is een vergissing. Ik ben deze persoon niet. Ik ben een lieve vrouw die van haar man hield en van haar dochter houdt. Ik heb een fout gemaakt, dat is alles. Ik zou er niet zó erg voor gestraft moeten worden. Morgen laten ze me wel vrij. Zodra het licht is, vertel ik hun dat het een vergissing is. En ze bonkte op de deur en schreeuwde.

Maar niemand kwam naar haar toe. En ze zag niets anders dan het onverwachte felle licht toen het kijkgaatje met een ruk openging, om het kwartier die nacht. En toen begonnen de tranen te stromen en het zout beet in haar lippen.

Nu raakten haar handen die van de vrouw aan toen ze de stapel pakken en jassen naar zich toe trok. De vrouw had lange nagels, knalrood gelakt. Ze waren hard en puntig, gemanicuurd en verzorgd. Rachel deinsde achteruit en liep naar de kassa, waar ze het bedrag voor ieder kledingstuk optelde. Het apparaat braakte een roze bonnetje uit. Rachel scheurde het af en liep terug.

'Wanneer wilt u ze terug?' vroeg ze, en voor het eerst keken ze elkaar aan. Het was even stil.

'Ik heb geen haast. Het eind van de week is prima.'

'En uw naam?' Rachel hield haar pen boven het papier en wachtte. Dit keer was het langer stil.

'Lynch. Mevrouw Lynch.'

Ze schoof de bovenste helft van het bonnetje over de toonbank. De rode nagels friemelden eraan, de vingers pakten het en stopten het in een zwarte leren tas. Rachel pakte de andere helft en speldde die resoluut aan het ruwe, bobbelige tweed van een herencolbert. Om hen heen was het een en al bedrijvigheid en luide muziek die uit een speaker in de panelen van het plafond kwam. Ze keek weer op. De vrouw die mevrouw Lynch heette, frunnikte aan de sluiting van haar portemonnee en schikte de bloemetjessjaal om haar nek. Rachel liet de kleren in de gereedstaande bak vallen. Ze wendde zich weer naar de toonbank.

'Ze hebben u vrijgelaten. Eindelijk. Ze hebben u vrijgelaten.'

'Dat klopt.'

'Daar ben ik zo blij om. Het had nooit zo mogen gaan. Ik kon niet geloven dat ze u dat aan zouden doen.'

Rachel glimlachte, heel even.

'Ik heb zo vaak aan u gedacht. Ik heb me zo vaak afgevraagd hoe het met u ging. Als u iets nodig heeft, vraag het me. Ik kom de kleren vrijdag halen. Zeg het me dan, zeg me of ik iets voor u kan doen.'

Rachel zag de tranen in haar grote blauwe ogen opkomen terwijl de volgende klant naar voren stapte, met zijn bonnetje in zijn hand, wachtend om geholpen te worden. De vrouw die mevrouw Lynch heette, liep weg en draaide zich toen weer om.

'Ik ben er zo blij om, het is zo lang geleden.'

Rachel nam het bonnetje van de man aan. Ze liep naar de rekken met in plastic gehulde kleren die in rijen hingen, als schone slaapsters, dacht ze, die wachtten om tot leven gewekt te worden. Ze ging met haar vingers langs de hangers en keek naar de nummers. Ze vond een donker pak en, ertegenaan genesteld, een jurk. Crèmekleurige zijde, met smalle plooitjes die zich om het lichaam eronder vlijden, halterlijn, een laag uitgesneden rug en een lange rok. Het plastic was koud en glad onder haar hand toen ze haar handpalm ertegen drukte. Ze wilde hem voor zich houden, hem tegen haar huid voelen zoals de speciale jurken die ze vroeger gedragen had. Ooit, heel lang geleden. Zijde en linnen, satijn en kant. Haar dijen over elkaar geslagen onder haar rok, haar maag die tegen de tailleband drukte, haar borsten omhooggeduwd terwijl ze naar Martin keek, hoe hij naar haar keek.

'Hé.' Ze hoorde de luide stem achter zich. 'Wat is er aan de hand? Klopt er iets niet?'

Ze draaide zich snel om terwijl ze de jurk en het pak over haar arm hing.

'Sorry, neem me niet kwalijk.' Ze bloosde terwijl de woorden over haar lippen rolden. 'Nee, er is niets mee, helemaal niets. Ik stond alleen,' ze zweeg even, 'deze jurk te bewonderen. Hij is prachtig.'

Er werden bankbiljetten in haar richting geworpen terwijl ze de kleren vouwde en voorzichtig in een plastic tas stopte. Het kleingeld werd uit haar hand gegrist, en hij knikte kortaf als antwoord op de verontschuldigingen die uit haar mond bleven stromen. Ze kroop uit het zicht en bleef met gebogen hoofd tussen de silhouetten van het leven van andere mensen staan.

De directrice had haar aangeraden om twee uur te komen.

'Dan ziet u hem op zijn best. We hebben 's middags muziek. Hij is dol op de muziek.'

Ze was laat. Er was verwarring geweest over het geld in de kassa. Zij kon er niets aan doen. Ze hoefde maar tot één uur te werken. Maar de baas had erop gestaan het geld te tellen, en er ontbrak tien pond. Rachel moest blijven wachten tot alles opgelost was. Tot het geld geteld en nog eens geteld was. De optelsommen gemaakt. En op de een of andere manier was het ontbrekende briefje weer terechtgekomen. Rachel had Mickey over de stapel munten heen aangekeken. Hij had geknipoogd en verontschuldigend geglimlacht.

Ze moest rennen om de trein langs de kust naar Bray te halen. Ze had de naam van het bejaardentehuis op een papiertje gekrabbeld, maar ze wist niet precies waar het was. Ze moest het vragen. Twee keer, drie keer, omdat ze zich niet kon concentreren op de aanwijzingen die ze kreeg. Hollend van straat naar straat, turend naar de namen op de hekken tot ze de juiste gevonden had. Het heette Boszicht. Een lange oprijlaan, een tuin vol evergreens. En, vrijstaand, een groot huis van rode baksteen, met een granieten trap en een betonnen rolstoelhelling aan een kant.

Haar vader zat aan een lange tafel. Er zat een verpleegster naast hem. Ze hield een beker met twee oren aan zijn mond en spoorde hem zachtjes aan tot hij aarzelend een slokje nam, alsof het, dacht Rachel, de allernieuwste ervaring voor hem was.

'Grote jongen, grote jongen,' mompelde de verpleegster, terwijl ze een klein stukje geroosterd brood tegen zijn lippen hield. Weer een moment waarin niets gebeurde, weer de aanmoediging, het aandringen, tot hij ten slotte zijn mond opendeed en het gebodene aannam.

'Het is het geheugen,' zei de verpleegster terwijl ze naar Rachel keek. 'Ze vergeten hoe ze moeten eten.' Vergeten hoe ze moeten eten en drinken, hoe ze zich moeten aankleden en wassen, hoe ze moeten lezen en luisteren. Vergeten hoe ze mens moeten zijn.

'Maar er is één ding dat ze niet vergeten,' zei de verpleegster terwijl ze hem meenam naar het grote vertrek dat op de tuin uitkeek. Dubbele deuren kwamen uit op een zonovergoten gazon. Binnen was het donker. Er zat een jonge man achter een oude piano. Hij speelde een melodie die Rachel herkende. Haar vader en de anderen zaten in een halve cirkel om hem heen. Hun grijze hoofden waren gebogen en hun armen hingen slap lang hun zij. Rachel stond onzeker in de deuropening. De man achter de piano grijnsde breed.

'Kom, jongens en meisjes. Neem je partner in je armen voor de wals. Hop, hop.'

Rachel keek naar haar vader. Hij begon op de stoel heen en weer te zwaaien en zijn voeten in de pantoffels bewogen heen en weer in een bekend patroon. De verpleegster keek naar Rachel. Ze gebaarde naar de oude man. Rachel pakte zijn handen en trok hem zachtjes overeind. Zijn handen voelden nu zo zacht aan, en klein en verschrompeld, in de hare. Ze herinnerde zich hoe ze in vroeger jaren waren geweest. Groot en sterk, vol eelt en behendig. Ze dacht aan alle dingen die hij haar had geleerd. Schieten en vissen. Zeilen. Groenten en fruit kweken. Autorijden. Ze zag zijn handen op het stuur. De aderen gezwollen, blauwe bergkammen tegen de huid, bruin, altijd bruin, zomer en winter. Nu waren zijn handen wit, en bedekt met bruine vlekken. Eens was het net alsof hij de ruimte om hem heen leek te vullen, nu leek hij zo klein. Eens was hij formidabel, als een rots in zijn uniform met zijn stijve pet en zijn schoenen die piepten als hij liep. Nu waren zijn polsen zo dun dat haar duim en wijsvinger elkaar zouden raken als ze haar hand eromheen deed, en zijn rug was zo krom dat zijn hoofd, voor het eerst in haar leven, gelijk was met het hare.

Ze schuifelden langzaam het vertrek door.

'Allemaal zingen.' De man achter de piano ging staan en zwaaide bemoedigend met één arm. De verpleegsters klapten ritmisch mee. Rachel deed haar mond open en de bekende woorden kwamen eruit. Haar vader zong mee. Ze dansten rond en rond. Zijn handen werden warm in haar greep en zijn stem werd luider. Ze luisterde naar de woorden die hij zong. Hij kende ze allemaal, couplet na couplet.

'Papa,' zei ze, 'ik ben het. Rachel. Ik ben er. Het is zo lang geleden, maar nu ben ik er.' Hij gaf geen antwoord. Hij ging gewoon door met zingen.

Irene goodnight, Irene goodnight,
Goodnight Irene, goodnight Irene
I'll see you in my dreams.

Ze walsten rond en rond. Rachel keek naar het gezicht van haar vader. Zijn uitdrukking werd zachter en ontspannen. Hij raakte die blik van bevroren starheid kwijt, het 'leeuwengezicht' zoals ze het weleens had horen noemen. De man achter de piano versnelde het tempo, en de dansers draaiden steeds sneller in het rond. En toen zag ze haar vader glimlachen, diezelfde open, blijde uitdrukking die ze al zoveel jaren in haar herinnering meedroeg. Die ze al die tijd dat ze in de gevangenis zat, wanneer hij haar eens per maand, met tegenzin, kwam bezoeken, niet had gezien. De gevangenisomgeving vervulde hem met afkeer, dus gedroeg hij zich afstandelijk, niet in staat om meer dan alleen het onbenulligste te zeggen. Eén keer, herinnerde ze zich, leunde ze voorover om hem aan te raken, maar hij kromp ineen en keek in de richting van de gevangenbewaarster en trok snel zijn hand terug, buiten haar bereik. Het was schaamte, dat wist ze. Over het feit dat ze haar man had verraden, haar ontrouw, haar publieke vernedering. En ze kon zich er nauwelijks toe brengen om hem aan te kijken en haar schaamte weerspiegeld te zien in zijn waterig blauwe ogen. En toen vertelde hij haar, een half jaar of wat nadat ze was veroordeeld, dat ze niet langer voor Amy konden zorgen. Het was te veel. Ze waren te oud. En bovendien was ze moeilijk. Ze vertoonde gestoord gedrag.

'Ze heeft nachtmerries. Ze plast in bed. Ze is brutaal. Je moeder kan het niet meer aan. We dachten dat de Becketts haar misschien wilden opnemen. Maar het is onmogelijk. We kunnen ons er niet toe brengen tegen hen te praten.'

En ze zei nee, ze wilde niet dat ze daarheen ging, en dat het het beste zou zijn als Amy in een pleeggezin opgenomen zou worden. Een heleboel vrouwen in de gevangenis, zei ze, hadden hun kinderen in pleeggezinnen wonen. Het was een gebruikelijke gang van zaken.

Maar nu stopte de muziek en de man achter de piano had het deksel dichtgeklapt. Er viel een diepe stilte en ineens klonk er een snik toen een van de oude dames begon te huilen. Ze stond in haar eentje midden op de dansvloer, met haar handen uitgestoken, haar voeten nog bewegend; ze maakte sierlijke kleine stapjes opzij. Een van de verpleegsters stapte naar voren, nam haar bij de arm en leidde haar weg, terwijl ze haar suste en afleidde met de belofte van chocoladekoekjes. De anderen volgden zonder protest. Rachels vader liet haar handen zakken. Hij keerde zich van haar af, zijn hoofd gebogen. Zijn voeten in hun pantoffels schuifelden naar voren.

'Papa.' Rachel wilde zijn arm pakken, maar hij trok zich los. 'Papa, toe, ik ben het. Rachel. Weet je nog? Blijf je niet nog even?'

Hij bleef staan. Hij keek naar haar. Zijn lichtblauwe ogen keken haar strak aan. Even was er een blik van herkenning. Ze glimlachte en stak haar armen naar hem uit. Ze liep weer naar hem toe, maar hij liep weg.

'Nee,' zei hij, 'niet jij, jij bent mijn meisje niet. Door jou voelde ik me slecht. Jouw schande bracht mij schande. Mijn meisje was lief. Jij was slecht. Jij hebt iets slechts gedaan.'

'Nee.' Ze pakte zijn mouw beet. 'Nee, niet waar. Ik heb het niet gedaan. Ik kon er niets aan doen. U moet me geloven.'

Maar hij had zich al bij de rij van gebogen grijze hoofden gevoegd die op weg gingen naar de dubbele deuren die naar de slaapkamers leidden. Ze maakte een beweging alsof ze met hem mee wilde gaan, maar de verpleegster sneed haar de pas af.

'Hij is nu moe. Ze zijn allemaal moe. Ze willen een tijdje rusten. Kom morgen maar terug als u wilt. O, en voor ik het vergeet,' ze zweeg even en Rachel verwachtte de bekende nieuwsgierige uitdrukking op haar gezicht, 'de directrice heeft gevraagd of u nog even bij haar wilt langsgaan.'

Het was al laat toen ze weer bij haar kamer was en ze had erge honger. Ze voelde zich zó slap dat ze zich afvroeg of ze de laatste steile trap wel zou halen. Haar handen trilden toen ze de sleutel in het slot stak; ze kreeg buikkrampen, golven van pijn en misselijkheid die aan een bevalling deden denken. Ze schopte de deur achter zich dicht en trok paniekerig het kastje boven het aanrecht open. Ze haalde er een broodje uit en begon er hompen af te scheuren die ze in haar mond propte tot haar paniek ten slotte wegebde. Toen ging ze op de vloer naast het brede erkerraam zitten, met haar hoofd tegen een kussen, haar armen stevig om zich heen geslagen, haar handen in haar oksels en deed ze haar ogen dicht.

Het was bijna donker toen ze ze weer opendeed. Beneden haar, langs de drukke weg van Glenageary naar Dun Laoghaire, brandden de straatlantaarns: felle oranje puntjes als kaarsen op een verjaardagstaart. Ze was stijf en koud. Ze duwde zich omhoog tot ze zat. Naast haar op de vloer stond het kleine leren koffertje dat ze had meegenomen uit het bejaardentehuis. Het koffertje dat ze, zo zei de directrice, van haar vader kreeg.

'Toen hij hier net was – toen uw moeder was overleden en hij niet meer voor zichzelf kon zorgen – zei hij het keer op keer tegen me, toen hij nog helder was. Hij zei dat u op een dag zou komen, en als u kwam, moest ik u dit geven.' Ze kwam teruggelopen van de grote, afgesloten kast in de hoek van haar kantoor, met het bruine koffertje voor zich uit gestoken als een offerande.

Rachel tilde het op en zette het op haar schoot. Op het deksel zat het restant van een oud etiket. Ze las hardop de woorden die in verbleekte blauwe inkt geschreven waren. Kathleen Simpson, Belacorick House, Co. Mayo. De naam van haar moeder, van het huis van haar moeder. Lang vergeten dat ze uit dat huis bij de rivier kwam. Weggelopen met Gerry Jennings, de jonge politieagent die naar het dorp was gekomen. Van godsdienst veranderd, haar kinderen op de manier van hun vader opgevoed. Jarenlang gestraft door haar eigen familie. Haar geboorterecht ontzegd.

Rachel zette haar duimen tegen de metalen slotjes en duwde hard. Ze sprongen met een klik open. Ze hief het deksel op. Er zat een grote bruine envelop in en een vel gelinieerd papier. In het kriebelige handschrift, duidelijk van haar vader, stond: *Van je moeder. Ze wilde dat je dit zou krijgen. Iets om je weer op weg te helpen.*

Rachel haalde de envelop eruit. Hij was zwaar, dik. Ze hield hem op zijn kop. Bundels geld, briefjes van vijf en tien pond dwarrelden op de grond. Ze ging snel rechtop zitten en raapte ze op, streek het gladde, wasachtige papier glad, legde ze in stapeltjes en telde ze. Vijf-, tien-, vijftien-, twintigduizend pond bij elkaar. Meer dan genoeg om het verschil te maken.

Ze stond op en rommelde onder de gootsteen. Ze vond een

plastic boodschappentas en stopte het geld erin. Toen knielde ze naast haar bed en haalde voorzichtig met een mes het stiksel om een hoek van het matras los. Ze trok de smerige stof opzij en perste de plastic tas met de kostbare inhoud erin, duwde hem tussen de veren, haalde een draad door een naald en naaide de stof met kleine, nette steekjes weer dicht. Ze was nooit de beste geweest in het verstoppen van waardevolle zaken toen ze in de gevangenis zat. Er waren anderen die legendarisch waren, over wie met ontzag gesproken werd, zowel door de gevangenen als door de bewaarsters. Maar dit was voorlopig voldoende tot ze een plek vond die veiliger, blijvend was.

Ze ging op het bed liggen en sloeg een deken om zich heen. Naast haar hing haar kaart. Ze keek naar de gekleurde vormen die ze erop aangetekend had en stak haar hand uit om ze aan te raken. Het was bijna zover. Ze wendde haar gezicht af en deed haar ogen dicht. Ze sliep.

10

Vrij nu. Al een maand vrij. Iedere dag werd het gemakkelijker. Om in haar eentje over straat te gaan. Om langere stappen te nemen. Om te weten dat ze verder kon gaan dan honderd meter zonder dat ze moest wachten tot er een hek werd opengedaan, een deur openging, op het bevel dat ze mocht komen of dat ze moest gaan.

Vrij nu. Al een maand vrij. Iedere dag iets nieuws te leren en te ontdekken. De supermarkt was haar lievelingsplek. Ze vond het heerlijk om er met haar mandje rond te dwalen. Te zien hoe het licht in ieder glanzend oppervlak weerspiegeld werd, zodat alle dozen en blikken en pakken glommen en fonkelden. Iedere dag probeerde ze iets nieuws. Kazen die dropen en smolten. Kruiden die nieuw en onbekend waren, zoals koriander en basilicum. Het veertjesachtige dille en de kroppen rucola. Zwarte olijven. Nieuwe soorten brood. Broodjes met maanzaad en sesamzaad. Hete sausjes die ze met een lepel uit de pot at. En vis. Heek en griet, verse zalm, dikke tonijn- en zwaardvisfilets. Maar geen vlees. Ze wilde nooit meer vlees eten. Niet sinds die nacht dat ze Martins lichaam uiteengereten, bloedend, had gezien. Als ze nu vlees bij de slager aan een haak zag hangen of in plastic gewikkeld, het vlees zo rood, het vet zo wit, kwam haar maag omhoog. Het rook, zelfs in de koelte van de supermarktvitrine, naar rotting en ellende. Het rook naar de gevangenis.

Ze had zichzelf in de spiegel bekeken. Een glimp van zichzelf in etalages opgevangen. Gezien hoe ze er nu uitzag. Sterk en gezond, het gevangenisuiterlijk verdwenen. Haar hoofd geheven, zelfvertrouwen in haar tred. Ze was bijna klaar. Bijna. En nu wilde ze het zien, zichzelf testen.

Ze was begonnen steeds verder te dwalen uit de buurt van

haar zitslaapkamer, het winkelcentrum en de wirwar van straten in het centrum die ze kende. Terwijl ze naar het station liep, nam ze een besluit. Welke kant vandaag op. In zuidelijke richting naar Bray, langs de kust. Keek vanuit het raampje omhoog naar de huizen die op de klip stonden. Keek uit naar het huis met de klokkentoren, waarvan het rode pannendak net zichtbaar was door het donkergroen van de pijnbomen. Dacht aan de foto's die ze ervan had gezien op de society-pagina's van de tijdschriften die in de gevangenis terechtgekomen waren. De feesten die er gegeven werden, benefietfeesten. Lampions langs het terras. Een tuin die zich tot aan de zee uitstrekte. Een partytent, een vioolkwartet. De ruimhartige, grootmoedige gastheer met zijn mooie vrouw en twee perfecte kinderen naast zich. De foto's die ze uitgescheurd en bewaard had, in haar knipselboek had geplakt. De bijzonderheden van hun leven die ze uit haar hoofd had geleerd.

Of voorbij Howth ten noorden van de stad. Turend, wachtend, op zoek naar precies de juiste persoon. Zoals de man die nu naast haar lag met zijn arm om haar middel. Ze bleef een ogenblik roerloos liggen en toen deed ze haar ogen open. Ze lag op haar zij met haar gezicht naar een raam. Het licht van de straat sijpelde naar binnen door de latten van een houten jaloezie, die neergelaten maar niet gesloten was. Haar hoofd bonkte en ze had een smerige smaak in haar mond. Haar nek was stijf en pijnlijk alsof ze verkeerd gelegen had. Ze bewoog voorzichtig haar benen om hem niet wakker te maken. Ze draaide op haar rug. Terwijl ze zich omdraaide, draaide hij zich ook om, bij haar vandaan, trok zijn armen en benen naar zich toe en ging op zijn andere zij liggen met zijn handen keurig tussen zijn dijen. Ze kwam overeind en boog over hem heen. In het schemerlicht glinsterden de blonde stoppels op zijn gezicht. Zijn mond hing halfopen en er lag een belletje speeksel op zijn volle rode lippen. Zijn huid was glad, zonder vlekjes of littekens. In tegenstelling tot haar eigen lichaam, dat gerimpeld en verschrompeld, vuil en gevlekt leek. Niet dat hij dat had gezegd terwijl hij keek hoe ze zich uitkleedde. Of wist ze nog wel wat hij had gezegd? Of wie hij was of waar ze nu was?

Ze wendde zich van hem af en pakte het glas water van het nachtkastje. Ze nam een slok. Het water smaakte muf en naar chloor. Stadswater, net als het water in de gevangenis, dacht ze. Ze drukte het koude glas tegen haar wang en liet haar blik door de kamer dwalen. Er stond niets in behalve het bed en een rechte stoel bij het raam. Er hing een ingelijste reproductie aan de muur ertegenover, een van die Weense dames met een hoop juwelen van Gustav Klimt. Ze herinnerde zich vaag dat hij gisteravond had gezegd dat ze al aan de muur hing toen hij de flat huurde.

'Ze zijn allemaal zo, weet je, al die appartementen op de kades. Ze zijn allemaal precies hetzelfde gemeubileerd. Zelfde banken en stoelen, zelfde behang, waarschijnlijk in iedere flat dezelfde mensen.'

En toen lachte hij. Ze vond het een akelige lach. Galmend, veel te luid. Hij trok aandacht. Zodat mensen zich omdraaiden en naar hem keken. En dat vond ze niet prettig. Ze was verrast door de lach. Die paste niet bij hem. Verder was hij zo glad en mooi. Ze had hem er onmiddellijk uitgepikt. Om hem te volgen. Gewoon voor de lol. Om te zien waar hij naartoe ging en wat hij deed.

Een spelletje, dat was het. De meisjes in de gevangenis deden het zodra ze weer buiten stonden. Ze hadden haar er alles over verteld.

'Wat je doet,' zeiden ze, 'je ziet iemand. Op straat, of in een kroeg, of misschien zelfs in een bus of een trein. En je houdt ze in de gaten. En dan ga je ze overal achterna. En na een tijdje zien ze je. Maar ze hebben niet in de gaten dat je ze volgt, ze vinden alleen maar dat je ze bekend voorkomt. En dan is het kipsimpel, belachelijk idioot simpel.'

'Wat?' vroeg ze, de eerste keer dat ze het haar vertelden. 'Wat is simpel?'

'Om te doen wat je met ze wilt. Neuken, beroven, lol hebben. Het is een hartstikke leuk spelletje.'

En toen zei ze dat ze gek waren. Het was stom. Ze zouden zich in de nesten werken, op een grandioze manier.

'Tenslotte,' zei ze, 'zullen ze je herkennen, weten wat voor iemand je bent en gaan ze naar de politie en dan kunnen ze je identificeren. Of niet?'

En de meisjes giechelden en gniffelden en stootten elkaar aan. En zeiden dat ze er niets van begreep.

'Dan kun je wel zo slim zijn en op de universiteit hebben gezeten en al dat gelul meer, maar je snapt er niks van. Van mensen niet. Ze doen er helemaal niets tegen, omdat ze zich schuldig, verantwoordelijk, stom voelen. Ze hebben jou binnengelaten, ze hebben zich tegenover jou blootgegeven, ze hebben geoordeeld dat je deugde, en nu zien ze hoe stom ze zijn geweest. En weet je, Rachel, vooral mannen. Die hebben zo'n verdomd groot ego, die willen nooit toegeven dat ze een fout hebben gemaakt. Dus zit je gebakken.'

Ze hadden gelijk. Ze wilde dat ze het hun allemaal kon vertellen. Zij hadden gelijk en zij niet. Het was precies gegaan zoals ze hadden gezegd. En ze had het gedaan. Ze zag hem in de trein. Hij was jong, knap. Misschien een toerist of een zakenman op zakenreis. Er lag een reisgids open op zijn schoot en hij volgde met een gemanicuurde vinger zijn route. Ze veranderde van plaats zodat ze schuin tegenover hem zat. Ze staarde uit het raampje en bekeek hem in de ruit, die als een breedbeeld-tv fungeerde. Hij droeg een overhemd met een openstaand boord en een lichtbruine broek. De mouwen van zijn overhemd waren opgerold en zijn armen waren bruinverbrand en bedekt met blonde haartjes die schitterden als de zon erop viel. Ze keek even naar hem, maar zorgde ervoor dat ze niet zijn blik opving terwijl hij opstond en zich uitrekte om het bovenste deel van het raam open te doen. Ze keek hoe de spieren in zijn rug en billen spanden en bewogen terwijl hij met de vergrendeling worstelde. Ze wendde haar blik af en wachtte af. Dat duurde niet lang.

'Pardon, ik weet niet hoe dit werkt.' Hij had een Noord-Amerikaans accent. Hij praatte zachtjes. Ze reageerde niet onmiddellijk.

'Neem me niet kwalijk. Mevrouw?' Hij sprak typisch, ouderwets hoffelijk, als in een oude Amerikaanse tv-serie. 'Kunt u me misschien helpen?' Hij deed een stap in haar richting en bewoog onhandig toen de trein harder ging rijden.

Ze liet hem zien hoe het raampje openging, beantwoordde wat vragen over het landschap dat voorbijgleed en ging toen weer op haar eigen plaats zitten. En toen hij bij Pearse Station uitstapte, volgde ze hem. Het was verrassend eenvoudig. Ze had nooit eerder iemand gevolgd, maar misschien kwam het omdat ze merkte dat hij geen speciaal doel had, dat ze hem gemakkelijk in de gaten kon houden. Hij dwaalde door Nassau Street, sloeg linksaf Kildare Street in, op weg naar het museum. Ze liep aan de andere kant van de straat en haar hart sloeg ineens over toen ze de geüniformeerde wachtposten voor de Dáil zag staan. Ze voelde hoe ze bij het zien van hun blauwe overhemden, hun zilveren knopen, hun petten, haar adem inhield van nervositeit. Dus wachtte ze tot ze weer normaal ademde en haar hartslag was bedaard, voor ze hem door het rijk bewerkte smeedijzeren hek naar binnen volgde en de koele schemering binnenstapte.

Hij was niet moeilijk te vinden. Hij stond bij de vitrine met oud goud. Het licht van de vitrine scheen in zijn gezicht, zodat de fijne rimpeltjes en lijntjes onder zijn ogen en om zijn mond zichtbaar waren. Ze ging dichterbij staan en keek naar de glimmend gele halskettinkjes, waarvan het metaal in fijne spiraaltjes gedraaid was, de enorme platte knopen en broches, de zware, rijk bewerkte kragen. Ze zag hun beide gezichten in het glas weerspiegeld en hoe hij naar haar keek, zich haar herinnerde uit de trein. Ze glimlachte.

'Mooi, hè?'

Ze was trots op zichzelf, zoals het haar gelukt was om het gesprek te openen. Ze had haar mond opengedaan en zich afgevraagd of er woorden uit zouden komen. Ze kende deze dingen. Ze had in het eerste jaar op de universiteit archeologie gestudeerd, als onderdeel van haar studie. Ze bezat de kennis nog steeds. Ergens in haar geheugen. Zij legde uit. Wat voor soort kunstvoorwerpen het waren. Wanneer ze gemaakt waren. Ze vertelde over de mensen die ze gedragen hadden, hoe ze geleefd hadden. En hij was van haar gecharmeerd, dat merkte ze.

'Hier.' Ze leidde hem van zaal naar zaal.

'Jij bent beter dan een gids,' zei hij, terwijl hij terloops met zijn hand over haar rug ging toen ze de zon weer inliepen. En de haartjes op haar armen gingen overeind staan toen ze voelde hoe haar huid strak trok.

'Wil je iets van me drinken?' vroeg hij. 'Om je te bedanken.'

En ze knikte; ze kon even geen woord uitbrengen. Ze zag dat hij het niet gemerkt had. Hij had het veel te druk met over zichzelf te vertellen. Hij was tweeëndertig. Hij was gescheiden. Hij kwam uit Ottawa. Hij werkte voor een softwarebedrijf dat telefoon- en computersystemen installeerde. Hij verbleef twee maanden in Dublin, waar hij een enorme klus had aan het schoonmaken van sommige van de programma's hier. En hij lachte zijn luide, lelijke lach.

'Je zou de rotzooi eens moeten zien die sommige van jullie mensen van het systeem hebben gemaakt. En wordt het ze verteld? Wat denk je?'

Hij was eenzaam, zei hij terwijl hij dichter naar haar toe schoof tot zijn dijbeen tegen het hare kwam. Zijn hand gleed onder haar blouse en drukte tegen haar wervels. Ze rook zijn zweet. Ze zag hoe hij dronk. Hoe hij zijn kin ophief terwijl hij het glas aan zijn mond zette. Hoe de huid over zijn keel spande, zodat ze duidelijk zijn adamsappel en de pezen in zijn hals kon zien. Hij klemde zijn hand om haar dij onder het tafeltje en bewoog zijn vingers in haar kruis. Ze stak haar hand onder tafel en maakte haar rits los. Ze voelde hoe hij haar aanraakte en haar eigen hand pakte, die hij hard tegen zichzelf drukte. Zo lang geleden dat ze dit had gedaan. Jaren en jaren en jaren. Ze voelde zijn mond tegen haar oor, en zijn instructies op fluistertoon.

'Ga met me mee, ga mee naar mijn flat. Dat is gezellig.'

Ze liep met hem de bar uit, wachtte tot hij een taxi had aangehouden, een adres ergens op een van de kades opgaf, en leunde achterover terwijl ze zich dwong haar mond open te doen en hij zijn handen om haar borsten legde. Zo lang geleden dat ze iets dergelijks had gevoeld. En ze herinnerde zich ineens, zo levendig dat ze het bijna uitschreeuwde, haar eerste keer met Martin. Buiten in de openlucht. Hartje winter. De avond dat ze elkaar ontmoetten. Een feestje in verband met de pensionering van een vriend van haar vader. Ze wilde niet gaan, maar haar vader had haar overgehaald. Een nieuwe jurk voor haar had gekocht. Een halternek. Zijde. Geplisseerd. Prachtig. En ze had Martin ontmoet, de zoon van de vriend van haar vader. En was met hem weggegaan, lang voor de toespraken afgelopen waren. Ze waren het hotel uitgelopen. Ze waren naar het parkeerterrein gelopen. Deed haar jas open. Voelde de kou op haar borsten en de warmte van zijn mond. Leunde achterover tegen een boom en voelde hem in haar. Ze lachten hardop om het plezier dat ze samen hadden. Ze reden weg in zijn auto om bij het kleine strandje bij Sandycove te zitten en de zon boven de zee te zien opgaan. En ze raakten elkaar aan alsof ze allebei teer en nieuw en perfect waren.

Het appartementencomplex had een veiligheidsdeur. Hij tikte zijn code in. Vijf, acht, drie, zeven. Ze herinnerde het zich. Ze keek of er camera's waren. Geen. Hij maakte de deur met een kaart open.

'Beter dan een hotel,' zei hij terwijl hij haar achter zich naar binnen trok.

Meer privé, dacht ze. Hij zette muziek op. Ze kende het. The Cranberries. De meisjes in de gevangenis waren gek op Dolores O'Riordan. Ze ziet eruit als een van ons, zeiden ze altijd. Hij zette het geluid harder.

'Krijg je daar geen problemen mee?' vroeg ze hem terwijl hij glazen wodka inschonk en een plastic zakje uit zijn aktetas haalde, waarvan ze zeker wist dat het cocaïne was. 'Buren die klagen?'

'Buren die klagen? Het is hier leven en laten leven. Ik ken ze niet en het kan me trouwens geen donder schelen. En ik weet zeker dat dat gevoel wederzijds is.' Hij keek naar de twee lijntjes coke die hij keurig op een klein rechthoekig spiegeltje gelegd had. 'Goed.' Hij gaf haar een opgerold briefje van tien pond. 'Dames gaan voor, heb ik altijd geleerd.'

Ze zouden trots op haar zijn geweest, haar oude vriendinnen uit Mountjoy. Niet alleen vanwege de manier waarop ze op een volleerde manier de coke opsnoof, maar ook vanwege de manier waarop ze de volgende ochtend zijn kleren doorzocht voor ze wegging. Ze haalde het geld uit zijn portefeuille, zijn creditcards, het pasje van zijn werk. Ze aarzelde bij zijn paspoort. Het was een hoop geld, maar aan de andere kant zou hij het bij de politie moeten aangeven om een nieuw te krijgen. Niemand op de ambassade zou geloven dat hij het zomaar verloren was. En ze wilde niets doen waardoor hij gedwongen was naar de politie te gaan. Toch veegde ze, voor alle zekerheid, haar vingerafdrukken van alles dat ze aangeraakt had. Behalve van zijn huid, dacht ze. Hij was nog steeds diep in slaap toen ze zich aangekleed had en op het punt stond weg te gaan. Hij zag er slapend goed uit. Jong en mooi. Het was jammer van de seks, want tegen de tijd dat hij naar bed wilde, lukte het helemaal niet meer. Te veel drank, te veel drugs. De meisjes hadden altijd gezegd dat de verhalen over coke en seks sprookjes waren.

'Het is gewoon als iedere andere drug,' zeiden ze tegen haar. 'Als ze eenmaal de smaak te pakken hebben, heb je er geen donder meer aan in bed. Je moet het altijd zelf afmaken.'

Wat jammer, dacht ze, dat ze gelijk hadden.

Ze ging in het vroege ochtendlicht aan de rivier staan en keek hoe een school harders vanaf de zee in de richting van de O'Connellbrug trok. Ze lagen vijf diep in het water, voortgestuwd door het trage zwiepen van hun staart. Wat voert ze toch hierheen, vroeg ze zich af, van het betrekkelijk schone getijdewater naar het bijna stilstaande smerige water van het riool dat de rivier was? Toen beantwoordde ze hardop haar onuitgesproken vraag: 'Voedsel natuurlijk, wat anders.'

Ze draaide zich om en liep weg van de stad naar de plaats waar de rivier in de baai uitkwam. Ze bracht haar hand naar haar gezicht. Ze kon hem nog ruiken. Zijn aftershave en zijn zweet. Hij was zo hulpeloos, zoals hij daar naast haar lag toen ze wakker werd. Ze was rechtop gaan zitten en had naar hem gekeken. Ze had de lakens weggetrokken en naar zijn lichaam gekeken. Ze had geen naakte man meer gezien sinds Martin was overleden. Terwijl hij zich naar haar omdraaide, zag ze de plek waar het geweerschot Martin uiteengereten had. Ze herinnerde zich de kleur van zijn bloed toen zijn hart het uit zijn lichaam pompte. Nu zag ze de hartslag onderin zijn hals, op en neer gaand. Ze raakte het plekje voorzichtig aan. Er was niet veel voor nodig om een eind aan iemands leven te maken. Ze hadden er in de gevangenis wel over gepraat. De manieren waarop je het kunt doen. De snelste, schoonste, netste. Ze hadden het haar verteld en geleerd, en zij had geluisterd en geleerd; ze had de kennis opgeslagen voor later, voor als ze het nodig had. Ze legde haar hand om zijn hals en voelde zijn bloed tegen haar huid kloppen. Hij bewoog zich alsof hij zich wilde omdraaien. Ze deed haar vingers uit elkaar en trok haar hand terug. Ze stond op. Ze ging weg.

Nu scheen de zon op haar gezicht. Ze deed haar ogen dicht en hield haar hoofd achterover. Toen haalde ze het geld en de creditcards uit haar zak. Ze had ze niet nodig. Ze had al het geld dat ze maar wilde, keurig in een schuilplaats in haar kamer liggen. Ze wilde alleen weten of ze het kon. Het gebod overtreden. Gij zult niet stelen. En ermee wegkomen. Het was oefening, dat was het, voor wat er te gebeuren stond. Ze hield haar buit voor zich uit en smeet alles in de rivier. Ze keek hoe het op het water dwarrelde en wachtte tot het water het plastic en papier geleidelijk naar beneden zoog tot er alleen nog een kleine rimpeling was die wijder werd. Toen liep ze weg.

11

Meer avonturen nu. Iedere dag iets nieuws te ontdekken. Iedere ochtend moesten er oefeningen gedaan worden. Yogahoudingen die ze in de gevangenis had geleerd om haar spieren uit hun toestand van nietsdoen te halen. De kat: het hol en bol maken van haar rug, terwijl ze rustig, ritmisch in- en uitademde. De cobra: het verheffen van haar ribbenkast terwijl haar handpalmen en schaambeen plat op de houten vloer lagen. De hond: heupen hoog, voeten gestrekt, hakken naar beneden. De driehoek: benen uit elkaar, de voeten eerst naar de ene kant en dan naar de andere. En evenwichtsoefeningen: één been in de lucht, de voet van het andere plat op de grond, één arm boven haar hoofd, terwijl haar blik op een donkere vlek op de muur gericht was, zodat ze rechtop kon blijven staan en zich kon blijven concentreren. Dan weer op de grond: haar knieën opgetrokken, handen achter haar nek, haar hoofd op en neer, zodat ze haar buikspieren voelde samentrekken. Twintig, dertig, veertig keer, terwijl het zweet op haar voorhoofd stond. Terwijl ze de stemmen van de vrouwen in de sportzaal van de gevangenis hoorde, hoe ze naar haar schreeuwden, haar aanmoedigden, riepen dat ze ervoor moest gaan. Ze ging onder de douche staan en boende en boende, en had het gevoel dat er een nieuwe Rachel door de huid van de oude heen brak.

De nieuwe Rachel die bij de bushalte tegenover het huis net buiten het dorpje Dalkey stond en naar de auto's keek die aan weerszijden van de smalle weg geparkeerd stonden, zomaar ergens neergezet, sommige half op het trottoir, andere nonchalant voor het hek. Het was halfeen. Voor de twintig of wat kleuters die door de week de ochtenden in de crèche *Little Darlings* net buiten Dalkey doorbrachten tijd om naar huis te gaan.

Ze was er eerder geweest. Deze week iedere dag. Ze kwam net voor kwart over twaalf aan en ging bij de bushalte aan de andere kant van de weg staan. De bus, zo wist ze, kwam pas ruim na kwart voor één, en niemand merkte de vrouw op die zo geduldig stond te wachten, leunend tegen de kromme metalen paal.

Het was hier tussen de middag iedere dag hetzelfde liedje. De eerste moeders en au-pairs kwamen om ongeveer tien voor halfeen. De vroege vogels bleven in hun auto zitten en luisterden naar de radio of lazen de krant. Dan kwamen geleidelijk de anderen. Degenen die waren komen lopen, liepen langs de geparkeerde auto's en wachtten binnen het hek, waar ze tegen de granieten muur leunden en zachtjes kletsten. En de rest van de elegante, goedverzorgde vrouwen kwam al snel daarna; ze parkeerden waar ze maar een gaatje vonden, en het gestage ritme van portieren die dichtgeslagen werden kondigde hun aanwezigheid aan terwijl ook zij naar de oprijlaan liepen. En dan, ergens even na halfeen, kwamen de kinderen, vergezeld van twee jonge meisjes. Ze hadden altijd een cadeautje voor hun moeder bij zich. Schilderijen op grote stukken dun papier, felgekleurde vlekken en kleurige vegen waar druk over ge-ohd en ge-ahd werd, en die tijdens de lunch eindeloos geïnterpreteerd werden. Of brokken klei waarvan de functie net zo onduidelijk was, maar waarvan de ontvangst gegarandeerd extatisch was.

Was het voor haar ook zo geweest, vroeg Rachel zich af terwijl ze toekeek. Zag ze zichzelf en Amy bij die groep? Was zij de moeder die gehurkt naast het kleine meisje met de rode krullen ging zitten en haar prees, met lieve woordjes en kusjes aanmoedigde? Of was zij de vrouw met haast, die het mollige jongetje met het brilletje nauwelijks begroette voor ze de schooltas en de tekening van hem aannam en snel met hem het hek uitliep naar de auto, waar ze hem op de achterbank zette? Er was een tijd, herinnerde ze zich, dat de muren van haar keuken vol hingen met tekeningen van Amy. Iedere dag een nieuwe om aan de verzameling toe te voegen. Elke met een opdracht. Voor papa en mama. Voor opa en oma. Voor oom Dan. Voor haar andere ooms, Pat en Brian in Amerika. Wat was ermee gebeurd, vroeg ze zich af. Kwijtgeraakt, weggegooid, weggesmeten, nam ze aan. Toen het huis verkocht was, nadat zij naar de gevangenis en Amy naar Rachels ouders was gegaan, en daarna, toen het hen allemaal te veel was geworden, naar het pleeggezin. Het huis en de inhoud waren evenzeer van haar als van Martin geweest. Het was hun thuis. Maar Martins familie had beweerd dat de opbrengst alleen naar Amy mocht gaan. Dat Rachel op geen enkele manier van Martins dood mocht profiteren. Ze had het kunnen aanvechten. Volgens haar advocaat maakte ze een goede kans. Maar ze had geen zin in de strijd. Ze stemde ermee in. Wilde alleen dat haar eigen bezittingen in dozen gedaan werden en naar haar vader opgestuurd. Maar wat was ermee gebeurd nadat haar moeder was overleden en de ziekte van Alzheimer haar haar vader had ontnomen? Ze had geen idee. En nu kon het haar niet meer schelen.

Ze was vandaag te laat, de vrouw voor wie Rachel was gekomen. Het was vijf over halfeen. De meeste kinderen waren naar huis. Er stond er nog eentje te wachten, nog eentje waar de jonge oppasmeisjes in hun strakke spijkerbroeken en T-shirts op bleven letten. Een meisje, een schattig kind met steil donker haar en een plechtig gezichtje. Ze stond in haar eentje, met de duim van haar linkerhand in haar mond, terwijl ze in de andere hand een groot stuk karton hield waarop dingen geplakt zaten die eruitzagen als schelpen. Het kind begon ongerust te worden. Ze begon langzaam in de richting van het hek te schuiven, stapje voor stapje, bleef vervolgens staan en keek over haar schouder naar de meisjes die nu diep in een geanimeerd gesprek verwikkeld waren. Rachel hield haar in de gaten. Het kind haalde haar duim uit haar mond, veegde hem zorgvuldig af aan de rok van haar jurkje en liep langzaam naar de rand van het trottoir. Ze tuurde naar links en naar rechts, deed een stap naar voren en toen weer een stap naar achteren. Ze praatte in zichzelf. Rachel kon niet horen wat ze zei, maar ze zag het kleine mondje open- en dichtgaan en er verschenen kuiltjes in de bolle wangetjes. Over niet al te lange tijd, dacht Rachel, zouden er tranen komen.

Ze keek langs het kind naar de twee meisjes om te zien of ze in de gaten hadden wat er gebeurde, maar ze hadden haar nog vastberadener de rug toegekeerd, hun hoofden bij elkaar terwijl ze stiekem hun sigaret aanstaken. De tijd verstreek langzaam. Het kleine meisje schuifelde steeds verder bij het hek vandaan. Rachel keek naar links en rechts. Het was nu stil, geen voorbijgangers, geen voetgangers, alleen een enkele auto die een sluiproute nam om de file in het dorp te ontwijken. Die hard, té hard over die smalle weg reed. Rachel stapte naar voren. Ze stak de straat over naar het kind. Ze bleef voor haar staan. Ze boog voorover.

'Hallo,' zei ze, 'gaat het?'

Het kleine meisje keek naar haar op, terwijl ze haar grijze ogen toekneep tegen de felle middagzon.

'Ik wacht op mama. Ik heb honger. Ik wil eten.'

'O? Wil je dit soms?' Rachel deed haar plastic tas open en haalde er een perzik uit. Ze hield hem tegen haar neus en snoof diep.

'Mm,' zei ze, 'hij ruikt heerlijk.'

Het kind stak haar handje uit, maar trok het terug.

'Ben jij een vreemde?' Ze klonk bezorgd. 'Ik mag niet met vreemden praten.'

'Ik?' Rachel deed een stap achteruit. 'Natuurlijk ben ik geen vreemde. Ik ben jouw vriendin. Ik heb een heerlijke perzik voor je. Ik weet dat kleine meisjes dol op perziken zijn. Ik heb zelf ook een klein meisje dat net zo oud is als jij, en ze vindt perziken het allerlekkerst.'

'Waar is ze dan? Jouw kleine meisje? Is ze hier?'

Het kind keek weer bezorgd om zich heen en stak opnieuw haar hand uit naar de gele perzik.

'Nee, ze is hier niet, maar zou je haar wel willen ontmoeten? Ze is ook jouw vriendinnetje.' Ze pakte het handje van het kind. Het was klam. Ze hief het op naar haar lippen en drukte er zachtjes een kus op. Het rook naar krijtjes en zure melk. Ze draaide het met de palm naar boven en keek ernaar. Het was vies; het vuil van de speelplaats zat in de diepe lijnen.

'Je gaat toch wel met me mee?' zei ze.

Het kind knikte. Rachel zag dat ze een beetje begon te kwijlen terwijl ze de wollige perzik in haar handjes nam. En toen hoorde ze de auto. De zwarte Saab, het nieuwste model, heel glanzend, heel perfect, net als de vrouw die achter het stuur zat en hard reed, roekeloos in haar ongerustheid. Ze stopte abrupt, duwde het portier open en liet het openstaan terwijl ze zich naar haar dochtertje haastte. Rachel stopte de perzik terug in haar tas en begon, zonder om zich heen te kijken, weg te lopen. Ze hoorde achter zich de verontschuldigingen van de moeder terwijl ze het kind optilde, hoorde autoportieren dichtslaan, en draaide zich toen om om te kijken. Zag het oudere kind, een jongen, voorin zitten, en achterin een baby in een stoeltje. Zag de vrouw in de achteruitkijkspiegel kijken en toen vakkundig, soepel, zonder een blik in Rachels richting, wegrijden.

Op dat moment minderde de bus vaart en stopte. De chauffeur wachtte ongeduldig tot ze binnen was, een kaartje had gekocht en wankelend over het gangpad naar een plaats achterin liep. Vanaf die plek kon ze zich omdraaien en toekijken hoe de Saab sneller ging rijden. Door het dorp, langs de kust waar het klif naast de weg steil naar beneden liep, vervolgens langs de hoge granieten pilaren en het smeedijzeren hek naar binnen terwijl de kiezels vanonder de wielen van de auto wegspoten, waarna ze stopte voor het uit twee verdiepingen bestaande huis van zachtgele zandsteen, met de hoge klokkentoren en de tuin die zich tot aan de zee uitstrekte. En het meisje en de jongen, de perfecte kinderen, over het grasveld de bosjes in holden, elkaar door de ommuurde moestuin achternazaten en bij een schommel bleven staan die aan de lage takken van de eikenboom hing, terwijl de zon in het blauw van de zee weerkaatste en vanuit iedere richting alles om hen heen in een helder licht hulde.

Mevrouw Lynch was degene die ze voor haar had gevonden. De vrouw en de kinderen. Het huis op de foto's. Toen ze haar stomerijspullen kwam terughalen, had ze erop aangedrongen dat Rachel langs zou komen.

'Ik wil per se dat je komt, kind. Je moet komen lunchen. Ik zal je wel komen halen en weer thuisbrengen.'

Ze woonden, de familie Lynch, in een huis van rode baksteen in een zijstraat van Glenageary Road. Hoogpolig tapijt, de geur van meubelwas, een grootvaderklok die tik-tokte als een langzame, gestage hartslag. Meneer Lynch zei niets, maar hij glimlachte naar haar, pakte haar hand met zijn droge, vogelachtige klauw en boog zo nu en dan voorover om op haar knie te kloppen. Het middageten werd op de mahoniehouten eettafel geserveerd. Mevrouw Lynch praatte. Rachel luisterde. Verhalen over kinderen en kleinkinderen, vakanties in Florida en Marbella. Rachel luisterde naar de trotse opsomming van wat ze allemaal bereikt hadden. Ze keek toe terwijl mevrouw Lynch slokjes van haar soep nam van de rand van haar lepel, haar witte broodje doormidden scheurde en er een lik boter op smeerde, met het linnen servet haar lippen depte, haar happen afwisselde met conversatie. Is dit hoe je het doet? Rachel probeerde het zich te herinneren, en probeerde de keurige gebaren van de vrouw te kopiëren.

'Er is nog meer, neem nog wat meer, kind. Je ziet eruit alsof je doodgaat van de honger. Wat jij nodig hebt is iemand die voor je zorgt. Waarom kom je niet een tijdje bij ons wonen? Papa vindt het wel goed, hè, papa?'

Meneer Lynch glimlachte opnieuw. Hij vond het wel goed, zei hij, maar hij dacht dat Rachel waarschijnlijk wel verder wilde gaan met haar eigen leven in plaats van opgescheept te zitten met twee betuttelende bejaarden.

De hal en de woonkamer hingen vol schilderijen en zwartwitfoto's. Sierlijke oude jachten met gaffeltuig, hun enorme witte zeilen net de vleugels van meeuwen. Rachel bestudeerde ze nauwkeurig en bewonderde de belijning. Ze herkende een jonge meneer Lynch aan het roer van het mooiste jacht.

'Ik zeilde vroeger ook,' zei ze. 'Voornamelijk jollen. Ik had mijn eigen Enterprise. Een heerlijke boot.'

Meneer Lynch knikte.

'Daarna had ik een Draak. Dat was nog eens een schoonheid. Zoals die van u.'

Meneer Lynch knikte terwijl zijn ogen naar de afbeeldingen aan de muur dwaalden.

'Ik heb ook veel met anderen meegezeild, iedereen die me maar wilde hebben. Plezierjachten, wedstrijdjachten, noem maar op. Ik vond het heerlijk, daar op de baai.'

Meneer Lynch sprak. 'Er is niets zo mooi als de baai en de Ierse Zee. De stroming kan gevaarlijk zijn. Het is echt een wedstrijd tussen de verschillende stromingen. Vier knopen beide kanten op. Je staat er versteld van hoe ver ze je mee kunnen voeren.' Hij zweeg even en nam een slok van zijn koffie. 'Dat zul je wel gemist hebben,' zei hij.

Na het eten drong mevrouw Lynch weer aan. 'Nu gaan we een eindje rijden. We gaan zo ver als de Kegelberg. Dat is een leuke rit, hè? Zulke prachtige vergezichten. Papa gaat wel achterin, en jij, Rachel, komt voorin zitten, nee, ik wil er niets over horen.'

Toen ze de hoofdweg opdraaiden, vroeg Rachel: 'Zouden we door Killiney, over de Vico Road kunnen? Zouden we zo kunnen?'

En een kwartier later was Rachel erachter waar ze waren. Het rode pannendak met de Italiaansachtige klokkentoren, die net boven de hoge granieten muur uitstak. De smeedijzeren hekken, en de neus van de auto die nadrukkelijk vooruitstak op hun deel van de weg, zodat mevrouw Lynch plotseling moest stoppen. Ze beklaagde zich.

'Eerlijk waar, de mensen die in die grote huizen wonen, die vinden dat de weg van hen is.'

En Rachel had de vrouw en de kinderen in de glanzende zwarte Saab gezien en wist wat haar te doen stond. Het was een peulenschil, werkelijk een peulenschil. De meisjes in de gevangenis zeiden dat het een peulenschil was.

'Je hebt geen idee,' hadden ze tegen haar gezegd, 'hoe verdomde slap de meeste mensen zijn. Ze hebben geen verdediging. Ze verwachten geen moeilijkheden, dus als er zich moeilijkheden voordoen, weten ze niet wat hen overkomt.'

Een peulenschil om bij het huis rond te hangen. Te zien hoe de auto kwam en ging. Te zien hoe het meisje haar speciale rode T-shirt droeg. '*Little Darlings Crèche*' stond er op de voorkant. En op de rug het adres en het telefoonnummer. Ze hadden gelijk, de meisjes in de gevangenis. Het was zo simpel als wat.

Om de trein naar het station bij het strand onder het huis te nemen. Om via het kiezelstrand op de rotsen te komen. Om naar het pad op het klif en over de paar roestige stukken prikkeldraad op de spoorlijn te klimmen. Om door het kapotte hek de tuin in te kruipen. Voorzichtig in het begin, omdat ze bang was gesnapt te worden. Later, toen ze meer zelfvertrouwen kreeg, openlijker om de rand van de rotspunt heen waarop het huis stond. Om over haar schouder door de open stukken tussen de bomen naar het goed onderhouden groene gazon te kijken waar de schommel aan de lage tak van de eikenboom hing. De kinderen langs te zien flitsen, hun geschreeuw en gejoel te horen. Hen binnen te horen roepen door hun moeder. De hond, de zwarte labrador, te overbluffen die maar blaffend voor haar bleef staan. Zijn poten stevig op de grond geplant, zijn haar overeind terwijl ze haar hand naar hem uitstak. Om hem hapjes, koekjes en blokjes chocola te voeren. De slijmdraden van zijn kwabbige zwarte lippen te zien druipen terwijl ze hem haar zoenoffers toestak. Vervolgens om zijn grote zware kop te aaien en in zijn donkerbruine ogen te kijken terwijl hij haar handen likte.

Mevrouw Lynch was zo aardig. Ze nam haar mee uit winkelen. Ze kocht nieuwe kleren voor haar. Broeken van antracietgrijs, moddergroen en het paars van een dag oude blauwe plek. Gesteven witte overhemden en blouses. En een jasje van zachte suède, de kleur van een vospaard. Sandalen met enkelbandjes, zoals Romeinse centurions droegen, en nieuwe schoenen die naar leer roken en zich lekker om haar voeten vormden. De eerste echte schoenen die ze in twaalf jaar droeg. En een nieuwe tas, ook van leer, groot genoeg voor een boek en een krant, zelfs voor een pak melk en een brood, met een brede schouderband en kleine zakjes aan de binnenkant. Een portemonnee met een rits voor munten en een vakje voor briefjes.

'En je haar, kind, we moeten iets aan je haar doen. Wanneer heb je het voor het laatst laten knippen? Je had toch zulk mooi haar; ik herinner me dat het zo'n mooie kleur was, donkerbruin, bijna zwart maar net niet, en er zat zo'n mooie slag in. Toen hoefde je er waarschijnlijk niets aan te doen, maar nu...'

Ze haalde haar op van de stomerij en nam haar mee naar de kapsalon in Glasthule, waar Rachel uren zat te luisteren naar het geklets en geroddel, terwijl haar hoofd gemasseerd werd en haar haar gewassen, geknipt en gedroogd. Ze keek in de spiegels die naast elkaar aan de muur hingen en tuurde naar de vrouw met de glanzende grijze krullen, wier kleren perfect om haar slanke lichaam vielen terwijl ze zich elegant en zelfverzekerd voortbewoog, rustig en op haar gemak, plotseling één met haar gloednieuwe huid.

'Dank u,' zei ze tegen mevrouw Lynch terwijl ze samen naar buiten liepen. 'Het is zo lief van u. Ik ben heel blij met uw hulp.' En ze boog voorover en gaf de oudere vrouw een kus op haar wang. Ze rook haar poeder en de rozengeur van haar parfum terwijl ze bij elkaar in het warme zonlicht stonden. 'Meer dan u zich kunt voorstellen.'

En mevrouw Lynch pakte haar hand en zei: 'Ik heb altijd geloofd wat je zei. Over die man, de broer van je man. Ik heb hem nooit geloofd. Ik heb geprobeerd de anderen te overtuigen. Om ze zover te krijgen dat ze het zagen zoals ik het zag. Maar ze zeiden dat er te veel bewijzen tegen je waren. Jouw vingerafdrukken zaten op het geweer, de zijne niet. Dat kon ik ook niet begrijpen. Maar ik wist dat er een verklaring voor moest zijn. Ik wist dat je je man nooit gedood kon hebben. Niet terwijl hij de vader van je dochtertje was.' En ze draaide zich om en liep weg. Ze bleef nog één keer staan om achterom te kijken en te zwaaien.

De hond herkende haar. En het kleine meisje ook. Ze heette

Laura. Rachel had gehoord hoe haar moeder haar riep en dat het meisje antwoord gaf. Ze zat op het strand in haar chique nieuwe kleren, met haar jasje en tas naast haar, en keek naar de glanzende zwarte labrador die op haar af kwam gerend, de twee kinderen – de jongen en het meisje, die hun best deden om hem in te halen – en verder weg, een kleine gestalte in de verte – de lange blonde vrouw die de baby in een draagzak op haar borst droeg. Ze stak haar hand uit naar de hond en stond op. Ze raapte een stuk wrakhout op en gooide dat met een grote boog weg. Hij rende weg, sprong op en ving de stok in zijn kwabbige bek voor hij op de grond viel. En de twee kinderen lachten en sprongen op en neer en schreeuwden: 'Nog een keer, nog een keer.' En toen hun moeder er eindelijk aankwam, stond Laura Rachel al te vertellen dat dat haar mama was en dit was haar broer en dat was haar kleine broertje. Het was toen zo gemakkelijk om naar de lange blonde vrouw te glimlachen, een terloopse opmerking te maken over wat een mooie dag het was en hoe prachtig de zee was, en hoe leuk haar hond en haar kinderen. Zodat ze binnen een halfuur allemaal een ijsje zaten te eten dat Rachel bij de kiosk op het strand had gekocht. Zo gemakkelijk, vervolgens, om met hen naar het hek te lopen dat van de zee langs het klif omhoog naar hun huis liep. Om gedag te zwaaien. En tegen het kleine meisje met het steile zwarte haar en het plechtige gezichtje te zeggen: 'Ja, natuurlijk kom ik een keer naar je poesje kijken, Laura, natuurlijk doe ik dat.'

Om quasi-medelijdend naar haar moeder te glimlachen, die zei dat ze door moest lopen. Om zo'n blik van 'wat kunnen kinderen toch gek doen' te delen, vervolgens gedag te zeggen en terug over het strand te lopen, haar mooie nieuwe sandalen uit te trekken en haar broekspijpen op te rollen, pootje te baden in de golfjes die zo kalm over de kiezels en de schelpen kabbelden die eronder lagen te glimmen. De zon op haar rug te voelen terwijl ze bij de lange blonde vrouw en haar drie prachtige kinderen vandaan liep, wetend dat het zo simpel was en dat ze hen binnenkort weer zou zien. Ze herhaalde de naam die de vrouw haar gegeven had. Ursula Beckett, mevrouw Ursula Beckett, vrouw van Daniël Beckett, Martins oudere broer, Rachels vroegere minnaar. En de man die het schot had afgevuurd waarmee haar man was gedood. Al die lange jaren geleden.

12

Ditmaal was de stank nog sterker. Zelfs de jonge gasten die erover opschepten dat ze een ijzeren maag hadden en een dito
houding zagen bleek om de neus terwijl ze zich om de hoop
aarde op de grond drongen. Jack liep er behoedzaam op af. Hij
had slecht geslapen. De meisjes waren bij hem blijven slapen en
Rosa wilde per se bij hem in bed. Hij vond het niet erg, eerlijk
gezegd vond hij het wel prettig haar magere lichaampje tegen
zich aan te voelen. Maar ze kreeg nachtmerries; ze schokte met
haar armen en benen en werd gillend wakker, en toen hij dacht
dat hij haar eindelijk gekalmeerd had, plaste ze plotseling en
zonder enige waarschuwing in bed. Tegen de tijd dat hij het bed
verschoond had en haar en zichzelf een schone pyjama aange-
trokken had, kwam de zon op. En hoewel ze onmiddellijk weg-
doezelde, met haar duim stevig in haar mond, bleef hij wakker
liggen en zag de minuten op de digitale wekker voorbij tikken
tot het eindelijk, tot zijn grote opluchting, tijd was om op te
staan.

Nu, vier koppen koffie later, voelde hij zich duizelig en van
de wereld, en totaal niet klaar voor wat er daar bij de spoorlijn
lag, tussen Salthill en Seapoint, en een uur in de wind stonk.

Hoe moet je de geur van rottend vlees omschrijven? Hij was
ooit eens tot de conclusie gekomen dat het als niets anders
rook. Er waren geen vergelijkingen mogelijk. Je kon niet zeggen dat het je deed denken aan de geur van een bepaalde bloem
of struik. Het leek niet op voedsel of drank. Het was niets anders dan zichzelf. Het was misschien mogelijk om een onderscheid te maken tussen de ene rottingsgeur en de andere. Rot-
tende vis had in ieder geval een bijzonder doordringende geur.
Maar, vroeg hij zich af terwijl de geur opsteeg en hem omwik-

kelde, was er een kwalitatief verschil tussen een dode rat, koe of mens?

'Jezus Christus,' zei hij hardop tegen niemand in het bijzonder terwijl hij zich door de wirwar van brem, uitlopers van doornstruiken en verwilderde vlinderstruik worstelde. 'Wat hebben we hier in godsnaam?'

Hij haalde diep adem en tilde het witte zeildoek op. Wat eronder lag was menselijk, dat was duidelijk. Maar meer niet. Het was verpakt in een wit laken dat kruislings, als een enorm verband, om het hoofd en de romp en benen gewikkeld was. Het lag op zijn rug, met de tenen naar boven wijzend. Het zag er klein en netjes uit, een vrouw, dacht hij, of misschien een ouder kind, of een oud mens, gekrompen door de ouderdom en osteoporose. De armen waren schijnbaar over de borst gevouwen, wat hem inderdaad deed denken aan een kruisridder en diens vrouw die hij een keer op een steen in een oude Engelse kerk ergens in Kent had zien liggen. Hij hurkte om het beter te kunnen zien. Iets met bijzonder scherpe tanden had de stof gedeeltelijk losgescheurd, en hem weggetrokken zodat de huid eronder zichtbaar was. Er zaten beten in de bleke huid van de dijen en de buik. Maar er was geen spoor van bloedvlekken, op het laken zelf of op het groene rubberen zeil waarop het lichaam lag.

Jack stond op en liep weg. Hij proefde zijn ontbijt, zuur, bitter. Hij keek naar de zee, die vandaag bij hoog water spiegelglad en lichtblauw was, net aan de andere kant van de spoorlijn, en zich uitstrekte van de baai van Dublin tot aan Howth Head. Hij haalde diep adem om zijn longen met de zuiverende zeelucht te vullen. Toen haalde hij een zakdoek uit zijn zak, drukte hem tegen zijn gezicht en keek weer naar het lichaam.

'Waar komt dit vandaan?' Hij prikte met de neus van zijn schoen tegen het grondzeil terwijl hij naar het groepje geüniformeerde agenten keek, van wie sommigen druk bezig waren met een lint de plaats van de misdaad af te zetten. 'Heeft een van jullie dit hier neergelegd?'

Natuurlijk niet. Wie dacht hij wel dat ze waren, een stelletje amateurs? Ze haalden het niet in hun hoofd om iets aan te raken. Ze wisten alles van het intact laten van de plaats van de misdaad, al die dingen die men hen eindeloos had ingeprent.

'Oké, zeg het maar. Wie heeft het lichaam gevonden en wanneer?'

Het was, naar het scheen, een opzichter van de gemeente geweest. Een jongeman, net van school, die naar het stuk braakliggende grond langs de spoorlijn was gestuurd om een begin te maken met het voorbereidende werk voor het nieuwe park dat de gemeente wilde aanleggen. Jack hoorde het benauwde kokhalzen terwijl de jongen overgaf, ergens uit het zicht achter een grote plataan.

'Hij trapte erop en viel. Hij kwam er precies op terecht. Het was in het grondzeil gewikkeld. Helemaal netjes ingepakt.' Tom Sweeney kwam met de details.

'Waarom is het nu dan niet meer netjes verpakt, zoals jij het noemt?'

'Omdat,' Sweeney klonk berustend maar ijzig, 'omdat hij zich, terwijl hij probeerde overeind te komen, aan het lichaam vastklampte en daarbij het plastic losscheurde, en toen realiseerde hij zich wat het was.'

'Het?' Jack hurkte terwijl hij zijn neus met zijn duim en wijsvinger dichtkneep. 'Het? Natuurlijk geloven we niet dat het een "het" is, hè, Sweeney? Wat zijn de kansen, denk je? Wat zeg je van twee tegen een dat dit keurige pakje een "zij" is?'

Ze wachtten in de zon tot Johnny Harris, de patholoog-anatoom, er was. Vroeger, voor ze allemaal zo wetenschappelijk waren geworden, zo zorgvuldig de richtlijnen volgden, zouden ze zelf het laken eraf getrokken hebben en goed gekeken hebben. Maar die tijd was voorbij. Nu moest het allemaal volgens de regels gebeuren. En volgens de regels trok je niet onmiddellijk een conclusie. Dus wachtten ze. Jack liep weg en ging de trap op naar de oude ijzeren brug die over de spoorbaan liep. Hij liet zijn blik op de zee rusten en staarde over de baai naar Howth in de verte. Hij vreesde wat er onder de doornstruiken en distels lag. Hij herinnerde zich de tijd dat hij er met volle teugen van genoot. De speurtocht, de jacht, de zoektocht. Nu voelde hij alleen maar de pijn van de familie, de angst dat het misging. Hij keek over zijn schouder naar de plek waar het lichaam bedekt lag. Hij wist niet eens hoe hij zou reageren als hij ernaar keek. Of hij zich er zelfs maar toe kon brengen om ernaar te kijken, naar haar, zoals ze daar nu lag te rotten.

Ze zwegen allemaal toen Johnny Harris het laken voorzichtig van haar gezicht trok. Haar ogen waren open. Ze staarde hen aan alsof ze zich verbaasde.

'Een vrouw,' zei hij, en iemand lachte nerveus. Boven hun

hoofd begon een merel te zingen, die luidkeels de hele toonladder doornam. Er reed een trein voorbij en toen er een plotselinge zeebries opstak, zwaaiden de bomen en struiken met hun takken, terwijl het felle zomergroen fluisterde en ruiste.

Johnny Harris trok nog wat laken weg.

'Leeftijd? Tegen de twintig, begin twintig.' Hij draaide voorzichtig met zijn gehandschoende handen haar nek opzij.

'Vermoedelijke doodsoorzaak? Wurging.' Hij pakte haar naakte witte lichaam uit en ontblootte haar armen, die kruislings over haar borst lagen. Hij raakte het stukje stof aan dat door haar vingers was geweven.

'Wat denk je, Jack?' Jack kwam dichterbij en boog voorover. 'Dat ziet eruit als een stropdas, hè? Die schuine strepen, dezelfde strepen die herhaald worden. Het lijkt wel een schooldas, of van een universiteit of zo.'

'Wat dacht je van de politiebond?' bracht Tom Sweeney naar voren. En weer gniffelden ze allemaal.

Jack keek toe terwijl Johnny Harris voorzichtig het laken van haar onderbuik, schaamstreek en bovenste deel van de dijen trok.

Hij probeerde zich de woorden van de akte van berouw te herinneren. Ze lagen op zijn tong. Hij deed zijn ogen dicht. *O God, ik heb oprecht berouw dat ik u gekwetst heb, en ik beken mijn zonden meer dan ieder ander kwaad.*

Hij hief zijn hand op en sloeg een kruis. Johnny Harris wees naar de blauwe plekken die zichtbaar waren onder de huid. Hij maakte een onderscheid tussen de plekken die voor haar dood veroorzaakt waren door een vuist en de tandafdrukken die later waren aangebracht.

'Knaagdieren,' zei hij, 'misschien zelfs katten.'

Er zaten kleine verschrompelde littekentjes in de gerimpelde huid van haar knieën. Sporen van haar kindertijd, dacht hij, vallen van schommels en fietsen, schaafwondjes en krassen. Haar voeten waren smal en wit, met hoge wreven. Haar nagels waren knalrood gelakt. Net als de nagels van Rosa. Ze had ze vanochtend aan hem laten zien toen hij haar sandalen vastmaakte. Kijk, papa, mooi, hè? Dat heeft mama voor me gedaan.

'Kijk.' Johnny Harris wees opnieuw. 'Zie je hoe ze gegroeid zijn? Zelfs sinds ze dood is.' Jack keek naar het smalle streepje wit boven haar nagelriem. Toen deed hij een stap achteruit en keek hoe ze haar voorzichtig in de lijkzak legden. Het metalige grrrrr van de rits die dichtging, verdrong alle andere geluiden. Johnny Harris trok zijn handschoenen uit. Ze bungelden in zijn handen. Als een insect dat zijn huid heeft afgeworpen, dacht Jack, en werd weer misselijk.

'Ik bel je wel zodra ik haar beter bekeken heb,' zei Harris terwijl hij uit zijn overall stapte.

Jack knikte. 'Neem je haar vingerafdrukken? Gewoon voor het geval dat.'

Een naam, dat was alles wat hij nodig had. Dat in de eerste plaats. Een naam bracht zijn eigen specifieke lijst verdachten, motieven en mogelijkheden met zich mee. En met een beetje ouderwets geluk viel alles op zijn plaats.

Het was vroeg in de avond toen hij haar weer zag. Hij was moe. Een grondige speurtocht door het braakliggende land bij de spoorlijn leverde niets interessants op. Een stapel oude bier-blikjes en plastic ciderflessen. Een verscheidenheid aan schoenen. Een hoop hondenpoep en ook wat van mensen. Maar geen voetafdrukken, geen handige aanwijzingen. Geen spoor van de troep waar een detectiveroman meestal vol mee zat. Jammer genoeg, dacht hij zuur, terwijl hij een hoofdpijn voelde opkomen die onder in zijn nek begon en langzaam achter zijn ogen kroop. Ze waren al begonnen met hun buurtonderzoek. Tot dusver volkomen voorspelbaar. Niemand had iets bijzonders gezien. Natuurlijk was er altijd zoveel verkeer dat van de kust-weg bij Monkstown afsloeg en heuvelafwaarts naar het par-keerterrein bij het station reed. En zeker sinds het onlangs uit-gebreid was om nog meer plaats te maken voor extra forensen. Een oude dame in een morsig flatje op de bovenste verdieping van de rij huizen erboven vertelde hem dat er altijd van alles omging, dag en nacht. Jack zag een verrekijker op de venster-bank liggen.

'Vogels kijken?' vroeg hij terwijl hij hem pakte en voor zijn ogen hield.

Ze gniffelde. Ze had een geweldig uitzicht vanuit haar woon-kamerraam. En als extraatje was het parkeerterrein 's nachts goed verlicht.

'Wie zoekt u?' vroeg ze terwijl ze een kopje slappe thee voor hem inschonk.

'Eerlijk gezegd, hebben we geen flauw idee.' Hij snoof de

gerookte-spekgeur van de Earl Grey op, nadat hij had gezegd dat hij geen melk hoefde.

'Is ze daar vermoord?' Ze pakte de verrekijker en draaide aan de scherpsteller.

'Zegt u het maar. Op dit moment weet u er waarschijnlijk meer van dan ik.'

'Nou, als u wilt weten wat ik denk, dan zou ik zeggen van niet,' zei ze. 'Het zal u verbazen hoe stil het hier 's nachts is. Ik slaap niet veel meer. Zeker niet nu de eeuwige slaap voor me op de loer ligt. Ik zie vaak mensen die bosjes ingaan. Heel vaak. Maar ik zie ze er altijd weer uitkomen.'

Hij stelde Johnny Harris dezelfde vraag. Was ze daar vermoord, tussen de doornstruiken en de distels?

Hij schudde zijn hoofd. 'Volgens mij niet. Als ik uitga van de verdeling van het bloed in haar lichaam, zou ik zeggen dat ze er al drie, misschien zelfs vier of vijf dagen lag. Ik zou zeggen dat ze hier neergelegd is in plaats van gedumpt. Ze lag er een beetje te netjes, als je begrijpt wat ik bedoel. Op haar rug, haar armen over elkaar, haar benen bij elkaar. Ik zou zeggen dat ze er neergelegd is vóór de rigor mortis was ingetreden. Zo was ze gemakkelijker te vervoeren. Dat zal zo ongeveer binnen zeven uur na haar dood zijn geweest. En dan nog iets.'

'Ja?'

'Ze hebben haar gewassen. Het is in situaties als deze normaal dat de darmen en blaas leeglopen. Maar er is geen spoor van urine of feces op haar lichaam. Ze is ook verkracht. Er is behoorlijk wat kracht bij gebruikt. Het lijkt erop alsof ze gepenetreerd is met iets scherps. Een mesje misschien, of een schaar. Maar ook al het bloed is weggewassen. Ze is heel schoon, afgezien, natuurlijk, van de onvermijdelijke ontbinding. En voor je het me vraagt, nee, er is geen sperma.'

'En hoe is ze om het leven gekomen? Door de verkrachting?'

'Nee. Ze is gewurgd. Aan de schaafplekken te zien met zoiets als een waslijn, is mijn indruk. Een kunststof die snel brandwonden veroorzaakt.'

'Dus niet met de stropdas?'

Hij schudde zijn hoofd. 'Ik geloof het niet. De sporen om haar hals komen niet overeen met die soort stof. Maar het is interessant, ongebruikelijk. De das was door haar vingers gevlochten. Zó.'

Hij sloeg het groene zeil open en tilde haar kleine handen op.

Hij deed de vingers uit elkaar om het te laten zien. Jack voelde hoe zijn knieën begonnen te knikken en het zweet hem uitbrak. Hij dwong zichzelf om te kijken.

'Ze is heel blond, hè? Is ze dat van nature?'

'Absoluut. Heel bijzonder. Ze doet me denken aan een Zweeds vriendinnetje dat ik ooit gehad heb. Haar haar was bijna wit.'

Ze bleven zwijgend staan. Het haar van het meisje was lang en heel dik. Ze droeg een scheiding in het midden. Het haar viel langs weerszijden van haar kleine, hartvormige gezicht.

'Wat kun je me verder nog vertellen?'

Johnny Harris zuchtte. 'Ze was zwanger. Een week of twaalf, zou ik zeggen. Ze had ook wat leverbeschadigingen in verband met overmatig gebruik van alcohol of drugs. En er zitten littekens op haar armen, hier. Zie je wel?' Hij wees naar de puntjes in de holte van haar elleboog.

'Maar ze is clean. Geen heroïne. Helemaal geen drugs. Nu niet in ieder geval. En afgezien van die dingen is ze gezond. En goed verzorgd.'

'Wat bedoel je daarmee?'

'Haar gebit. Regelmatig bezoek aan de tandarts. Een paar vullingen, maar niet veel. En bewijs dat ze ooit bij een orthodontist heeft gelopen. En kijk hier, die kiezen opzij.' Hij deed haar mond open en wees met de punt van zijn balpen. 'Op de röntgenfoto is te zien dat ze kronen heeft. Heel duur. Als je het mij vraagt, zou ik zeggen dat ze ooit een meisje van goeden huize is geweest.'

Wat niet bevestigd werd door de vingerafdrukken. De vingerafdrukken vertelden een ander verhaal. De afgelopen drie jaar was ze vijftien keer gearresteerd. Wegens het in bezit hebben van heroïne, wegens bezit met de bedoeling om door te verkopen, wegens prostitutie, wegens mishandeling, wegens diefstal. In Pearse Street hadden ze haar dossier, haar foto en haar naam.

'Judith Hill? Jezus. We kenden haar goed.' De brigadier van dienst keek hem verbijsterd aan. 'En nu wil je me vertellen dat Judith dood is? Een jaar of zo geleden zou ik er niet van opgekeken hebben. Ze zat tot haar nek in de stront. Maar de laatste tijd was ze weer op het rechte pad. Sinds ze uit de gevangenis was. Ze was zelfs weer aan het studeren. Trinity, nota bene! Aan de overkant van de straat, zodat ze zo nu en dan even kon binnenvallen. Nou, dat dacht ik niet.' Hij zweeg even en gnif-felde, waarna hij naar het dossier voor hem op de balie keek en het een halve slag draaide zodat Jack de foto duidelijk kon zien. 'Jezus, weet je zeker dat het Judith is? Ik heb haar pas nog ge-zien. Vorige week of de week daarvoor. Ze zag er fantastisch uit. O, godallemachtig, haar vader wordt gek.'

Haar vader, dr. Mark Hill. Zijn naam, gevolgd door een hele rits letters, op een koperen bordje aan het hek voor het hoge herenhuis van rode baksteen aan een rustig plein in Rathmines. Het was laat nu. Na tienen. Jack liet zich onderuitzakken in de passagiersstoel terwijl Tom Sweeney zorgvuldig de auto par-keerde.

'Ik haat dit,' zei hij. 'Wat haat ik dit, verdomme.'

Het was nog later tegen de tijd dat hij thuiskwam in de flat die op de haven uitkeek. Wat een opluchting om alleen te zijn. Geen noodzaak om uit te leggen, excuses aan te bieden, zijn slechte stemming te rechtvaardigen. Hij liep de badkamer bin-nen terwijl hij zijn kleren uittrok en ze in hoopjes op de grond liet vallen. Hij draaide de kranen open. Hij liep de keuken weer in. Hij schonk een dubbele gin in een hoog glas, deed er tonic en ijs bij, en een schijfje limoen. Hij dronk er in één slok de helft van en schonk nog eens bij. Hij stapte in bad, ging achter-overliggen en deed zijn ogen dicht. Hij wilde niet denken aan wat er vanavond was gebeurd, maar de beelden wilden niet weggaan. Ze speelden telkens weer af tegen zijn dichte oogle-den. De ontkenning van de vader, zijn weigering te geloven dat het mogelijk zijn dochter was die dood was. De manier waarop hij bleef volhouden dat ze veranderd was. Ze had niets meer met die 'zaken', zoals hij het noemde, te maken.

'Heeft u haar de laatste tijd dan nog gezien; heeft u haar nog gesproken?'

Nou, nee, dat niet. Maar ze woonde momenteel ook niet thuis. Ze was op kamers gaan wonen bij de universiteit om dicht bij haar broer te kunnen zijn. Hij had haar met haar ten-tamens geholpen.

'Maar er zijn nu toch geen colleges of tentamens, dr. Hill?'

Nou, nee, dat was wel zo. Maar ze had gezegd dat ze nog wat extra wilde studeren, om zich voor te bereiden op het vol-gende semester. Ze is heel gedreven, zei hij. Ze studeert kunst-geschiedenis. Ze vindt het geweldig. En ze weet dat ze zoveel tijd heeft verloren met al die 'zaken'. Ze wil het goedmaken.

'En vriendjes, andere vrienden of vriendinnen, iemand met wie ze veel omging?'

Er was niemand, zei hij, alleen haar broer Stephen. Ze hadden een heel hechte band.

En Jack wilde vooral niet denken aan wat er in het mortuarium was gebeurd. Toen dr. Hill naar het gezicht van zijn dochter staarde. Hij had de gebruikelijke reactie verwacht. Schrik, afschuw, tranen. Maar geen woede. Geen razernij. Geen afkeer. Niet de woorden die van de lippen van de man rolden, in een onstuitbare waterval. Woorden waar ze allemaal, Jack, Johnny Harris, Tom Sweeney, van achteruitdeinsden.

'Vuile rottrut. Teringkind. Hoe kun je me dat aandoen? Na alles wat ik met je doorgemaakt heb. Je had het beloofd. Je zei dat je het nooit meer zou doen. Je zei dat je je zou gedragen. Zoals vroeger. Je zei dat je met al dat gedoe gestopt was. Je zei dat je nu het soort leven ging leiden zoals ik wilde. Dat ik trots op je zou zijn. Dat ik dankzij jou met geheven hoofd kon rondlopen. En kijk nu eens, trut. Ik haat je zo verschrikkelijk. Ik kan er niet meer tegen.'

En één afschuwelijk ogenblik lang stak hij zijn hand naar haar uit; hij pakte het laken beet dat haar lichaam bedekte. Zijn vingers omklemden de stof en hij wilde trekken. Tot Johnny Harris naar voren stapte, zijn hand op zijn arm legde en zei: 'Zo kan het wel weer; nu is het genoeg. Laat haar ten minste één beetje waardigheid.'

En daar kwamen de tranen, de gierende uithalen en het geluid van pijn, een kreun die vanuit zijn binnenste kwam terwijl hij zich op zijn knieën op de koude tegelvloer liet zakken.

Ze reden hem terug naar zijn voordeur. Ze boden hem aan om hulp te bellen. Vrienden, familie, wie dan ook. Maar hij stapte zonder antwoord te geven uit de auto. Het was Sweeney die als eerste sprak, die de stilte verbrak toen ze bij de verkeerslichten stopten.

'Heeft hij het gedaan?'

Jack haalde zijn schouders op. Hij slaakte een diepe zucht. 'Ik heb geen flauw idee. Maar morgen gaan we weer naar hem toe om hem te vragen ons iets te geven voor het DNA-onderzoek, om erachter te komen wie de vader van de baby is. We doorzoeken het huis. Snel, voor hij zich realiseert waar we mee bezig zijn. Met haar moeder praten. Tot dusver is ze nog niet genoemd. En vergeet niet dat we de broer ook nog hebben. Hij weet waarschijnlijk meer over Judith dan pappie. Ga jij op hem af of doe ik het?'

Het was nu heel stil. Geen geluid van de parkeerplaats buiten. Geen verkeersgeluiden van de straat. Hij stapte uit bad en sloeg een handdoek om zijn middel. Hij schonk nog een flinke gin-tonic in en duwde de deur open naar zijn kleine balkonnetje. De zoete geur van de violier drong de kamer binnen. Een cadeautje van Ruth, de oudste van zijn twee dochters. Ze had hem zelf opgekweekt uit zaad. Hij stapte op het balkon en ging zitten. Dus ze had een paar keer in de gevangenis gezeten. Johnny Harris had haar een keurig meisje van goeden huize genoemd. Daar zaten er niet veel van in de gevangenis. Wat zei de directeur van de gevangenis ook alweer over de gevangenen? Dat ze allemaal uit de vier postdistricten van het centrum van Dublin kwamen. Niet uit de keurige buitenwijk waar de familie Hill woonde. Of, trouwens, maar een paar kilometer van de buurt waar Rachel Beckett had gewoond. Toeval, of wat? Hij zou morgen meteen Andy Bowen bellen. Nog iemand op zijn lijstje die verhoord moest worden.

Hij pakte zijn glas en liet de ijsblokjes ronddraaien. De balkondeur bij de buren ging open, en licht en muziek stroomden naar buiten. En het geluid van stemmen, gelach, en toen stilte, en weer andere geluiden, zo vertrouwd. Hij luisterde. Hij wilde het horen. Hij wilde zich voorstellen hoe het was. De ijsblokjes smolten in zijn glas, en hij kreeg koude rillingen over zijn blote rug. Maar hij stond niet op. Hij ging niet naar binnen. Hij wachtte tot het voorbij was. En hij kreeg wat hij nodig had.

13

De das was dezelfde. Dezelfde smalle schuine strepen rood, grijs en donkergroen tegen een donkerbruine achtergrond. Behalve dat er nu twee waren. De ene zat vuil en gekreukt in de plastic bewijszak die Jack in zijn aktetas had zitten. De andere lag geperst en schoon onder de kraag en bovenop de knoopjes van het witte overhemd dat dr. Hill onder zijn donkerblauwe blazer droeg.

De das was het eerste wat Jack zag toen dr. Hill de volgende ochtend vroeg de deur opendeed nadat hij aangeklopt had. Hij wachtte tot ze beleefdheden uitgewisseld hadden en hij met een kop thee in de kleine donkere keuken achter in het huis zat voor hij hem noemde.

'U vindt het toch niet erg dat we hier zitten, inspecteur eh, hoe zei u ook alweer dat uw naam was?'

Jack vertelde het hem voor, meende hij, de vijfde keer.

'O ja, Donnelly, natuurlijk. U vindt het toch niet erg hier, hoop ik? De huishoudster komt vandaag opruimen. Ik ben niet zo goed in dat soort dingen, dus is het nogal een rommel in de rest van het huis.'

Jack knikte meelevend.

'En uw vrouw, Judiths moeder? Is zij hier?'

Dokter Hill staarde naar de uitgesleten plavuizen op de vloer. Toen hij sprak, klonk zijn stem bitter. 'Mijn vrouw, Judiths moeder. Niet mijn meest geliefde gespreksonderwerp. We leven al heel lang gescheiden, sinds de kinderen vrij klein waren. Ze woont in Engeland. We hebben geen contact. Ik denk liever niet aan haar.' Hij nam een slokje van zijn thee, terwijl er een blik van afkeuring op zijn vlezige gezicht lag.

Jack had het idee dat er veel dingen waren waar hij liever

niet aan dacht. Hij praatte liever niet over Judiths drugsverslaving, haar prostitutie, haar veroordelingen wegens mishandeling en diefstal. Hij zei liever niet waar ze de afgelopen paar weken was geweest. Wie haar vrienden waren. Wat voor persoon ze was. Wat voor leven ze leidde. Haar zwangerschap. En hij praatte vooral liever niet over haar dood. Terwijl de lijst van vragen van Jack langer werd, werd de afkeurende blik heviger.

Jack zette zijn kop en schotel op de keukentafel. Hij bukte zich en haalde de plastic zak uit zijn aktetas. Hij legde hem op zijn schoot. Hij schraapte zijn keel.

'Ik vraag me af hoe dit zit, dr. Hill.' Hij tikte met zijn vinger op het plastic. 'Ik had gehoopt dat ik er misschien een verklaring voor zou kunnen vinden in de antwoorden op mijn vragen. Maar dat is niet zo. Dus moet ik u vragen of u dit kunt identificeren.' Hij stak hem de zak toe. Hij keek toe hoe de doctor de zak aarzelend aanpakte. Hij draaide hem om, stond vervolgens op en liep ermee naar het raam, waar hij hem tegen het licht hield.

'Natuurlijk,' zei hij. 'Het is een Trinity-das. Net als deze, die ik om heb.'

'Ja, dat klopt.' Jack zat zachtjes op zijn kruk te wiegen. 'En weet u waar we hem gevonden hebben?'

Als hij een emotionele reactie verwacht had, dan was hij aan het verkeerde adres. Hill keek er opnieuw naar en gaf hem terug.

'Er zijn,' zei hij terwijl de afkeuring zich nu tot zijn stem uitbreidde, 'ruwweg zo'n twintigduizend van die dassen in roulatie. Wat heb ik ermee te maken?'

'Heeft u het niet gezien?' Jack pakte de zak weer en schudde met de das. 'Hier, kijk, ziet u die naam? Herkent u hem? Wat staat er? Even kijken.' Hij zweeg even. 'Mark Patrick Hill. Wie zou dat nou kunnen zijn?'

Er verscheen een uitdrukking van consternatie op het gezicht van de man en toen hij sprak, klonk zijn stem zacht en, voor het eerst, aarzelend. 'Waar,' vroeg hij, ''waar zei u dat u hem gevonden had?'

'Heb je nog wat uit de broer gekregen?' Het was lunchtijd en Jack had honger. De gin van de avond ervoor eiste zijn tol en zijn maag voelde leeg en hol aan. Hij nam een flinke hap rosbief en aardappelpuree, spoelde het weg met een slok koude melk en veegde zijn mond met een papieren servetje af. Het was eeuwen geleden sinds hij in de stad had gegeten. Hij moest eraan denken, dacht hij, om de jongens in Pearse Street te feliciteren met het feit dat ze deze pub aanbevolen hadden. Het eten was fantastisch. Eerlijk, zonder poespas, precies wat je met een kater nodig had.

Sweeney haalde zijn schouders op. 'Niet veel. Hij is heel erg uit zijn doen. Hij bleef maar in huilen uitbarsten. Kon niet helder denken, zei hij. Maar ik kan je één ding vertellen: hij is het evenbeeld van zijn zus. Zelfde haarkleur, zelfde bouw, zelfde uiterlijk. Ze konden wel een tweeling zijn.'

'Dan zullen ze wel op hun moeder lijken. Er zit niet veel van de vader in.'

'Daar heeft hij niets van gezegd. Ik heb hem naar haar gevraagd. Hij was heel terughoudend. Het enige wat hij zei was dat de ouders uit elkaar zijn gegaan toen hij en Judith nog klein waren. De moeder was naar Engeland gegaan. En toen was er nog wat trammelant over de voogdij. Blijkbaar heeft de vader die gekregen, maar zij is teruggekomen en heeft hen meegenomen. Hij zegt dat hij zich er niet veel meer van herinnert. Behalve dat ze haar daarna helemaal niet meer gezien hebben.'

'En Judith, wat zei hij over haar? Wist hij dat ze zwanger was?'

'Hij zegt van niet. Hij schrok erg toen ik het hem vertelde. Hij werd bijna hysterisch.'

'Had hij nog suggesties over wie eventueel de vader kon zijn?'

'Nee, niets. Hij had niets te vertellen over andere vrienden, een vriendje, de drugs en al dat soort dingen. Hij hield zich er helemaal niet mee bezig, zei hij, het was niet zijn wereld. Hij zei dat ze het allemaal achter zich had gelaten, dat ze fanatiek aan het studeren was. Hij bleef maar zeggen: ze had het me beloofd, ze had het me beloofd.'

'Heb je haar kamer gezien?'

Sweeney knikte, met zijn mond vol.

'En?' Jack schoffelde het laatste restje vlees in een hoop op zijn vork.

Sweeney slikte en liet vervolgens een flinke boer.

'Jezus, Tom, hou je een beetje in.' Jack wapperde quasi-walgend met zijn hand.

'Sorry, baas, sorry.' Hij nam wat water. 'Nou, blijkbaar had ze een of ander essay geschreven over zo'n bijbelse figuur, Judith. In ieder geval, zei de broer, is er een stel bekende schilderijen waarop die Judith staat terwijl ze iemand vermoordt. Verdomde bloeddorstig. Allemaal voor de goede zaak natuurlijk, om haar stam voor uitroeiing te behoeden. Je kent dat wel: neemt hem mee naar haar tent, voert hem dronken, maakt hem dood. Met een joekel van een zwaard. Slaat zijn kop eraf. Zij had er overal reproducties van hangen. Je zou er je lunch van laten staan.'

Judith en Holofernes, dat was het. De weduwe die haar vrouwelijke listen gebruikte om haar volk te redden. Werd naar het bed van het stamhoofd verordonneerd. Belust op moord. Hij kende de schilderijen. Hij had er die ochtend reproducties van in een boek gezien dat bij dr. Hill in de keuken op tafel lag. Hij had het boek opengeslagen en er terloops in gebladerd terwijl hij wachtte tot dr. Hill zijn telefoontje had gepleegd. Hij had de opdracht op de titelpagina gezien. *Voor Elizabeth, die weet hoe ze moet liefhebben. Voor altijd, Mark.*

Hij zat op Hill te wachten. Hij wilde hem meenemen naar het bureau. Om zijn vingerafdrukken te nemen. Een DNA-onderzoek te laten doen. Hen te helpen met hun onderzoek. Maar Hill wilde per se zijn advocaat bellen.

'Prima,' zei Jack. 'Ga uw gang. Hij mag ook mee, als u wilt. Ik wacht wel even tot u het geregeld heeft.'

En terwijl hij wachtte, had hij de pagina's omgeslagen en naar de afbeeldingen gekeken.

'En,' Sweeney stak zijn hand in zijn zak, 'ik heb iets voor je. Ik ken je belangstelling hiervoor, dus wilde ik je eens trakteren. Hier.' Hij gaf hem een foto. 'Dit zat op zo'n memobord. In haar kamer.'

Twee vrouwen. De ene ouder, de andere jonger. Hun omgeving was grauw, nietszeggend. Ze keken niet naar de camera, maar naar elkaar. Ze glimlachten gelukkig. Ze hielden hun arm om elkaars middel. De oudere vrouw was langer en heel mager. Haar haar was dik en golvend, grijzend. Het haar van de jongere vrouw was lang en steil, witblond, met een scheiding in het midden, zodat het recht op iedere schouder lag.

'Tjonge, jonge. Twee keurige meisjes van goeden huize bij elkaar. Net wat ik dacht.' Jack lachte en draaide de foto om. Er stond een inscriptie op de achterkant. *Rachel en ik. Leuke tijd!! Augustus 1997.*

'En wat zei de broer daarvan? Iets interessants?' Jack was aan zijn toetje begonnen. Appeltaart met een flinke portie room.

'Nee.' Sweeney schudde zijn hoofd. 'Hij zei alleen maar dat het een of andere vrouw was met wie Judith bevriend was geraakt in de gevangenis. Scheen verder niets te weten.'

'En heb je hem gevraagd of –'

'Natuurlijk. Natuurlijk heb ik het hem gevraagd.' Sweeney snoof verontwaardigd. 'Dat wilde ik je net vertellen. Ik heb hem gevraagd of ze haar pas nog had gezien. Hij zei dat hij het niet wist. Maar toen bloosde hij een beetje. Je weet wel, hij heeft dat soort huid, heel licht, zodat je hem bij het minste of geringste ziet kleuren. En toen zei hij dat hij wist dat Judith geacht werd geen contact te hebben met mensen die ze uit de gevangenis kende. Dat het een voorwaarde van haar proefverlof was. Dat ze nog steeds in haar proeftijd zat. Dus,' Sweeney boog voorover, pakte de lepel uit Jacks hand en nam een flinke portie room, 'wat denk jij?'

Wat dacht hij? Hij dacht een hoop dingen. Hij dacht dat ze erachter moesten komen van wie Judith zwanger was. Ze moesten erachter komen waar ze was vermoord. Ze moesten een lijst hebben van al haar vroegere contacten. Ze moesten weten wie haar dood wilde en waarom. En wat de aard van de verhouding met haar vader was. Hij dacht aan de moeder. Elizabeth, nam hij aan. Waarom was ze weggegaan en waarom had zij niet de voogdij over haar kinderen gekregen? Zijn hart zonk hem in de schoenen bij de gedachte aan het werk dat ze voor de boeg hadden en even raakte hij bijna in paniek. Hij had een hekel aan die publiciteit trekkende zaken. Hij zag de koppen van de vroege editie van de *Evening Herald* die de vrouw aan het tafeltje naast hen zat te lezen. 'Seksmoordmysterie' stond er in vette letters. Jezus Christus. Hij gebaarde naar Sweeney, en knikte in de richting van de krant.

'Nou, daar gaan we verdomme dan,' zei hij terwijl hij overeind kwam, al moe voor de dag nog maar halverwege was.

14

'Dus je hebt gehoord van de dood van dat meisje dat je uit de gevangenis kent. Hoe heette ze ook alweer? Julie, Judy, Jill?' Het was halftien 's ochtends. Haar wekelijkse bezoek aan het kantoor van Andrew Bowen. Ze staarde naar de grond terwijl ze antwoord gaf.

'Judith. Ze heette Judith.'

'Jack Donnelly is het je komen vertellen?'

'Ja. Hij kwam gisteren.'

'Prima, prima. En jij hebt hem natuurlijk van alle kanten geprobeerd te helpen? Je hebt hem alles verteld dat eventueel van belang zou kunnen zijn? Want dat is heel belangrijk. Het staat niet geweldig als iemand die je uit de gevangenis kent – Nou ja, als er problemen zijn, is het heel belangrijk dat je volkomen eerlijk bent. Dat je eerlijk tegenover de politie bent. Je wilt toch geen moeilijkheden, hè, Rachel?'

Het was een prachtige ochtend. Ze was de avond ervoor met de luiken open naar bed gegaan en had gekeken hoe de halvemaan langzaam over het stuk hemel gleed dat vanuit haar raam zichtbaar was. En ze was al vroeg wakker geworden door het zonlicht dat op haar gezicht viel. Toen ze zich omdraaide om haar ogen te beschermen tegen het felle licht, was het kussen onder haar wang nat. Doorweekt. En toen herinnerde ze het zich. Judith was dood. Ze was meer dan een week geleden overleden en Rachel had het niet geweten. Had het niet eens vermoed. Ze was zo in haar eigen plannen opgegaan dat ze nauwelijks aan Judith had gedacht.

Jack Donnelly kwam al vroeg en overrompelde haar. Ze herkende hem onmiddellijk van de kerk een paar weken geleden. En toen, van de tijd ervoor. Hij liet haar een foto zien. Ze herinnerde het zich goed. Hij was genomen in de gevangenis-school, op de dag dat de eindexamenresultaten bekend waren geworden. Judith had het fantastisch gedaan. Negens voor Engels, geschiedenis en Frans. Achten voor aardrijkskunde en wiskunde. De leraren hadden een feestje georganiseerd. Bubbeltjesdrank en koekjes en een chocoladetaart. Feestmutsen en serpentines om het noodgebouw te versieren waarin de lessen werden gegeven. Ze had gezien hoe Judith feestvierde en wist wat het betekende. Ze zouden haar nu vrijlaten.

Hij wilde, zei hij, alles van haar weten. Wie waren haar vrienden en vriendinnen? Wie was haar dealer? Wie was haar pooier?

'Daar weet ik niets van,' zei ze, plotseling bang. 'Ik kende haar niet van buiten de gevangenis. Ik kende haar niet toen ze deel uitmaakte van die wereld. En ik vertel het nu. Ik heb haar niet meer gezien sinds ik vrij ben. Om precies die reden. Ik heb genoeg problemen van mezelf. Ik zit niet op die van haar te wachten.'

Het duurde een tijdje voor hij vertelde dat Judith dood was. Hij lokte haar uit haar tent. Om verraad te plegen.

'Oké, ja, ze heeft inderdaad wat namen genoemd. Die kerel voor wie ze werkte. Niet dat dat zo'n geheim was. De helft van de vrouwen die vastzaten had weleens voor hem gewerkt. En Judith zwoer dat ze zich er nooit meer mee zou inlaten als ze eenmaal vrij was.'

'En haar vader en moeder, wat weet u daarvan?'

Ze haalde haar schouders op en zei toen: 'Waarom vraagt u me dit allemaal? Wat is er aan de hand?'

'Niets dat met u te maken heeft. Ik wil het alleen maar weten. Zeg, wat voor verhouding had ze met haar vader en haar broer?'

Maar nu wist ze het. Ze merkte het. Dit klopte niet.

'Had?' zei ze. 'Zei u had?'

Ze wachtte terwijl hij beschreef hoe ze Judiths lichaam hadden gevonden, hoe ze vermoord was, wat er met haar was gedaan. En toen kon ze geen woord meer uitbrengen.

'Je had haar dus niet meer gezien sinds je vrij bent?' Andrew Bowen praatte zo zacht dat ze op het puntje van haar stoel moest gaan zitten om hem te kunnen verstaan.

'U weet dat ik dat niet mocht.'

'Dat was geen reden voor je om je dochter niet lastig te vallen, hè?'

Rachel keek naar hem. Volgens de klok achter zijn hoofd was het tien over halftien. Nog twintig minuten en dan had ze het weer gehad. Iedere week een halfuur.

'Je had me toestemming kunnen vragen om haar op te zoeken, om Judith op te zoeken. Het zou begrijpelijk zijn geweest, en blijkbaar ging het prima met haar sinds haar vrijlating. Ze had je misschien kunnen helpen met je eigen rehabilitatie.'

Had ze deze man al die jaren geleden, in haar eerdere leven, gekend? Zijn gezicht kwam haar misschien bekend voor, maar misschien ook niet. Ze wist het tegenwoordig niet meer.

'Ik zou me kunnen voorstellen dat het wel een opluchting voor je was dat Judith in de gevangenis terechtkwam. Iemand met wie je misschien iets gemeen had, iemand die geleerd had, iemand die intelligent was.'

'Er zat genoeg intelligentie in de gevangenis.' Rachel ging rechtop zitten en keek hem strak aan. 'Er zitten daar een hoop heel slimme vrouwen.'

'Maar niet opgeleid in de conventionele zin van het woord. Niet zoals jij. Met een universitaire opleiding, dat soort dingen.'

Ze vroeg het zich af. Hij had op de universiteit gezeten kunnen hebben toen zij er studeerde. Het was zo'n kleine stad, Dublin. Zo moeilijk je achtergrond, je verleden, te verbergen. Zo moeilijk om geheimen te hebben.

'Maar ik durf te wedden dat het voor Judith Hill zeker een opluchting was om iemand als jou daar aan te treffen. Iemand om bij uit te huilen, een beetje steun en begrip. Ze was toch verslaafd? Lastig, hoor, om in die toestand veroordeeld te worden.'

'Ze was niet de eerste. Ze zal niet de laatste zijn.'

'Maar jij hebt haar toch geholpen? Dat weet ik zeker.'

'Judith had niet veel hulp nodig. U vergeet, meneer Bowen, dat ik degene was die al bijna tien jaar in de gevangenis zat toen Judith veroordeeld werd. Zij was een vrouw van de wereld. Zij had om zich heen gekeken. Ze had een reputatie die haar achtervolgde. De meisjes noemden haar Sneeuwwitje, weet u, vanwege haar uiterlijk. En omdat ze bijzonder was.'

Hij sloeg de plank mis. Volslagen mis. Het was Judith die háár had geholpen. O, het was Rachel die voor haar zorgde toen ze afkickte van de heroïne. Ruimde haar braaksel op, sleepte haar van en naar het toilet. Las haar voor toen ze te ziek was om op te staan. En wat gaf Judith haar daar voor terug? Ze gaf haar liefde.

'Goed, ik begin nu enig idee te krijgen. We hebben dat "bijzondere" meisje dat bij jou in de gevangenis zat. En ik denk dat we allemaal weten wat de aard van jouw verhouding met haar was. In ieder geval wist het personeel van de gevangenis het, en jouw reclasseringsambtenaar in de gevangenis ook, en natuurlijk is al die informatie naar mij doorgespeeld.' Hij zweeg even. Ze wendde haar gezicht af. Ze voelde Judiths hoofd tegen haar schouder, haar tengere lichaam tegen haar genesteld; ze zag hoe haar lange witte vingers zich door de hare vlochten.

'Dus dit "bijzondere" meisje wordt ineens dood aangetroffen, heel erg dood, op nog geen drie kilometer van de plaats waar jij nu woont. En de politie snapt maar niet waarom ze daar is gevonden. Waarom is ze niet in de buurt van haar huis, van haar universiteit gevonden? Het lijkt allemaal heel onlogisch, hè? Afgezien van jou, een feit dat niemand kan ontgaan. Je begrijpt zeker wel waarom Jack Donnelly zo'n belangstelling voor je heeft?'

Ze knikte. Ze voelde zich misselijk. Jack Donnelly had haar de foto laten zien die in het mortuarium was genomen. Ze had geprobeerd niet te kijken, maar hij had gewacht tot haar blik ten slotte over de kleurenfoto gleed.

'Dit is wat er gebeurt als je door wurging om het leven komt,' had hij tegen haar gezegd, op neutrale toon. 'Zo zie je er dan uit. Niet fraai, hè?' Hij schoof de foto dichter naar haar toe terwijl hij vervolgde: 'Eens zien of ik me kan herinneren wat er in de studieboeken forensische pathologie staat. Ernstige congestie van gezicht en hals, pafferig, opgezet. Het bindweefsel van ogen en oren bloedt. De gezichtsaderen, de aderen van de oogleden en lippen barsten. Een afschuwelijk gezicht, hè?'

Ze had moeten vechten om niet tegenover hem in te storten. Haar nagels drongen in haar handpalmen. Dit was niet Judith, dit wezen op de foto.

'Dus, Rachel,' Andrew Bowen liet zich achterover in zijn stoel zakken, 'ik waarschuw je nu. Dit is een schot voor de boeg. Metaforisch gesproken. Je zei tegen Donnelly dat je haar niet had gezien, maar ik weet toevallig dat je tegen hem hebt gelogen. Net zoals je tegen mij hebt gelogen. Er zijn getuigen die jullie samen hebben gezien. Een aantal mensen heeft me verteld waar en wanneer jullie elkaar ontmoet hebben. Dus ik hoop dat je gedekt bent, dat je een goed alibi hebt, want als er iemand is die weet hoe belangrijk een alibi is, dat een zaak ermee staat of valt, dan ben jij het wel, nietwaar?'

Ze keek naar hem en liet vervolgens haar blik naar het raam dwalen waar ze zag hoe een zwerm duiven scheerde en dook, hun vleugels donker tegen de lichtblauwe hemel.

'Het is koffietijd, je drinkt toch wel een bakje mee, hè?' Hij stond op en liep naar de glazen koffiekan die op het plaatje op de dossierkast stond. Hij schonk twee mokken vol, trok, met zijn rug nog naar haar toe, de bovenste lade open en haalde er een fles uit. Hij schroefde de dop eraf en schonk whisky in een van de mokken. Ze zag hoe mager hij was, hoe zijn handen trilden terwijl hij haar de koffie aanreikte. Hoe bleek zijn gezicht was, zijn ogen bloeddoorlopen, zijn lippen gebarsten in de hoeken. Hij ging weer zitten en nam een slok. Het was stil in het kantoor. Toen sprak hij weer.

'Ik wil je al een tijdje iets vragen, Rachel. Ik heb me zitten afvragen of jij me nog kent.'

Ze gaf geen antwoord.

'Dat is typisch, want ik herinner me jou wel. Mijn vrouw was bevriend met een paar meisjes uit jouw jaar op de universiteit. Misschien weet je het nog? Ze heet Clare. Haar meisjesnaam is O'Brien.'

Er drong zich een gezicht aan haar op. Hartvormig, heel mooi, veel make-up. Een van de Loreto-meisjes die sinds hun laatste jaar op de middelbare school nog steeds met elkaar omgingen. Ze knikte.

'Ja,' zei ze.

'Dat is fijn. Ik ben blij, want ik wil dat je iets voor me doet. En ik zal je dankbaar zijn voor je hulp. Zo dankbaar dat ik bereid ben alles te vergeten over jou en je "bijzondere" meisje. Ik zal Jack Donnelly niet aanraden je mee te nemen voor een verhoor. Ik zal je verhaal niet rondvertellen en ongewenste aandacht op je richten. Ik zal niet eisen dat je me vaker komt opzoeken.'

En hij vertelde haar over zijn vrouw. Haar ziekte, haar wanhoop.

'Zie je, we praten de laatste tijd heel veel over je. Ze herinnert zich jou goed. Ze vertelde me dat jullie allemaal nog vrij lang met elkaar in contact bleven nadat je afgestudeerd was. Ze zei dat haar vriendinnen je allemaal bewonderden. Je was zo slim, zo briljant zelfs. Summa cum laude. Aanbiedingen van beurzen in Amerika, in Frankrijk en Italië. Ze waren allemaal stomverbaasd toen je trouwde. En nota bene met een politieman. Ze zei dat ze zich herinnerde hoe onverschillig je tegenover je vader en zijn vrienden stond. Ze herinnerde zich dat ze een keer bij je thuis was geweest voor een of andere klassereünie. Ze zei dat het een prachtig huis was. Vol kleur en licht. Ze herinnert zich vooral je tuin, en je prachtige serre. Dat was toen zo bijzonder. Tegenwoordig heeft iedere Jan Modaal een stuk plastic en glas tegen een achterdeur gezet. En ze zei dat ze het zo zonde vond dat je je bezighield met verbouwingen van keukens en zolders, met jouw talent. Genie was het woord dat ze gebruikte.'

Ze zweeg een ogenblik. Buiten scheerden en doken de duiven nog steeds tegen de lichte ochtendhemel.

Toen knikte ze. 'Mijn serre, ja,' zei ze, 'die was leuk.'

Zij had hem ontworpen. Ze wilde het doen als huwelijkscadeau aan Martin. In het begin was hij geïnteresseerd. Toen nam zijn belangstelling geleidelijk af. Zoals altijd. Dwaalde af. Weg uit de wereld van gezinnen en vrouwen, terug naar de wereld van mannen. Maar Daniël begreep het. Zei dat hij hem wel voor haar zou bouwen. Die zomer, toen Martin wachtliep in Donegal, bij de grens.

Andrew schraapte zijn keel.

'Zie je, Rachel, mijn vrouw heeft iemand nodig die voor haar zorgt. Vooral 's nachts. Ik wil dat er 's nachts iemand bij haar blijft. Niet iedere nacht, maar van tijd tot tijd. Zullen we zeggen drie, vier avonden per week? Zodat ik uit kan gaan, tijd voor mezelf kan nemen. Clare is heel kieskeurig over wie ze in haar nabijheid wil. Ze wil geen verpleegster. Ze wil niet iemand die medelijden met haar heeft. Maar ze wil jou wel. Ze zegt dat jij een mens bent die heeft geleden, een gebroken mens. Net als zij. Je zult niet veel hoeven te doen. Gewoon bij haar zitten, misschien voorlezen. En ervoor zorgen dat ze haar pillen inneemt. Ik zal ze voor je achterlaten. Ik zorg voor de dosering. Jij hoeft er alleen maar op te letten dat ze die inneemt. Dat is alles.'

Hij stond weer op en schonk opnieuw whisky in zijn koffie. Ditmaal bood hij haar niets aan. Hij ging zitten. Hij dronk. Hij keek haar over de rand van zijn mok aan. Hij zette hem op een stapel papieren op het bureau neer.

'Je neemt mijn aanbod toch aan, hè?'

Ze keek hem aan. Hij wendde even zijn blik af, en ze vroeg zich af wat hij dacht. Hij keek haar weer aan.

'Ja toch, hè?'

Ze knikte. Hij friemelde aan zijn stropdas. 'Ik neem contact met je op. Ik vertel je wel wanneer ik je nodig heb. En je hoeft je geen zorgen te maken over dat andere geval. Dat is ons geheimpje, oké?'

Buiten op straat was het warm, maar ze knoopte haar spijkerjasje dicht en hield haar armen stevig over elkaar geslagen terwijl ze zich naar huis haastte. Het was zo moeilijk om geheimen te bewaren. Ze had tegen Daniël gezegd: 'Je zegt het toch niet tegen Martin, hè? Je moet het beloven. Ik geef echt om je, dat weet je. Je bent heel bijzonder voor me. En we blijven altijd vrienden, hè? Maar zeg het alsjeblieft, alsjeblieft niet tegen Martin.'

En dat deed hij ook niet. En na een tijdje was ze bijna vergeten wat er die zomer tussen hen was gebeurd. Toen hij kwam logeren en de zon drie weken lang iedere dag scheen. Iedere ochtend als ze opstond, stond Daniël het ontbijt klaar te maken. Zij had de tekeningen op de tafel uitgespreid en vervolgens bespraken ze het werk van die dag. Ze bracht hem glazen limonade en boterhammen, kookte 's avonds voor hem en daarna zaten ze in de tuin tot het donker werd en praatten. Hij vertelde haar alles wat er gebeurd was toen hij een tiener was. Hoe hij in de problemen was geraakt. Met oudere jongens in aanraking was gekomen. Ze hadden een auto gestolen. Ze reden zo hard mogelijk. Een vrouw en haar kind liepen over het trottoir toen ze de macht over het stuur verloren. Ze kwamen allebei om het leven. Hij was naar een jeugdgevangenis gestuurd.

'Kijk,' zei hij, en liet haar zijn tatoeages zien. Een roos op zijn rechterschouder. En de kleine zwarte stipjes op zijn jukbeenderen en over de knokkels van beide handen.

'Ik was een schande voor de familie,' zei hij. 'En Martin laat me het nooit vergeten.'

'Nee,' protesteerde ze, 'dat vindt Martin niet. Hij houdt van je. Hij heeft alleen, je weet hoe hij is, van die principes. Hij verwacht een hoop van iedereen, van mij en van jou.'

'Maar ik kan hem nooit evenaren,' zei hij, 'hij is overal zo goed in.'

En ze had gelachen en gezegd dat er één ding was waar Martin niet goed in was.

'Kom mee,' zei ze en reed met hem naar de haven. En samen lieten ze haar zeilbootje via de gladde granieten helling te water. Daniël had nooit eerder gezeild, maar hij vond het meteen geweldig.

'Weet je,' zei ze, terwijl ze keek hoe hij zijn evenwicht gebruikte, hoe snel hij leerde op veranderingen in de windrichting te anticiperen. 'Weet je, Martin kan dit niet. Hij vindt het verschrikkelijk. Hij wordt zeeziek. En weet je, Dan? Niet tegen hem zeggen dat ik het je verteld heb, hoor. Hij is bang voor de zee.'

En het moet die nacht zijn geweest dat ze haar slaapkamerdeur hoorde opengaan. Hem in het schemerdonker zag wachten. Overeind kwam en haar handen naar hem uitstak. Hem naast haar in bed trok. Haar gezicht in zijn hals begroef. Zijn hand op haar borst voelde. De hele nacht tussen slapen en waken in lag. Toen haar ogen opendeed en zag dat het een stralende dag was. De geur van gebakken bacon, en Daniël in zijn verbleekte spijkerbroek en oude T-shirt stond mee te zingen met een oud Beatles-liedje op de radio. Brood in de broodrooster, tafel gedekt en een nasturtium, met rode strepen door het zachtoranje, op haar bord.

Maar het was Martin van wie ze hield. Echt hield. Toen ze over het nieuwe van Daniëls zachtheid, zijn zorgzaamheid heen was. En ze was opgelucht toen Martin belde om te zeggen dat hij thuis zou komen.

'Het is ons geheimpje, hè, Dan?' had ze gezegd. En hij had geknikt en haar een afscheidskus gegeven. Op haar wang. En had zich op de achtergrond gehouden.

Rachel had Judith ook op de achtergrond willen houden. Ze was niet blij toen ze vanachter de rekken met kleren in de stomerij kwam en haar tegen de toonbank zag hangen.

'Hoe heb je me gevonden?' vroeg ze terwijl ze samen door het winkelcentrum liepen.

Judith haalde haar schouders op en glimlachte.

'Het circuit,' zei ze. 'Zoals in de gevangenis.' En zei toen: 'Maar waarom heb jíj me niet gevonden? Ik dacht dat ik wel van je zou horen zodra je vrij was. Ik dacht dat je me wel wilde zien. Ik dacht dat je mijn hulp wel wilde.'

Maar hoe moest ze het uitleggen? Dat ze geen plaats meer voor haar had. Dat ze andere prioriteiten had. Geen plaats momenteel voor zachtheid of tederheid, hartelijkheid of liefheid. Dus stuurde ze haar weg. En nu was ze dood. Donnelly had gezegd dat ze niet precies wist waar ze gestorven was. Maar ze had minstens vijf dagen onder de struiken en brandnetels bij de spoorlijn gelegen. Nauwelijks anderhalve kilometer bij haar vandaan. Terwijl ze gekoesterd en beschermd had kunnen zijn. Verzorgd. Judith had haar over de baby verteld.

'Ik kan het niet houden. Ik wil het niet. Wil je me helpen?' had ze gevraagd.

En Rachel had nee gezegd. Dat ze haar niet kon helpen. Ze had andere dingen te doen.

'Vraag het aan je moeder,' had ze gezegd. 'Zij zit in Engeland. Zij kan dingen voor je regelen. Of laat de vader je geld geven. Het is zijn plicht, wie hij ook is.'

Judith had haar vol ongeloof aangekeken en was zonder gedag te zeggen weggegaan.

En wat deed ik, dacht Rachel. Ik was blij dat ze weg was. Ik was bang dat iemand me met haar zou zien. Ik kon niet wachten tot ze wegging.

De politieman had de foto achtergelaten. Hij had hem tegen de ketel gezet. Ze pakte hem en keek ernaar. Lang en strak. En huilde. En huilde. Tot er niets meer bij haar over was dan bitterheid en woede. Ze herinnerde zich het boek dat Judiths broer haar voor haar verjaardag gestuurd had toen ze in de gevangenis zat. Schilderijen van Caravaggio. Er zat een boekenlegger in, een paars touwtje, zodat het boek bij één bepaald schilderij vanzelf openviel. Rachel was ervan geschrokken en had het boek enkele ogenblikken op het asfalt van de binnenplaats neergelegd voor ze in staat was er weer naar te kijken.

'Je weet wat het is, hè, Rachel?' Ze voelde Judiths adem op haar wang.

'Ja, natuurlijk. Natuurlijk. Het is alleen – Het is zo'n vreemde, verrassende afbeelding.'

Het zwaard doorkliefde de dikke nek van de man met de baard. Het meisje staarde hem aandachtig, bijna nieuwsgierig aan. Ze trok zijn hoofd achterover, met haar vingers door zijn haar gevlochten. Ze herinnerde zich hoe haar eigen hoofd achterover werd getrokken en haar haar tussen Martins vingers geklemd zat.

'Prachtig, hè? Het is onze favoriet, van Stephen en van mij. We gaan een keer naar Rome, naar de Galleria Nazionale d'Arte Antica, om het te zien. Ga je dan met ons mee?'

Ze had een keuze gemaakt toen ze uit de gevangenis kwam. En die keuze sloot Judith uit. Ze kon het zich niet veroorloven om spijt te hebben. Ze kon zich niets meer veroorloven, niets anders dan haar besluit. Ze deed haar ogen dicht. Ze zou er alleen nu even aan denken hoe het had kunnen zijn. Maar daarna zou ze niet meer aan haar denken.

15

Het was gemakkelijk voor Daniël Beckett om Rachel te vinden. De agent die bij hem bijkluste had haar adres te pakken gekregen. Hij had ook de voorwaarden van haar vrijlating gelezen. Hij had tegen hem gezegd: 'Ze zal u niet lastigvallen, baas. Maar als het u dwarszit, willen we haar wel even waarschuwen.'

Maar waarom zou ze hem dwarszitten? Ze kon hem geen kwaad doen; ze was machteloos. Ze was alleen.

Hij reed naar het huis in Clarinda Park. Dat huis met de rijen vuilnisbakken buiten, vóór het souterrain, waar de lege chipszakjes en chocoladepapiertjes tegen het hek lagen. Hij was langzaam langsgereden om te zien of er een spoor van haar te bekennen was achter de uitgezakte vitrages die op de eerste en tweede verdieping voor de brede erkerramen hingen. Hij was langzaam gestopt en had, met draaiende motor, naar buiten gekeken. Vervolgens zette hij de auto weer in zijn versnelling, reed langzaam de heuvel op, om het plein heen en parkeerde aan de andere kant van de straat. En wachtte.

Hij had de dochter ook gevonden. Zíjn dochter, verbeterde hij zichzelf terwijl hij in het café op de boulevard van Howth zat en zag hoe ze van tafeltje naar tafeltje liep, bestellingen opnam en vuile kopjes en glazen opruimde. Een vakantiebaantje, nam hij aan, tussen school en de universiteit. Naam en adres van het pleeggezin kwamen van dezelfde bron als die van Rachel. Het stond allemaal in haar dossier op het politiebureau. En het was zo gemakkelijk geweest om het huis van het meisje in de gaten te houden en haar naar de stad en het café te volgen.

'Goeiemiddag.' Ze stond naast hem met haar opschrijfboekje in haar hand, pen in de aanslag. 'Kan ik u helpen?'

Hij bestelde een cappuccino en een broodje ham. Toen riep hij haar terug om zijn bestelling in zwarte koffie en een koffiebroodje te veranderen. Riep haar vervolgens weer en zei dat hij thee en een broodje kaas wilde.

'Bruin of wit?' vroeg ze op een overdreven geduldige toon.

Hij aarzelde en zag hoe de uitdrukking op haar gezicht veranderde van berusting in irritatie.

'Zeg jij het maar. Ik ben hopeloos; ik kan nooit een beslissing nemen,' zei hij en glimlachte naar haar. Ze hapte. Ze koos volkoren voor hem.

'Dat is beter, weet u. Gezonder.' En ze glimlachte terug. Het was jaren geleden sinds hij haar voor het laatst had gezien. Hij had gehoord dat Rachels ouders haar bij pleegouders hadden ondergebracht. En hij had zich afgevraagd of hij zich ermee moest bemoeien. Maar hij had erover nagedacht. Rachel had nooit iemand verteld dat hij de vader van haar kind was. Hij had gewacht tot het tijdens het proces als bewijs naar voren zou komen. Maar ze had niets gezegd. Hij had haar gezicht gezien toen hij moest getuigen. Haar schaamte over de manier waarop er in het openbaar over hun verhouding gesproken werd. Ze wilde haar kind geen deel van die rotzooi laten uitmaken. Hij wist dat het dat was. Hij had vaak aan het kind gedacht, hoe ze eruitzag naarmate ze groter werd, wat voor soort mens ze aan het worden was. En toen ontmoette hij Ursula, en zij had alles voor hem veranderd. Ze had hem zijn eigen kinderen gegeven. Dus hij had dat kind van zijn fantasie niet meer nodig. En hij realiseerde zich nu, terwijl hij naar haar keek, dat hij haar bijna vergeten was.

Hij liet een fooi achter en zwaaide bij de deur naar haar. Hij sloeg haar een ogenblik door de spiegelruiten gade. Ze deed hem aan iemand denken. Niet aan Rachel, vond hij. Hij zou nooit gedacht hebben dat ze Rachels dochter was. En toen er een wolk voor de zon gleed en hij naar zijn eigen spiegelbeeld keek, wist hij wie het was. Ze keerde zich naar hem toe en zwaaide nog een keer. Ze was iets heel, iets… Hij wist niet wat. Niet echt mooi, met haar kortgeknipte zwarte haar en haar sterke, gespierde lichaam. En toen besefte hij wat het was. Ze was heel sexy.

Net als haar moeder, dacht hij. Of zoals haar moeder vroeger was. Langbenig en sierlijk, met een lieve glimlach als ze wakker werd. Zo mooi en begaafd. Zozeer de vrouw van zijn broer, en toen, als door een wonder, van hem. Hoelang? Twee weken, misschien drie. Een perfecte tijd. Die als een dwaalgeest door zijn hoofd spookte. En daarna bij alle andere herinneringen werd weggestopt. Tot nu, nu hij de vrouw vanuit de stad de heuvel op zag lopen. Ze leek in niets meer op wat ze vroeger was. Ze liep een beetje gebogen, met een kromme rug. Haar stappen waren kort en aarzelend. Om de paar passen stopte ze even en bleef staan alsof ze op adem moest komen. Ze keek om zich heen alsof ze niet precies wist hoever ze kon gaan en liep vervolgens verder alsof ze, besefte hij, op toestemming wachtte. Ze liep op iets meer dan een meter afstand langs hem. Hij wendde zijn blik af en staarde naar de krant die op zijn knieën lag. Hij voelde hoe zijn hart in zijn keel begon te kloppen. Ze was zó dichtbij dat hij zijn hand had kunnen uitsteken en door haar dikke haar had kunnen halen. Grijs nu, niet meer donker en glanzend zoals vroeger. Maar dat deed hij niet. Hij drukte zich tegen de rugleuning van zijn stoel en keek haar na tot ze bij het huis was. Hij keek hoe ze op de stoep bleef staan en naar de deur staarde, vervolgens haar hand in haar zak stak en de sleutels tevoorschijn haalde. Hij keek hoe ze tussen de sleutels zocht tot eindelijk de deur openging en ze naar binnen liep. Hij wachtte om te zien of ze voor een van de ramen aan de voorkant van het huis ging staan. Toen ze dat niet deed, reed hij om het plein en achterlangs de rij huizen, die hij vanaf de hoek telde tot hij het hare had gevonden. Toen zette hij de auto aan de kant van de weg en keek op tot hij een schaduw voor de ruit zag, het halve openstaande raam en haar gezicht, toen ze zich uit het raam boog om de wind op haar gezicht te voelen. Ze hief haar gezicht op naar de hemel en deed haar ogen dicht, zodat hij een ogenblik in haar de vrouw herkende die ze ooit was geweest. Hij wachtte tot ze weer in de kamer verdwenen was. Hij stelde zich voor hoe hij daar bij haar was. Naar haar keek, nieuwsgierig. Voelde haar huid nog net zo aan als toen? Zou hij nog steeds naast haar wakker willen liggen, uit angst dat hij ook maar een ogenblik zou missen? Zou hij nog steeds dat moment van triomf voelen als ze zich omdraaide en naar hem glimlachte en hij wist dat ze net zo naar hem verlangde als hij naar haar?

En toen was het tijd om te gaan. Hij startte de auto en reed langzaam weer de heuvel op. Het had allemaal een eigenaardige symmetrie, dacht hij, het gadeslaan van de moeder en het gadeslaan van de dochter. Hij vond het prettig dat hij wist waar ze allebei woonden en werkten, was zijn conclusie. Hij vond het nog prettiger dat zij niets van hem wisten. Zo wilde hij het. En zo moest het blijven.

16

Het was weer een warme dag. Weer een dag om van te genieten. Hartje zomer. Urenlang licht. De zon op haar gezicht zodat ze haar zonnebril opzette en achterover op haar kleedje tegen een rots op het kiezelstrand van Killiney ging liggen. Een nieuwe ervaring om de wereld door getint glas te bekijken. Vroeger droeg ze er nooit een. Ze hield niet van de manier waarop de kleuren van de natuurlijke wereld veranderden, kunstmatig werden door het glas. En het was nooit eerder nodig geweest om zich te verbergen, om haar emoties voor zich te houden, zoals gisteren. De dag van Judiths uitvaart.

Ze waren er allemaal. De politie, Jack Donnelly en een groepje anderen die ze niet kende. En Judiths vader en broer. Ze zag dat ze allebei in een shocktoestand verkeerden. Ze bewogen zich mechanisch en begroetten de belangstellenden met een geforceerde glimlach en een stevige handdruk. Rachel ging achterin zitten en keek toe. En zag de lange, slanke vrouw met het witblonde haar geknipt in een rafelige pagekop en het gezicht van haar dochter, aangetast door de tijd, die achter de kist liep, van het felle licht buiten naar de schemering binnen. Judiths moeder, dacht Rachel. Elizabeth, zo heette ze. Ze zag hoe ze achter haar man en zoon ging zitten. Er was geen contact tussen hen. Geen erkenning van beide kanten. Ze herinnerde zich wat Judith haar verteld had. De ontrouw van haar moeder met een vriend van de familie. Hoe haar moeder weggegaan was. Hoe ze teruggekomen was en er een rechtszaak om de voogdij was gekomen. Hoe ze die verloren had en een beperkt bezoekrecht kreeg. Hoe ze op een dag naar school kwam en de kinderen meenam naar de veerboot naar Engeland, hoe ze naar Kent waren gereden waar ze woonde. En hoe de politie drie dagen later was gekomen en hen naar huis had gebracht.

Rachel sloeg haar gade terwijl ze na de dienst de kerk uitliep. Zag hoe ze apart stond van de andere nabestaanden. In haar eentje, terwijl ze afwezig haar handen door haar haar haalde. Jack Donnelly was de enige die met haar sprak. Hij nam haar apart, met zijn hand onder haar elleboog. Hij keek alsof hij haar vragen stelde. Ze reageerde met knikjes en hoofdschudden, terwijl ze heftig gesticuleerde. Rachel herinnerde zich de ansichtkaarten die ze Judith in de gevangenis stuurde. Regelmatig, eens per week. Aquarellen van bloemen en vogels. Gedetailleerd, mooi. Haar naam stond er in kleine blokletters onder. Ze was kunstenares, zei Judith. Ze werkte in een natuurreservaat. Het was net iets uit een sprookje. Een huisje in de bossen.

'Of, zo leek het toen in ieder geval voor ons. Stephen en ik waren Hans en Grietje in het huisje van peperkoek.'

Ze scheurde een hoekje van de kaart af om er een rolletje van te maken dat ze als filter in de joint stopte die ze aan het draaien was. Ze stak hem aan en inhaleerde diep. De rook kwam abrupt uit haar mond. Toen was het stil.

'Ze wil dat ik haar kom opzoeken als ik uit de gevangenis ben.' Judith gaf de joint door.

Rachel nam hem aan.

'En ga je dat doen?'

'Heb ik haar nog iets te zeggen, na al die tijd?'

Rachel wachtte tot Donnelly wegliep en Elizabeth weer alleen was. Ze liep naar haar toe en stak haar hand uit. Elizabeth keek haar aan met een blik van herkenning in haar ogen.

'Jij bent de vrouw van de foto, hè?'

Rachel knikte.

'Jij was haar vriendin, hè?'

Rachel knikte weer; ze kon geen woord uitbrengen.

'Dank je, dank je voor alles wat je voor haar hebt gedaan. Ze heeft me over je geschreven. Ze heeft me een heleboel over je verteld, en hoeveel ze van je hield.'

Elizabeth had een stevige handdruk, en haar hand was warm. Ze legde haar arm om Rachels schouder. Ze gaf haar een kus op de wang.

'Wees sterk,' fluisterde ze in haar oor. 'Wees sterk voor mij en voor Judith.'

Rachel keek op haar horloge. Het was twee uur. Gisteren om deze tijd was Judith gecremeerd. Haar mishandelde, gebroken lichaam was nu veranderd in een hoopje as. Jack Donnelly had haar gevraagd wie Judith op zo'n manier pijn had willen doen. Ze wist niet wat ze moest zeggen.

'Het was opzettelijk,' zei hij. 'Niet uit hartstocht of woede. Haar verwondingen waren zó aangebracht dat ze bijzonder veel pijn moesten doen. Dus wie haatte haar erg genoeg om zoiets te willen doen? Of was het zo dat iemand haar als voorbeeld wilde laten dienen? Was dat het?'

Ze kon hem geen antwoord geven. Ze wilde hem geen antwoord geven. Zelfs toen hij dreigde dat hij ervoor zou zorgen dat ze binnen een paar dagen weer in de gevangenis zou zitten als ze het hem niet vertelde. Maar ze schudde alleen maar sprakeloos haar hoofd en probeerde de pijn te verdringen en haar tranen in te houden, die haar zwakheid zouden verraden. Nu kwamen ze wel en stroomden over haar gezicht achter haar brillenglazen. Ze sloot haar ogen en kneep ze stijf dicht.

'Rust in vrede, mijn allerliefste,' zei ze hardop, waarna ze opstond en naar de waterkant liep.

Vandaag was het een bijzondere dag. Vandaag zou er meer dan ijsjes zijn. Ze zouden gaan picknicken en ze had die picknick net zo zorgvuldig voorbereid als haar verhaal. Vers bruin brood. Gerookte zalm, in fijne plakjes, met een citroen in vieren gesneden en in huishoudfolie gewikkeld. Mousse van gerookte makreel en zwarte olijven uit de delicatessenzaak in Glasthule. Een stukje rijpe geitenkaas en dunne wafeltjes. Een doosje aardbeien en een beker slagroom. Wat druiven, een zak nectarines. En een fles witte wijn uit Nieuw-Zeeland, die in een plastic tas in een poel hing. Een boek erbij, en ze was klaar om de hele middag te wachten als het nodig was. Tot ze de vrouw, de hond en de kinderen van de trap, die in de rotsen was uitgehouwen, naar het strand zag komen.

En haar verhaal? Dat was net zo aantrekkelijk gemaakt als haar eten en drinken.

Leeftijd? Tweeënveertig.

Burgerlijke staat? Gescheiden van tafel en bed, binnenkort officieel.

Aantal, leeftijd en geslacht van de kinderen? Twee zoons op de universiteit. Allebei op zomervakantie.

Geboorteplaats en woonplaats? Geboren in Dublin, opgegroeid in Ranelagh, twintig jaar geleden, toen ze trouwde, naar

Londen verhuisd. Voor een maand in Dublin op bezoek, waar ze op het huis van een vriendin in Monkstown paste.

Beroep? Lerares. Werkte niet toen haar kinderen klein waren, maar is een halfjaar geleden weer aan de slag gegaan toen haar man haar verliet voor een jongere vrouw.

Beroep van haar man? Iets in de stad. Iets met de beurs.

Hobby's? Tuinieren, schilderen, etsen, koken.

Gemoedstoestand? Verdrietig, eenzaam, alleen.

Behoeften? Vriendschap, iemand om mee te praten.

Het was bijna te warm op het strand, met het zonlicht dat in felle lichtpuntjes uiteenspatte op de toppen van de golven die kwamen aangerold vanuit de Ierse Zee. Behalve dat er een lichte aflandige wind stond die aan de bladzijden van haar boek rukte en ze omsloeg met het geluid van kaarten die geschud worden toen ze het op het kleedje naast zich legde en, vanachter haar brillenglazen, naar het groepje kinderen keek dat vlakbij met een lange streng zeewier aan het spelen was. Ze trokken aan de bladeren en zwaaiden de lange staart boven hun hoofd in het rond. Zwiepten ermee tegen de achterkant van de benen van de kleintjes zodat ze gilden en wegsprongen. Niet zeker of dit een spelletje was waarmee ze door wilden gaan of stoppen. Straks werd het huilen, dat zag Rachel wel. Net zoals de twee kinderen die ze onder aan de trap had zien verschijnen die uit de rotswand was gehouwen, wegrennend bij hun moeder, die gehinderd werd door de baby op haar borst en de grote, zware tas die over haar schouder hing.

Rachel ging rechtop zitten en keek. De jongen liep voor zijn zusje uit. Hij was bijna acht, had zijn moeder gezegd. Ze had het zich afgevraagd. Ze had niet langer dat bijna automatische talent dat ze eens, als alle jonge moeders, had bezeten. Dat talent om ieder kind juist in te schatten. Vroeger, al die jaren geleden, zou ze naar hem gekeken hebben en meteen hebben gedacht, o ja, zevenenhalf, misschien bijna acht, en daarna het onbekende jongetje zijn gaan vergelijken met de prestaties en vooruitgang van haar eigen kind. Maar nu was hij gewoon klein in haar volwassen ogen. Slungelig, ongecoördineerd, zijn voeten in sportschoenen met dikke zolen, glijdend en glibberend over de natte, schuivende kiezels. Ze keek van hem naar de vrouw met de baby. Ze leken heel veel op elkaar. Ondanks het verschil in leeftijd en geslacht bleek hun verwantschap duidelijk uit hun lange benen en hoge jukbeenderen, ogen die dichtgeknepen werden tegen de zon, en haar dat glansde, schoon en helder.

Hij heette Jonathan. Ze hoorde het kleine meisje dat achter hem aan ploeterde, gehinderd door een plastic emmer en schep, naar hem roepen.

'Jonathan, Jonathan, wacht even.'

Het was een lange naam met te veel lettergrepen. Rachel zag hoe ze moest stoppen en diep ademhalen voor ze hem riep. Het moest een hele strijd zijn geweest voor ze de naam machtig was, dacht ze. Vele pogingen voor ze het goed deed. Ze zag het kleine meisje achter hem aan hollen; ze zag hoe ze weigerde verder achter te raken, haar uiterste best deed hem in te halen, begon te rennen, terwijl haar stem steeds paniekeriger ging klinken toen ze zag dat haar broertje bijna verdwenen was.

Ze leken niet op elkaar, die twee. Zij was bol en donker, met haar haar zó geknipt dat het om haar gezicht viel. Haar lichaampje was sterk en stevig, haar kuiten al gespierd, haar voetjes in rode leren sandalen met riempjes en gespen klemden zich om de kiezels als de grijptenen van een aapje. Maar haar gezichtje was zacht, haar wangen bol, met een rolletje vet onder haar vierkante kin en grote donkere ogen die nu vol tranen liepen.

'Wacht op me, Jonathan. Wacht op me.'

Maar hij was weg, verdwenen in de groep andere kinderen, waar zijn blonde hoofd alle kanten op ging terwijl ook hij opgenomen was in het spel. En zij stond alleen, helemaal in haar eentje, terwijl de tranen over haar wangen liepen en Rachel toekeek, wachtend, zich afvragend of ze zich ermee zou bemoeien.

De lange blonde vrouw was op een platte steen gaan zitten. Ze was druk bezig met de baby. Ze haalde hem uit de draagzak en legde hem op de deken die ze uit haar tas had gehaald en uitgevouwen en gladgestreken had. Ze was druk bezig met haar jongste. Terwijl het meisje om zich heen stond te kijken, terwijl de emmer en schep uit haar handjes vielen en langzaam over de kiezels rolden naar waar de golven in een wolk van wit schuim op het strand sloegen. En toen deed ze, hevig snikkend, een stap in Rachels richting en zei: 'Ik ken jou toch? Jij hebt me een perzik en een ijsje gegeven. Ik vind jou lief. Jij bent lief. Maar hij is niet lief. Hij wil niet op me wachten. Hij wacht nooit op me. Hij kan harder rennen dan ik. De hele tijd. Ik haat hem.'

En toen draaide de hele bende kinderen om en kwam op hen

af. De oudste en snelste kinderen jutten de kleintjes op tot een gillende en schreeuwende bende, die duwde en struikelde in een poging om bij elkaar te blijven. En Jonathan trok zijn zusje in hun midden, probeerde haar armen te pakken en het lange stuk wier over haar hoofd te gooien, als een cowboy een lasso, en liet hem op haar rug neerkomen, zodat ze het uitgilde en haar evenwicht verloor en op de harde natte stenen viel, terwijl de anderen om haar heen dansten alsof ze een gevangene was die geofferd zou worden.

Rachel stond op voor ze besefte wat ze deed, duwde hen opzij, bukte zich om het kleine meisje op te tillen, schreeuwde naar de anderen dat ze zich niet zo mochten gedragen, dreigde met de boosheid van hun ouders, streek het haar van het meisje glad, plukte de steentjes en schelpjes van haar huid, zette haar neer, nam haar bij de hand en liep met haar bij de andere kinderen vandaan. Terwijl haar oudere broer Jonathan daar stond, niet wetend wat hij moest doen en zich eerst naar Rachel en zijn zusje wendde, maar daarna naar de rest van de kinderen, die nu langzaam wegliepen, sommigen angstig kijkend naar hun moeder die verderop op het strand zat, anderen nog steeds uitdagend, met kwade gebaren, met kungfu-schoppen in de lucht. Terwijl Jonathan zich vertwijfeld van de een naar de ander keerde, als een dood blad aan een tak. Het ene moment uitdagend en kwaad, het andere bang en vol spijt.

En toen stond hun moeder ook naast hen, terwijl ze geschrokken naar hen riep. Ze had de baby snel opgetild, die had liggen slapen en nu met een rood gezicht lag te krijsen. En Rachel, kalmerend, sussend, legde alles uit en maakte het weer goed. Ze nodigde hen uit om op haar kleed te komen zitten, bood eten aan, trok de loszittende kurk uit de fles, reikte de vrouw, Ursula Beckett, een glas aan en nam zelf een slok. Zag hoe haar lichaam ontspande van opluchting en genoegen terwijl de baby op haar schoot lag, het meisje tegen haar aankroop en zelfs de oudste zoon toegaf, bij hen ging zitten en aardbeien met room aannam. Zodat het tien minuten later rustig en stil was terwijl het zonlicht in felle lichtpuntjes uiteenspatte op de toppen van de golven die kwamen aangerold vanuit de Ierse Zee.

'Je kunt zo goed met ze omgaan. Ze zijn echt dol op je. Ik heb het zo druk met de baby dat ik eigenlijk niet echt de tijd voor ze heb gehad.'

Het werd al laat. Ze hadden gegeten en gedronken. Ze hadden verstoppertje en tikkertje gespeeld en kiezelsteentjes over het water laten scheren. De baby had geslapen, was wakker geworden, was gevoed en verschoond, had weer geslapen en lag nu op Rachels schoot, waar hij naar haar opkeek terwijl ze zich over hem heen boog. Lachend en fronsend, kijkend hoe hij zijn mond bewoog als een spiegelbeeld van de hare, kronkelde van de pret en zijn handjes uitstak om haar haar te pakken. Ze aaide met haar wijsvinger over zijn hoofdje en voelde het gat waar de fontanel nog niet helemaal gesloten was. De laatste keer dat ze dit had gedaan was tijdens een 'hokjesbezoek', zoals het in de gevangenis werd genoemd. In een van de noodgebouwtjes, privé. Ook een jongetje. Heel groot en sterk. Barstte al uit zijn nieuwe badstoffen pakje. Kreeg de fles. Zijn kleren roken naar de laatste keer dat hij gespuugd had, in de bus, in de file op de North Circular Road op weg naar de gevangenis.

'Jezus, Rachel, hij stinkt wel, hè? Ik had schone kleren mee moeten nemen.'

Het kamertje hing vol sigarettenrook. Haar oude vriendin Tina, die vroegtijdig vrijgelaten was om te bevallen en zich aan de voorwaarden van haar proefverlof hield. Rachel zag dat ze genoot van het moederschap. Was teruggekomen om haar mooie, gezonde zoon van een halfjaar te laten zien.

'Is hij niet prachtig? Ik hou zoveel van hem. Ik doe alles voor hem, Rachel.'

'Blijf je dan van alles af; doe je dat voor hem?'

'Alles, ik doe alles. Hij is zo perfect en zo lief. En hij is van mij.'

De baby, die zich op haar knieën optrok, zijn handjes naar zijn moeder uitstak en haar haar pakte terwijl ze hem van Rachel overnam en haar gezicht in de plooien van zijn nekje begroef. Lachend om de geur van babyspuug, genietend van de alledaagse routine.

'Jezus, Rachel, ik wist niet dat je zóveel kon wassen. De hele godganse dag doe ik niks anders dan wassen en drogen en verschonen. Maar weet je, ik vind het heerlijk.'

Tina, de ergste van allemaal. Met het litteken over haar gezicht dat van achter haar linkeroor tot aan haar mondhoek liep. Ontelbare veroordelingen wegens drugsbezit, beroving en mishandeling. Een uiterlijk zo hard als steen, maar een innerlijk zo zacht en lief als maar zijn kon. Dol op verhalen.

'Lees het nog eens. Rachel, lees nog eens van de prinses en de kikker. Dat vind ik zo mooi. Vertel nog eens een verhaal, vertel me nog eens over de kinderen van Lir, die met die stiefmoeder die ze niet wilde hebben. Maak me aan het huilen, Rachel, zodat ik me kan laten gaan. Laat me liefde voelen. Zorg voor me, Rachel.'

'Hij wordt donker, net als Laura,' zei ze, terwijl ze over het fijne zachte dons op zijn hoofdje aaide. 'En zijn ogen, wat voor kleur worden die?'

'Die worden grijs.' Zijn moeder rekte zich uit, rolde op haar zij en ondersteunde haar hoofd met haar hand. 'Hij wordt net zijn vader. Laura is zijn evenbeeld. Gek is dat, hè?' En ze kwam overeind, haalde een kam uit haar tas, haalde hem door haar haar, trok het strak en maakte het in haar nek vast met een grote schildpadclip. 'Zoals kinderen in één gezin van elkaar kunnen verschillen. Jonathan, bijvoorbeeld, lijkt zo op mijn vader. Hij heeft al zijn uitdrukkingen en maniertjes. Het is eigenlijk heel vreemd, want mijn vader is vijf jaar geleden overleden. Jonathan heeft hem nauwelijks gekend.'

Het begon nu killer te worden. Het strand was bijna leeg. Er liep ver weg alleen een stel met een hond, en hun gestalten vormden een silhouet tegen de baai en de donkere bult van Bray Head in de verte.

'Jouw zoons. Hoe zien ze eruit, Rachel? Lijken ze op jou of op je man?'

Ze beschreef de twee jongens.

'De oudste is heel donker. Hij kan niet geweldig leren, maar hij werkt hard. Hij is gek op het buitenleven. Hij kan heel goed zeilen. En zwemmen. Hij heeft wat problemen gehad toen hij klein was. Leesproblemen, maar met wat bijlessen is hij eroverheen gekomen. Hij is heel aanhankelijk, maar hij heeft verschrikkelijke driftbuien. Soms is het gewoon een beetje eng. Hij is heel anders dan zijn jongere broer. Als je niet wist dat ze familie van elkaar waren, zou je het niet geloven.'

'En de jongste, hoe is hij?'

'O, hij is een echte uitblinker. Heel slim, heeft het altijd goed gedaan op school. Ook knap, moet ik zeggen. Lang en slank, met lichtbruin haar, dat in de zon blond wordt. Heel blauwe ogen. Maar een beetje koud. Egocentrisch. Ambitieus. En heel humeurig. Hij kan van het ene moment op het andere van vrolijk in nors veranderen. Het is best eng als dat gebeurt. Maar het is ook een van zijn fascinerendste trekken. De meisjes lopen nu al achter hem aan.'

'Het moet een enorme schok zijn geweest toen je man bij je wegging. Hoe reageerden zij erop?'

'Dat weet ik eigenlijk niet. Ze zeggen niet veel. Ze houden hun gevoelens voor zich.'

'En voor jou moet het verschrikkelijk zijn geweest. Deed het erge pijn? Wist je dat hij vreemdging?'

Rachel zweeg.

'Het spijt me.' Ursula nam de baby van Rachels schoot. 'Ik wilde me niet met je zaken bemoeien. Ik vroeg het me alleen af.'

'Nee, nee. Dat geeft niet. Het is fijn om erover te kunnen praten. De meeste mensen, onze vrienden, voelden zich zo opgelaten. En ze wilden geen partij kiezen. En nee, ik was de klassieke onnozele echtgenote. Ik wist niet dat hij een verhouding had. En toen kwam hij op een avond thuis en zei het recht in mijn gezicht, en zei dat ze zwanger was en dat hij met haar wilde trouwen.'

'En jouw zoons, hebben die je goed geholpen?'

Rachel stond op en begon de overblijfselen van de picknick op te ruimen. 'Zij hebben hun eigen leven. Ik wil ze er eigenlijk niet bijslepen. Je moet ze een keer loslaten, weet je. Dat is een van de eerste dingen die je als moeder leert, denk ik. Dat het belangrijk is dat je ze loslaat. Zonder hen verder gaat.'

Het meisje en de jongen waren nog steeds bij de zee. Ze speelden een ingewikkeld spel. Het had te maken met het bouwen van forten met de grotere stenen en het aanleggen van grachten om het water te laten wegspoelen. Rachel stond naar hen te kijken. Het was nu zo stil. Achter haar was de vrouw druk met de baby bezig. Ze deed hem een schone luier om, maakte hem netjes voor de terugreis. Rachel draaide zich om en keek naar haar, maar vervolgens wendde ze haar gezicht af. Ze liep zachtjes over de natte stenen naar de andere kinderen toe. Het donkere hoofd en het blonde waren vlak bij elkaar, geconcentreerd op hun werk. Ze hoorden haar voeten niet op hen af schuifelen. Ze keken niet op. Ze hoorde hun stemmen discussiëren, bekvechten. Ze leken zo klein, tegenover haar. De zee kwam aangestormd en stroomde om hun enkels en kuiten. Ze zag hoe hij zich terugtrok met de kleinere steentjes en kiezels. Ze zag hoe hun blote voeten wegzakten in het zachte zand.

Ze bleef staan en keek naar hen. En vroeg het zich af. Een ogenblik maar. Dacht aan hun vader en moeder en hoe zij zich zouden voelen. Als er iets met hun kinderen gebeurde.

Ze kwam steeds dichterbij. De kinderen zagen nog steeds niets. Ze keek nog een keer om. De moeder stond over de baby gebogen. Hij huilde. Hij klonk moe, kribbig. In de verte zag ze de mensen met de hond. Ze waren nu heel ver weg. Ze zouden het niet horen; ze zouden niet de dubbele plons horen van de twee kinderen die in het water vielen en wild met hun armen en benen sloegen, zodat er schuim op het water verscheen. En zij zou er ook zijn. Ze zou het water in lopen, tot aan haar knieën, haar dijen, en haar evenwicht verliezen, zodat ze niet meer kon blijven staan, haar voeten niet langer houvast hadden op de glanzende, glibberige stenen. Ze zou beginnen te zwemmen en haar handen naar de kinderen uitsteken. Ze zou diep ademhalen en duiken, ze beetpakken en naar haar toe trekken, ze dicht tegen haar aan houden, hun lichaampjes slap, nu alle lucht uit hen geperst werd door de stroming van de zee.

Niemand zou het ooit zien, niemand zou het ooit weten. Ik heb alles gedaan wat ik kon, ik heb het geprobeerd, ik heb het geprobeerd, zou ze zeggen. Terwijl ze naar het verdriet op hun gezichten keek.

En toen keek het meisje, Laura, naar haar en zei: 'Rachel, kijk eens. Mooi, hè? En mijn stuk is het mooist, hè, mooier dan dat van hem. Ik ben de knapste, hè?'

Een trek op het ronde gezichtje die Rachel eerder had gezien. Heel vaak.

'Kijk eens, mama, wat ik gedaan heb.'

'Kijk eens, mama, kijk eens.'

'Kijk, mama, heb ik het goed gedaan? Ben ik lief? Ben ik het liefst?'

Ze ging op haar hurken naast haar zitten, zodat het water om haar eigen enkels en benen spoelde, aan de zoom van haar broek likte, en sloeg haar armen om het kleine, stevige lijfje. Ze voelde het gladde huidje tegen haar wang.

'Je bent geweldig, Laura. Je bent de beste.

17

'Ik heb u beiden hier gevraagd om getuige te zijn van deze huiszoeking.' Het was vroeg in de ochtend, halfnegen. De zon scheen, al begonnen dreigende donkere wolken zich samen te pakken. Jack stond in de woonkamer van het huis van de familie Hill in Rathmines. Dr. Hill en zijn zoon Stephen stonden tegenover hem. Ze keken zuur en onbehulpzaam.

'Ik heb u gevraagd aanwezig te zijn, zoals ik al zei, om getuige te zijn van deze huiszoeking die ik ga doen van het huis, de tuin en de garage. Ik stel u op de hoogte van het feit dat ik de benodigde documenten heb voor de uitvoering van deze huiszoeking. Ik heb voor dit doel een bevel tot huiszoeking gekregen van de rechtbank. U zult op de hoogte worden gesteld van ieder voorwerp dat wij uit dit pand menen te moeten meenemen. Ik ga ervan uit dat u volledig zult meewerken.' En als je dat niet doet, dacht hij terwijl hij naar hun gezichten keek en probeerde de mengeling van emoties die erop zichtbaar waren te doorgronden, en als je dat niet doet, dan kun je er nog geen donder tegen doen.

Dr. Hill was de eerste die sprak. 'Ik begrijp niet waarom dit nodig is. Ik kan me niet voorstellen dat u serieus meent dat Judith in dit huis is omgebracht. En daarmee impliceert dat ik, of Stephen, iets met haar dood te maken heeft gehad. We hebben u allebei verteld wat we wisten. We hebben allebei zo goed mogelijk meegeholpen aan uw,' hij zweeg even alsof hij diep adem moest halen, 'uw belachelijke onderzoek. Het is zo klaar als een klontje dat deze verschrikkelijke misdaad absoluut niets te maken heeft met een beschaafd persoon, en wél met het schorriemorrie, de penose, het geboefte met wie ze twee jaar van haar leven heeft doorgebracht.'

Was het maar zo simpel, dacht Jack. Hij schraapte zijn keel. 'Dat kunt u denken, dr. Hill, en zo lijkt het misschien ook wel. En neemt u alstublieft aan dat ik uw verdriet begrijp en hoe u zich moet voelen over het feit dat u uw dochter op zo'n manier verloren hebt. Ik heb vele anderen zien lijden zoals u lijdt. Maar probeer het ook van mijn kant te zien. Als u de bewijzen tot dusver, vanuit ons standpunt, in beschouwing neemt, dan ziet u het misschien heel anders. Bijvoorbeeld, we hebben vastgesteld dat Judith gewurgd is, en dat ze met een stuk lijn gewurgd is. Het soort dat algemeen bekend is als waslijn. We hebben, met uw toestemming, reeds een stuk van uw waslijn onderzocht, en we hebben gezien dat er een stuk van het uiteinde gesneden was dat, het spijt me te moeten zeggen, precies overeenkomt met het stuk waarmee uw dochter is vermoord. We weten, ruwweg, wanneer Judith overleden is. En we hebben getuigen, uw buren, die zeggen dat ze haar tijdens die paar dagen hier, in huis, hebben gezien. Eén buurvrouw is heel duidelijk. Ze zegt dat ze toevallig jarig was en dat Judith langskwam met een bos bloemen.' Hij zweeg even en keek weer naar hen. Hij was geïnteresseerd in de verandering in hun gelaatsuitdrukking. Stephen Hill keek nu verveeld en ongeïnteresseerd. Hij geeuwde openlijk, waarbij hij zijn kleine witte tanden liet zien op een manier die Jack akelig aan die van Judith deed denken, zoals ze eruitzag in het mortuarium toen Johnny Harris haar lippen omhoogduwde om het tandvlees te laten zien. Sweeney had gelijk. Broer en zus leken heel veel op elkaar. De dokter, daarentegen, was nerveus. Hij tikte ongeduldig met zijn voet op de grond en friemelde aan zijn stropdas, broeksriem, zijn horlogebandje, en één hand verdween in zijn broekzak en speelde met kleingeld.

'En dan,' zei Jack terwijl hij zijn notitieboekje te voorschijn haalde en erin bladerde, 'en dan is er nog de kwestie van de bloedgroep van de foetus. Het jongetje dat Judith droeg. De bloedgroep van de baby was O. Dezelfde groep als van Judith. En ook dezelfde groep van jullie twee.'

'Wat wilt u daar in vredesnaam mee zeggen?' Dr. Hill rechtte zijn rug. Hij zag ineens rood. 'Bedriegen mijn oren me? Durft u te zeggen wat ik denk dat u zegt? Is het mogelijk dat u durft te suggereren dat mijn dochter, Stephens zus, zwanger was van een van ons? U bent gek, inspecteur Donnelly, stapel, stapelgek.'

'O ja? Denkt u dat? En jij, Stephen, wat denk jij?'

Stephen keek hem een ogenblik aan en glimlachte toen. 'Ik denk, inspecteur Donnelly, dat er tegenwoordig tests zijn die heel wat verfijnder, heel wat overtuigender zijn dan het primitieve, botte forensische instrument waar u mee zwaait. Dus stel ik voor dat u, voor u met verdere beschuldigingen komt, ze gebruikt.'

Touché, dacht Jack, klotejong. En hij vroeg zich af hoe lang het precies zou duren voor ze de uitslag kregen van de DNA-analyse die ze verzocht hadden. Trek maar een nummertje, was het antwoord van het forensisch laboratorium. Behulpzaam als altijd.

'Goed.' Jack liep naar de deur. 'Zullen we dan maar beginnen?'

Er waren in totaal vijf rechercheurs die het huis systematisch doorzochten. Ze wisten waar ze naar moesten zoeken. Alles. Wat dan ook. Maar in het bijzonder wilden ze iets dat overeenkwam met het laken waarin het meisje gewikkeld was geweest. Een mes of schaar, een scherp voorwerp waarvan het lemmet of blad overeenkwam met de snijwonden in haar vagina en anus. Sporen van bloed, hoe klein ook. En andere dingen waar ze eventueel iets aan konden hebben.

Hij liep door de hal naar de trap die met een bocht naar boven liep. Dr. Hill had aanstalten gemaakt om mee te gaan, maar Jack had hem tegengehouden. Hij had gezegd dat hij liever had dat hij beneden bleef. Had gevraagd naar de indeling van het huis en had hem vervolgens theedrinkend achtergelaten met Sweeney.

Beneden bevonden zich een kleine werkkamer, twee grote kamers en suite – een zitkamer en een eetkamer – en een donker keukentje. Overal stonden zware antieke meubelen. Mahoniehouten tafel en dressoir, banken met een hoge rugleuning en stoelen met verbleekte chintz bekleding, sombere portretten die aan weerszijden van het vertrek op hen neerkeken. De tuin was verwaarloosd en overwoekerd. Twee appelbomen vol fruit stonden midden in het grasveld. En aan weerszijden bevonden zich lange plantenborders, waarin de planten gesmoord werden door winde en staartwortel. Achterin stond de garage, een groot, stenen bouwsel. Jack zag dat die van de buurhuizen allemaal verbouwd waren tot woningen.

Op de eerste verdieping bevonden zich vier slaapkamers en

een grote badkamer. Jack zag dat er in de loop der jaren weinig aan gedaan was om de oorspronkelijke inrichting en stoffering van het huis te veranderen. Op de muren zat verschoten bloemetjesbehang. De kleden waren kaal. Er scheen geen centrale verwarming te zijn, en de badkamer was Spartaans uitgerust. Een groot, vrijstaand bad, een zware geëmailleerde wastafel, en ernaast een aparte wc, met een stortbak hoog aan de muur. Boven die verdieping, een smallere, losse trap op, bevonden zich nog drie kamers.

'Er is daar niets,' had Hill hun verteld. 'Alleen een paar kamers die vroeger voor de bedienden waren. In de tijd dat je nog bedienden kon krijgen natuurlijk. En er is ook een opslagruimte. Een hoop oude troep. Ik wil er steeds eens aan beginnen, maar op de een of andere manier heb ik er nooit tijd voor.'

'En Judiths kamer, welke was van haar?'

'Toen ze net uit de gevangenis was, moest ze van mij in het kamertje naast mijn kamer slapen. Ik wilde haar in de gaten kunnen houden. Dus ik denk dat u dat haar kamer zou kunnen noemen. Maar ze woonde de laatste paar maanden op de campus en ze had een hoop boeken, kleren, persoonlijke dingen meegenomen. U zult er hier niet veel meer van vinden.'

Daar had hij gelijk in. Het was een klein, smal kamertje en het was vrijwel leeg. Er stond een hoog, ouderwets bed, keurig opgemaakt, tegenover de deur, met aan de ene kant een ladenkast en aan de andere kant een klein tafeltje. De kamer was in een doffe crèmekleur geschilderd. Er lag een verbleekt kleed op de zwart geschilderde vloerplanken. De muren waren kaal. Geen posters, foto's of wat voor versiering dan ook. Er stond een hoge, donkere kleerkast achter de deur gepropt. Hij deed hem open en deed verrast een stap achteruit toen hij ineens zijn spiegelbeeld in de manshoge spiegel aan de binnenkant van de deur zag. Hij glimlachte naar zichzelf en trok zijn stropdas recht. Hij zag er tegenwoordig niet slecht uit, dacht hij. Als je in beschouwing nam wat hij de laatste tijd allemaal meegemaakt had. Vooral als je in beschouwing nam dat hij geen flauw idee had wie Judith Hill had vermoord.

En er waren geen aanwijzingen hier. Een paar verbleekte spijkerbroeken hingen aan metalen kleerhangers. Er hingen een soort tweedjas en ernaast een groene wollen blazer met een schoolwapen op de borstzak. Dat was alles. Hij deed een stap achteruit en liet de deur weer in het slot vallen. Er was niet veel dat op gebruik duidde in dat Spartaanse, celachtige kamertje. Geen boeken, geen brieven, geen agenda's of dagboeken. Bijna geen kleren. En ze hadden ook niet veel in haar kamer op de campus gevonden. Een hoop bibliotheekboeken, aantekeningen en een doos met computerschijfjes. Sweeney had ze allemaal doorgenomen. Alle bestanden hadden met haar studie te maken. Jack was verbaasd dat er helemaal geen dagboek was. Ze had hem, zomaar, een meisje geleken dat een dagboek bijhield. Maar ze hadden niets gevonden dat erop leek. En ook geen brieven. Helemaal geen verwijzingen naar haar moeder, vader of broer. En niets dat naar Rachel verwees of iemand anders die samen met haar gezeten had.

Hij had opnieuw geprobeerd met dr. Hill over zijn vrouw te praten. Maar hij was er geen stap verder mee gekomen.

'Ik heb niets over dat onderwerp te zeggen. Wat mij betreft bestaat de vrouw niet langer.'

Stephen Hill was net zo terughoudend. 'Mijn moeder?' zei hij terwijl hij zijn lippen tuitte. 'Wie bedoelt u eigenlijk?'

'Maar ze was er, bij Judiths herdenkingsdienst.'

'O ja? Dat is me niet opgevallen.'

'En je vader, denkt hij er net zo over?'

Stephen glimlachte, een krampachtige grimas. 'Mijn vader,' zei hij, 'is een hartstochtelijke man. Hij is in staat tot grote liefde en net zo grote haat.'

En ook een bezitterige man? Jack dacht erover na terwijl hij in de deuropening van de kamer boven in het huis stond. Ooit moest het een zolder zijn geweest. De balken en het dakbeschot lagen bloot en er was een groot dakvenster ingezet. Op het noorden, schatte hij, zodat het licht dat erdoor naar binnen kwam zuiver en helder was, onbezoedeld door het goud van direct zonlicht. Het viel nu op een grote ezel die in het midden stond. En verlichtte het doek dat erop stond. Jack stapte naar voren en bestudeerde het zorgvuldig. Het was een schilderij van twee kinderen. Het was niet af, dat zag hij, maar het was toch heel mooi. De kinderen keken in de ogen van de toeschouwer, en toen hij bij hen vandaan liep, voelde hij hoe hun blik met hem meeging. Hij voelde hun ogen in zijn rug terwijl hij langzaam door de ruimte liep. Hij keek naar de planken, de stapels doeken, sommige ingelijst, andere opgerold en bij elkaar in bundels, de dozen verf en penselen, de stapels papier in allerlei maten en diktes. In een hoek stond een soort drukpers, vol inktvlekken, en ernaast een grote, rechthoekige wasbak. Hij boog voorover en rook onmiddellijk de doordringende geur van zuur. Er hing een rij ingelijste zwartwitfoto's aan één muur. Hij zag onmiddellijk wie het waren. Judith en Stephen als baby's en kleine kinderen. En ook Mark Hill als jongeman, knap en sterk in zijn zwembroek en tennistenue. En terwijl hij op een krukje voor een tentje bij een primus zat, zwaaiend met een houten pollepel en lachend. In een andere hoek van het vertrek stond een soort grote kast waar zwarte gordijnen omheen hingen. Toen hij ze opzijschoof, zag hij een vergrotingskoker, een werkbank en een wastafel met stromend water. Overal was verf. De verf was op de vloer, de werkbank, zelfs op de muren tot op borsthoogte gespat en gedropen. En wat een kleuren! Allerlei soorten blauw, groen, felgeel en paars. En vooral rood. Scharlaken, vermiljoen, karmozijn, en een rood als de kleur van ossenbloed, diep en donker. Wat een vreemde man, dacht Jack terwijl hij om zich heen keek. Hij haat zijn vrouw zó erg dat hij haar naam niet eens wil noemen, maar toch laat hij dit alles al jaren en jaren onaangeroerd. Bezitterigheid op een afstand, was dat het?

Hij boog voorover en keek naar de donkerrode spatten die een willekeurig patroon op de kale vloerplanken vormden. Ze waren wat dik, bobbeltjes bijna. Hij kraste erover met zijn vingers en zag dat er wat aan de rand van zijn nagel zat. Hij hield zijn vingers onder zijn neus en snoof. Het had niet de karakteristieke geur van verf. Het was gewoon de soort geur die ook in een ouderwetse slagerij hangt. Hij stond op en haalde een schone zakdoek uit zijn zak. Hij veegde er zorgvuldig zijn vingers aan af en keek naar de rode vegen op het witte katoen. Hij liep naar de werkbank. Er lag een rijtje gereedschappen keurig op een rij. Een paar scherpe messen en een aantal gutsen van verschillende groottes met houten handgrepen. Het soort dat gebruikt werd om linoleumsneden te maken, dacht hij, denkend aan de tekenlessen op school. Hij pakte ze voorzichtig een voor een met zijn zakdoek op. Hij dacht eraan hoe de linoleum in een dikke bruine krul uit de tegel gerold kwam. Hij liep naar het midden van het vertrek en bleef onder het dakraam staan. Hij hield ze een voor een op en zag dat er een fijn randje rood tussen het metaal en het houten handvat van de grootste zat. Hij legde hem voorzichtig op de werkbank neer. Onder de werkbank was een rij lange laden. Hij trok iedere la om de beurt open. In de bovenste twee lagen natuurstudies van planten en dieren. Heel mooi, heel gedetailleerd. In de volgende lagen schilderijen, schetsen in waterverf, verkleurd nu, gedempt en fijntjes. Hij bukte om de onderste lade open te trekken. Hij lag vol papier, allemaal wit voor zover hij kon zien. Hij stak zijn hand uit en bladerde er wat door. Onder zijn vingers voelde hij iets anders. Glanzend, moeilijk te pakken. Hij hurkte, pakte de la beet en trok hem uit de geleiders. Hij hield hem op zijn kop, zodat de inhoud op de vloer viel en voelde hoe zijn hart oversloeg en zijn adem stokte. Om hem heen lagen polaroidfoto's van Judith. Hij raapte ze op en bekeek ze om beurten. Op alle foto's was ze naakt, haar lichaam in dusdanige houdingen dat hij zijn maag voelde omdraaien. Op sommige leefde ze nog, op andere was ze dood. Ze keek doodsbang, gekwetst en kwetsbaar. Haar levende en dode ogen staarden hem rechtstreeks aan. Vroegen hem om hulp. Smeekten hem om haar te redden. Maar het was te laat. Veel te laat voor Judith.

18

Tom Sweeney zou het verhoor leiden. Tom Sweeney was daar goed in. Jack zou in de hoek zitten en toekijken. Aantekeningen maken, verwerken wat er gezegd werd, ertussen komen als hij dacht dat Tom iets over het hoofd zag. Maar Tom zag nooit iets over het hoofd.

'Goed, voor we beginnen, even recapituleren.' Het was zes uur 's ochtends. Ze zouden dr. Hill over een halfuur oppakken. Ze zouden hem zes uur vasthouden en daarna zouden ze de hechtenis met nog eens zes uur verlengen. Twaalf uur om een bekentenis los te krijgen. Een schuldbekentenis.

'Cruciale vraag 1: Wanneer is Judith Hill overleden?'

Vandaag was het 23 juni. Het was een week geleden dat ze haar lichaam hadden gevonden. Johnny Harris schatte dat ze een dag of zes dood was. Dus werd ze, dachten ze, ergens rond de tiende van de maand vermoord.

'Hoe is ze vermoord?'

Dat was gemakkelijk. Ze wisten dat ze gewurgd was. Harris ging er nog steeds van uit, gezien de schade aan haar hals en de mate van kracht die gebruikt was, dat haar moordenaar hoogstwaarschijnlijk een man was. Een grote man zelfs.

'Welke andere verwondingen had ze?'

Snijwonden in vagina en anus. Ernstige bloeduitstortingen op de dijen en uitwendige geslachtsdelen. Ook ernstige bloeduitstortingen op de ribben en buik, een scheur in de baarmoeder. Bloedingen uit de vagina. Bloeduitstortingen aan de ogen, jukbeenderen en neus. Vermoedelijke oorzaak: slagen in het gezicht en op het hoofd vóór het overlijden. Neus- en mondbloedingen.

'Welke fysieke aanwijzingen hebben we?'

Bloedvlekken gevonden in de zolderkamer. Bloedvlekken op de gutsen. Overal vingerafdrukken van dr. Hill. Foto's van Judith die voor en na haar dood genomen waren. Bewijs dat de waslijn die gebruikt was om haar te wurgen uit het huis afkomstig was. De stropdas van de dokter die door haar vingers gevlochten was. Haren van Judiths lichaam die in de auto van de dokter waren gevonden. Het linnen laken waarin ze was gewikkeld, was identiek aan alle andere lakens die in huis waren aangetroffen. En dr. Hill had zelf het rubberen grondzeil geïdentificeerd als het grondzeil dat hij jaren geleden had gekocht.

'Wat denk je, Jack? Wat is jouw weloverwogen oordeel?' Sweeney's grijns werd steeds breder.

'Ik zou zeggen dat het een hole-in-one is, absoluut. Een birdie, een adelaar, een albatros verdomme, of hoe je dat ook noemt. En ik zou zeggen, laten we maar aan de slag gaan.'

Hij zat in de hoek en luisterde. Sweeney nam met dr. Hill het bewuste weekend door, het laatste weekend dat hij Judith had gezien.

Ze was de maandag ervoor gekomen. Het was de jaarlijkse vakantie van de huishoudster. Hij had iemand nodig die voor hem kookte, schoonmaakte, kortom, voor hem zorgde.

'Judith deed het altijd, weet u, voor ze problemen kreeg. Vanaf de tijd dat ze nog vrij jong was, tien misschien, twaalf, voor ze tiener was. Ze was heel goed in het huishouden. Een heel lief meisje. Ze wilde het me altijd naar de zin maken. Dan kwam ze thuis van school en nog voor ze aan haar huiswerk begon, maakte ze eerst de groenten schoon voor het avondeten.'

'Dan moet het wel prettig voor u zijn geweest om haar weer in huis te hebben; het deed u vast aan vroeger denken.'

'Nou ja, u weet hoe het gaat. Ik liep in en uit. Ik heb hier twee keer per dag spreekuur. En dan rijd ik ook nog visites. En ik zoek patiënten op in het ziekenhuis, om te zien of ze vooruitgaan. Maar we aten iedere avond samen.'

'Legt u ons dan eens uit, dr. Hill, als u zo vriendelijk wilt zijn, legt u ons dan eens uit hoe het kwam dat u zegt dat u zich niet realiseerde dat ze vermist werd. Dat begrijp ik niet helemaal.'

'Nou, ziet u, ik ging dat weekend weg. Zaterdagnacht. Ik was uitgenodigd door vrienden die in Wicklow, Laragh, om precies te zijn, wonen. Ze nodigden me uit te komen eten en, vanwege die belachelijke wetten over alcoholgebruik en autorijden, stelden ze voor dat ik bij hen zou overnachten. En toen ik 's zondags thuiskwam, was ze in geen velden of wegen te bekennen. Maar alles was perfect schoon en opgeruimd en er stond zelfs een stoofpot in de oven, klaar om opgewarmd te worden.'

'Geen briefje, geen boodschap, niets?'

'Nee, maar dat verbaasde me niet. Ze had gedaan wat ik van haar had gevraagd. De huishoudster zou die maandag weer terugkomen, dus nam ik eenvoudigweg aan dat ze weggegaan was, terug naar haar kamer of zo. Weet u, ik was al lang geleden opgehouden om bij te houden waar ze uithing.'

Ze hadden natuurlijk navraag gedaan bij de vrienden in Wicklow. Die bevestigden zijn verhaal, tot op zekere hoogte. Ze hadden hem gevraagd voor een aperitief rond een uur of zeven. Hij kwam pas om halfnegen. Hij had geen verklaring gegeven voor het feit dat hij zo laat was. Ze vonden dat hij vreemd deed, afwezig. Hij had niet veel gezegd. Hij had zich, eerlijk gezegd, nogal onbehouwen gedragen. Hij was die avond heel erg dronken geworden. Dat was niets voor hem, zeiden ze, hij was meestal een nogal gematigde man. En toen had hij in zijn dronkenschap veel over Judith gepraat. Wat een teleurstelling ze voor hem was. Hoe hij haar nooit zou kunnen vergeven voor de schande die ze over de familie had gebracht. Hoe ze hem na al die tijd te veel aan zijn vrouw deed denken. En de schande die ook zíj over hen had gebracht. En ze zeiden dat hij, tamelijk abrupt, even na middernacht weggegaan was. Ze hadden geprotesteerd, hem gewaarschuwd voor de gevaren van rijden onder invloed. Maar hij was gewoon opgestaan en weggegaan. Zomaar.

Sweeney was in zijn beleefde fase. Jack observeerde hem. Hij hoorde de minachting in de stem van dr. Hill. Sweeney was geduldig, halsstarrig, grondig in zijn verhoor. Dr. Hill kon het nauwelijks opbrengen om antwoord te geven.

'Waar heeft u de nacht dan doorgebracht? Volgens uw vrienden bent u beslist niet bij hen blijven slapen.'

'Nee, ze hebben gelijk, dat klopt. Ik ben bij Kilmacanogue gestopt en daar heb ik tot zonsopgang geslapen. Toen ben ik naar huis gegaan.'

'Naar huis om uw dochter om te brengen, was dat het?'

Dr. Hill antwoordde niet. Hij staarde in de verte en zuchtte.
'Uw vrienden, uw oude vrienden, zij maakten zich die avond grote zorgen om u. Ze zeiden dat uw gedrag heel anders dan anders was, dat ze u zo niet kenden. Ze waren van u geschrokken. Kunt u uitleggen wat u dwarszat?'

'Aan jullie uitleggen? Waarom zou ik? Wat gaat het jullie aan of ik dronken, nuchter, beleefd of onbeleefd ben? Of wat dan ook?'

Jack luisterde naar Sweeney, die uitlegde waarom het in zijn eigen belang was als hij meewerkte. Het bleef stil. Sweeney zuchtte. Hij stak zijn hand in zijn zak. Hij haalde er een grote gele envelop uit. Hij hield hem op zijn kop. De foto's vielen eruit. Sweeney verspreidde ze over de tafel. Jack wachtte op de reactie. Maar die kwam niet. Dr. Hill wendde zijn gezicht af.

'Wat verwacht u dat ik zeg?' zei hij. 'Wat wilt u dat ik doe? Huilen, met mijn vuisten op mijn borst slaan? Nou, dat doe ik niet.'

'Waarom niet?'

'Ik walgde van haar toen ze leefde. Ik walg van haar nu ze dood is. Ik heb die foto's niet genomen. Ik weet niet wie wel. Maar ze verbazen me niet. Nog niet zo lang geleden deed Judith dat soort dingen om haar drugsverslaving te kunnen betalen. Ze was eraan gewend. Ik heb haar een keer gevraagd hoe ze het kon verdragen. Ze haalde gewoon haar schouders op en zei: "Wat moet, dat moet." Kun je dat geloven? Ik heb haar gezien, weet u. Ik ben op een avond naar haar op zoek gegaan. Ik reed om Fitzwilliam Square en toen langs het kanaal. Daar stond een rij vrouwen, allemaal te wachten. Ik reed langzaam, zodat ik haar kon zien. Ze realiseerde zich niet dat ik het was. Ze draaide zich om en trok haar blouse open. Ik zag haar borsten. Mijn eigen dochter. Ik herinnerde me hoe ik haar in bad deed toen ze klein was, nadat haar moeder weggegaan was. Het was een avondritueel. De twee, mijn geliefde zoon en dochter, samen in bad. Ze hadden zulke perfecte lichaampjes. En daarna trok ik hun pyjama aan en bracht ze naar bed en las ze voor tot ze in slaap vielen. En dan bleef ik zitten en hield ze in de gaten voor het geval ze akelig zouden dromen, nachtmerries zouden krijgen en ze me nodig hadden. En dit was de beloning die ik kreeg voor al die liefde en toewijding. Mijn eigen dochter die met haar borsten naar me zwaaide op een koude, natte, afschuwelijke avond.' Hij zweeg en begroef zijn gezicht in zijn handen. Daarna keek hij op. 'U heeft me gevraagd waarom ik me die avond zo anders, zoals u het zo tactvol uitdrukte, gedroeg. Nou, mijn dochter had me net verteld dat ze zwanger was. Ze vroeg me haar te helpen van de baby af te komen. Ze vroeg het me in mijn hoedanigheid als arts. Niet als vader. En dat, mijn vrienden, is het laatste dat ik tegen u zal zeggen. Ik zal me nu beroepen op mijn recht te zwijgen.'

Ze hielden hem tot het allerlaatst vast. En toen lieten ze hem gaan. De verklaring ging naar de media. Een man was gearresteerd en verhoord in verband met de moord op Judith Hill. Hij was vrijgelaten. Er werd een dossier aangelegd en naar het Openbaar Ministerie gestuurd. En in de tussentijd, dacht Jack, zouden ze hem in de gaten houden en zouden ze wachten.

Rachel hoorde de aankondiging die avond tijdens het journaal van negen uur. Ze zat naast het bed van Clare Bowen. Het licht was uit in het kleine kamertje. De geur van pas gemaaid gras drong naar binnen. Ze stond op en wilde de openstaande deur dichtdoen. Clare stak haar hand uit en trok aan haar mouw.

'Laat maar. Ik vind het lekker zo.'

Dat vond Rachel ook. Het gras van het gazon achter het huis was enkeldiep toen ze aan het begin van de avond aankwam. Het was bezaaid met madeliefjes en boterbloemen en werd bekroond door de wuivende kopjes van de weegbree. Ze had de grasmaaier uit de schuur gehaald en hard aan het koord getrokken, tot hij sputterend en kreunend en een wolk grijze rook uitbrakend in een doordringend gekrijs losbarstte. Ze had het gras bijeengeharkt in zachte bergjes, haar schoenen uitgedaan en op haar blote voeten heen en weer gelopen terwijl ze voelde hoe haar tenen in het zachte, veerkrachtige gras wegzonken. Toen was ze er een halfuurtje op gaan liggen en doezelde tot Clare haar binnenriep.

Nu keken ze naar de televisiebeelden. Een oude foto van Judith, genomen, wist Rachel zeker, toen ze een jaar of zestien was. Beelden van de buitenkant van het huis en de plaats waar het lichaam gevonden was. Het politieteam aan het werk. Een interview met Jack Donnelly over de vorderingen tot dusver, en toen het beeld van een man die vanuit het bureau naar een gereedstaande auto werd gevoerd. Er werd een jas boven zijn hoofd gehouden, maar Rachel herkende hem onmiddellijk. Een grote man. Een sterke man. Judith zag altijd tegen zijn bezoeken op.

'Waarom komt hij?' had ze gezegd. 'Hij haat het hier. Hij haat mij. We hebben elkaar niets te zeggen.'

'En is het altijd zo geweest?' Rachel had haar hoofd naar haar schouder getrokken om haar te troosten.

'Och, ik weet het niet,' had ze geantwoord. 'Misschien toen ik klein was dat we goed met elkaar overweg konden. Ik was altijd zo braaf. Ik was beleefd en attent. Hij kwam voor mij altijd op de eerste plaats, maar toen ik ouder werd... Ik weet het niet. Het was anders.'

'Je hebt haar gekend, hè?' Clare probeerde haar hoofd van het kussen te tillen, maar het was een te grote inspanning.

Rachel knikte.

'Wat was ze voor iemand?'

'Ze was geweldig. Ze was slim. Ze was grappig. Kon fantastisch mensen nadoen.'

'En die man daar. Ken je hem?'

Rachel schudde haar hoofd. 'Nee, maar ik weet wie hij is. Het is haar vader.'

Toen was het stil. Rachel stond op en liep de keuken in. Ze deed de kast open en haalde de trommel met medicijnen eruit. Antibiotica en pijnstillers. Opiaten, DF 118's en slaaptabetten. Halcyon was de naam die op het etiket gedrukt stond. Rachel moest erom glimlachen. Andrew Bowen had ze uitgeteld en neergelegd.

'Geef ze met wat sap,' zei hij. 'Er staat een pak sinaasappel met passievrucht in de koelkast. Die vindt ze het lekkerst.'

Rachel deed wat ijsblokjes in een hoog glas en schonk het vol. Ze ging weer naast het bed zitten en tilde Clares hoofd op.

'Hier,' zei ze, 'het is tijd voor je pillen.'

'De slaaptabletten nog niet. Ik wil nog een beetje langer wakker blijven.' Ze deed haar mond open voor de andere en slikte ze door met een slok uit het glas. Het sap liep langs haar kin op haar nachtjapon. Rachel boog voorover en veegde het weg.

'Dat is lief.' Clares stem was bijna onhoorbaar. 'Heel lief.' Ze ging achterover tegen het kussen liggen. 'Hij betaalt je hier toch wel voor, hoop ik?'

Rachel knikte.

'Hij heeft tijd voor zichzelf nodig. Hij heeft een vrouw naar wie hij toe gaat. Ik weet er alles van. Het is geen liefde. Het is nooit liefde bij Andrew.'

Rachel tilde het laken op, trok het glad en stopte het stevig in.

'Met mij was het ook geen liefde. In het begin misschien, maar niet lang.'

'En voor jou, wat was het voor jou?' Rachel schudde de sprei uit en legde de boeken op een keurig stapeltje naast het bed.

'Voor mij was het liefde. Niemand begreep wat ik in hem zag. Hij was slungelig en onhandig. Maar hij was slim, vrolijk en grappig. Ik moest altijd lachen als ik bij hem was.'

'Hier.' Rachel stak haar de slaaptabletten toe. 'Je moet ze nu innemen. Het is al laat. Je hebt je rust nodig.'

De vrouw in het bed glimlachte. 'Het is geen slaap die ik nodig heb. Het is iets dat een beetje permanenter is. We hebben er veel over gepraat. In het begin hadden we het erover wanneer het beste moment zou zijn. En toen werd ik beter en een tijdje dacht ik dat het een vergissing, een verkeerde diagnose was geweest. En toen kwamen de symptomen terug en ditmaal kon er geen misverstand over bestaan.'

Rachel zag hoe haar ogen onbedwingbaar van links naar rechts flitsten.

'En dus hebben we een besluit genomen. Het zal eerder vroeger dan later zijn. Het probleem is alleen hoe we het moeten doen. Deze pillen, deze dingen die ik moet nemen, daar kun je geen overdosis van nemen. Het zijn benzodiazepines, jammer genoeg, geen barbituraten. Ze veroorzaken vergeetachtigheid, wat respijt, maar het is maar tijdelijk.'

'Sst.' Rachel knielde weer naast haar neer.

'Het probleem is, ik maak me zorgen over hoe het voor hem zal zijn. Daarna. Hoe zal hij zich voelen? Ik wil dit, ik wil zo niet langer doorgaan, maar ik wil niet dat hij lijdt. Ik ben bang dat hij zich schuldig zal voelen. Daarom wilde ik het je vragen.' Ze zweeg even; ze haalde moeizaam adem.

'Wat wilde je me vragen?' Rachel boog zich over haar gezicht.

'O, niets, niets.'

Clare deed haar ogen dicht, deed ze vervolgens weer open en keek recht in die van Rachel.

'Ik wil weten hoe je je voelde, nadat je je man om het leven had gebracht. Voelde je je schuldig? Hoe was het voor jou al die jaren in de gevangenis? Kon je jezelf ertoe brengen om aan hem te denken zoals het vroeger was?'

Rachel stond op en liep weg.

'Ik heb hem niet om het leven gebracht,' zei ze. Ze klonk beheerst, afgemeten. 'Hoe vaak moet ik het nu nog zeggen? Ik heb mijn man niet vermoord. Ja, ik geef toe dat ik op hem geschoten heb, maar ik heb hem niet vermoord. Het was een ongeluk. Het was mijn zwager die het heeft gedaan. Niemand wilde me geloven. In zeker opzicht kan ik ze dat niet verwijten. Ik had meteen vanaf het begin de waarheid moeten vertellen. Maar dat heb ik niet gedaan. Ik heb gelogen. En het kwam uit dat ik gelogen had.'

Ze ging op de rand van het bed zitten.

'En ja,' zei ze, 'ik voelde me schuldig. Ik voelde me verschrikkelijk schuldig. Ik voel me nog steeds verschrikkelijk schuldig. Maar ik voel ook andere dingen.' Ze gaf Clare het glas sap en de pillen. Ze wachtte tot ze die ingenomen had, leunde toen achterover en luisterde naar Clares ademhaling. Tot die langzaam en oppervlakkig klonk.

'Als hij menselijk is, zal hij zich schuldig voelen.' Haar woorden waren zacht, haar stem vriendelijk. 'Maar hij zal eroverheen komen, net als ik.'

Ze stond op en zette de tv uit. Ze liep weer naar het bed. Ze boog zich over Clare en keek aandachtig naar haar gezicht. Ze zag hoe de gesloten oogleden trilden. Toen streek ze het dunne haar achterover en stapte via de deur de tuin in.

Buiten was het nog steeds warm. Het was eerder die dag heel warm geweest. Het soort warmte dat een tuin tot leven brengt, dacht ze. En ze dacht eraan hoe ze die middag had doorgebracht.

'Het is net alsof je alle planten gewoon ziet groeien, de energie die door ze stroomt,' had ze tegen Ursula Beckett gezegd toen ze samen door het tuincentrum wandelden. Ze bleven bij een bed vol irissen staan. Hun bloemen waren strak opgerold als kleine nette paraplu's, maar toen ze ernaast gingen staan, zag ze dat een van de bloembladen, wit met een lichtblauw waas, begon uit te komen.

Vandaag waren ze met hun tweeën.

'Heb je zin om mee te gaan?' had Ursula haar gevraagd toen ze die dag afscheid namen op het strand. 'Als je geïnteresseerd bent, tenminste. Er is een tuin die ik aan het ontwerpen ben, even voorbij Bray. Ik moet mijn voorraad ervoor uitzoeken. Er is een geweldige kwekerij waar ik altijd heen ga. Die is al jaren in dezelfde familie. Ik denk wel dat je het er leuk zult vinden.'

Ze namen een afslag van de snelweg die naar een met bomen omgeven slingerweg leidde die naar een oude bakstenen boerderij liep. Ursula had haar verteld hoe vriendelijk die mensen voor haar waren geweest toen ze met haar bedrijfje begon. Ze hadden haar geholpen en aangemoedigd, hun kennis met haar gedeeld, en ze hadden haar voorgesteld aan haar man.

'Mijn lieve Daniël,' zei ze. 'Je moet eens kennis met hem maken. Het is zo'n schat. Ik weet zeker dat je hem zult mogen. Hij lijkt in het begin een beetje nors, maar dat komt door zijn baan. Hij leidt een bewakingsfirma. Hij staat onder grote druk; er is altijd veel geld mee gemoeid. Maar als je hem leert kennen, onder al dat machogedoe, is het een schatje.'

Ze was mooi, de vrouw met wie Daniël was getrouwd. Hij had een goede keus gemaakt. Rachel observeerde haar terwijl ze voor haar liep door de rijen planten. Ze was elegant en zelfverzekerd, zeker van haar plaats in de wereld. Rachel vergeleek hen met elkaar en voelde zich onhandig en lomp.

'Hoe,' zei ze terwijl ze op een eikenhouten bankje gingen zitten naast een prieel met klimrozen, 'hoe hebben jullie elkaar ontmoet?'

Ursula legde het uit. Een aantal jaren geleden was er hier een enorme golf van inbraken. Het was zo ver van de stad vandaan dat de wegen 's winters onbegaanbaar waren door de sneeuw, maar ook weer zo dichtbij dat de gloed van al die lichten net voorbij de horizon zichtbaar was aan de nachtelijke hemel. In de vroege uurtjes waren er mannen in een bestelbus gekomen. Ze hadden geweren en ijzeren staven bij zich. Ze droegen zwarte bivakmutsen. Ze wisten wat ze wilden. Geld, sieraden, zilver, schilderijen, meubelen. Het gebeurde meer dan één keer. Na de derde keer, toen de familie in de kelder werd opgesloten en bedreigd, werden ze verstandig. Ze haalden er een bewakingsfirma bij.

'Tot ons grote geluk was ik er net die dag dat Daniël met hen kwam praten. We raakten aan de praat en nou ja, hoe gaan die dingen, van het een kwam het ander, hij vroeg mijn telefoonnummer en toen belde hij me en we gingen uit. En op de een of andere manier waren we ineens getrouwd. Het was heel onverwacht. Ik was plan terug te gaan naar Amerika, waar mijn familie woont.'

'Waarom was je eigenlijk naar Ierland gekomen?' Rachel hield haar gezicht van Ursula's blik afgewend.

'O, het gebruikelijke Iers-Amerikaanse gedoe. Ik was gek op de muziek en de cultuur, en ik ben hiernaartoe gekomen om mijn voorouders op te sporen. Ik had hier familie wonen. Zij hadden een grote boerderij hier verderop. Die is nu verkocht en op het land zijn huizen gebouwd. Maar in die tijd was mijn tante een fanatiek tuinierster. Zij heeft de belangstelling in me gewekt, me op weg geholpen. Ik had nooit gedacht dat ik hier voor altijd zou blijven. Ik stond altijd op het punt om naar huis te gaan. Ik had zelfs een vriend die op me wachtte. Maar zo zie je maar. Zo is het leven. Hier zit ik dan. Getrouwd en met kinderen.'

'Hoelang is dat geleden?'

'O, eens kijken. Laura is vier. Jonathan is zeven. Dus ik denk dat het een jaar of acht geleden moet zijn geweest. Ja, dat klopt. Niet volgende week, maar de week erop vieren we onze trouwdag. We geven een feestje. Dan moet je ook komen.'

Acht jaar geleden, toen ze vier jaar in de gevangenis zat. De ergste vier jaar van haar leven. Ze dacht eraan terwijl ze op het houten bankje zat, met haar vingers over het gladde hout wreef, de zon op haar gezicht voelde en naar de roep van een houtduif in de takken van een es vlakbij luisterde. Verder weg loeide een koe, een langgerekte kreet. Een waarschuwend geluid. En het lawaai van de gevangenis weerklonk in haar oren. De kreten, de dreigementen, het gegil. Het gekletter van metaal op metaal. En de diepe eenzaamheid die ermee gepaard ging.

'Nou, je zult je familie wel missen. Waar ergens wonen ze?'

'In Boston. Het zijn Iers-Amerikanen. Ze komen vrij vaak op bezoek. En ik ga ze ieder jaar opzoeken. Dan neem ik de kinderen mee. Daniël wil nooit mee. Hij houdt niet van vliegen. Hij zegt altijd dat als hij de Atlantische Oceaan over kon varen, hij er geen moeite mee zou hebben. Hij houdt van schepen, God weet waarom.'

'Jij niet?'

Ze glimlachte en trok een gezicht. 'Ik vind ze verschrikkelijk. Ik word heel snel zeeziek. Daniël heeft een jachtje. Ik weet zeker dat hij er verliefd op is. "Ze", zoals hij het per se wil noemen, "ze" ligt afgemeerd, of hoe je het ook noemt, in de haven van Dun Laoghaire. Dat is het enige waar we ruzie over maken. Hij wil in het weekend gaan zeilen en ik wil in mijn tuin blijven.'

'En Daniëls familie? O, sorry,' ze zweeg even, 'nu is het mijn beurt om me te verontschuldigen voor mijn nieuwsgierigheid.'

'O nee, helemaal niet. Dat geeft niets.' Ursula klopte haar op haar knie, een warm en grootmoedig gebaar. Intiem. Vertrouwelijk. 'Daniël heeft iets nogal tragisch meegemaakt in zijn leven. Hij had een broer, een jongere broer. Hij is jaren geleden vermoord. Zijn vrouw heeft hem vermoord. Het was verschrikkelijk. En wat het ergste was, is dat ze geprobeerd heeft Daniël erbij te betrekken. Ze zei dat ze een verhouding hadden en dat haar man erachter gekomen was, en dat ze verschrikkelijk ruzie kregen en dat Daniël hem had neergeschoten. Natuurlijk was het onzin en niemand geloofde haar. Maar het was verschrikkelijk voor de familie indertijd. Daniëls moeder is er nooit meer overheen gekomen. Ze is niet lang daarna overleden, aan alcohol. En zijn vader gaat er ook erg onder gebukt.'

Zijn vrouw heeft hem vermoord. Wat vreemd om het zo te horen zeggen, zo bot, zo vanzelfsprekend. Zijn vrouw heeft hem vermoord. Ze wilde de woorden hardop zeggen, proberen hoe ze klonken.

'Je bent zo stil.' Ursula boog zich naar haar toe en keek haar aan. 'Heb ik je laten schrikken?'

'Nee.' Ze glimlachte. 'Natuurlijk niet. Ik zat me gewoon af te vragen wat er met de vrouw is gebeurd. Heeft ze gevangenisstraf gekregen?'

'Nou en of. Ze heeft levenslang gekregen. Volgens Daniël laten ze haar nooit vrij. Ze is door en door slecht. Weet je, ik ben Amerikaanse, en wij kijken anders tegen rechtspraak aan. Ik denk dat zo iemand, die een moord pleegt en dan iemand anders de schuld probeert te geven, de doodstraf verdient.' Ze zweeg even en keek naar Rachel. 'Nu schrik je wel, hè? Het is geen populair standpunt, dat weet ik. Vrienden zeggen altijd dat ik mijn mond moet houden als ik het erover krijg, maar ik ben bang dat ik er gewoon zo over denk.'

Rachel gaf geen antwoord. Ze had vaak over de dood nagedacht. Ze had meer dan eens dood willen zijn. Ze draaide haar pols zodat het litteken wit glansde in het zonlicht. Ze ging er zachtjes met haar vinger overheen. Zelfs na al die tijd voelde de huid nog steeds anders aan. Ze had op een dag geprobeerd haar polsslagader door te snijden met een scherp stuk plastic dat ze van een balpen had afgebroken. Het bloed was over haar kleren, haar beddengoed gestroomd. Ze had zich misselijk en licht in haar hoofd gevoeld. Ze had haar arm van haar lichaam af-gehouden en gekeken hoe het bloed op de grond drupte tot de gevangenbewaarsters haar vonden. En toen was het voorbij.

'Kom mee.' Ursula stond op. 'Er is werk aan de winkel. En jij gaat me helpen. Jij weet wel iets van planten, hè? Dat voel ik zomaar. Ik heb een gevoel dat je een heel goede tuinierster bent, dat jouw tuin thuis iets bijzonders is, klopt dat?'

Wat kon ze zeggen? Hoe kon ze antwoorden? Dat hij iets bijzonders was, dat hij iets bijzonders was geweest. Dat hij bij-zonder en dierbaar was geweest. Ze glimlachte naar haar en stond op.

'Ooit,' zei ze, 'ooit heb ik een mooie tuin gehad. Maar toen verhuisden we en ik heb nooit meer zo'n mooie tuin gekregen. Maar nu misschien wel.'

Ze ging in de deuropening staan en luisterde naar Clare Bowens ademhaling, en hoorde toen de telefoon in de hal over-gaan. Het was Andrew. Hij was dronken.

'Je kunt gaan,' zei hij. 'Ik ben over tien minuten thuis.'

'Ik wacht wel; dat vind ik niet erg.'

'Nee.' Hij sprak luid en nadrukkelijk. 'Nee, ik wil niet dat je blijft. Ik wil dat je weggaat. Heb je me begrepen? Ben ik duide-lijk?'

Ze luisterde weer naar het zachte geluid van Clares ademha-ling. Toen liep ze de kamer en het huis uit. Van de stille weg waar de Bowens woonden was het niet ver naar de kustweg. Ze liep snel en begon hard te lopen. Ze nam lange, vloeiende stap-pen. Ze liep iedere dag hard langs de West Pier. Haar adem stroomde regelmatig in en uit haar neus. Ze schroefde het tem-po op; de dikke zolen van haar sportschoenen beschermden haar enkels en knieën als kussentjes tegen de schokken op het harde beton van het trottoir. Om haar heen was het donker en stil. Er was bijna geen verkeer. Ze rende voort en rook de zee voor ze hem zag. Het was laag water. Ze proefde het zout op haar lippen en voelde de dikke zwarte modder net onder het zand, zoals hij door haar tenen zou sijpelen. Al snel zag ze de silhouetten van de bomen naast het treinstation. Ze rende de heuvel af naar het parkeerterrein en baande zich een weg door de struiken. Het was hier heel stil. Voor zich uit zag ze iets wits wapperen, de gescheurde overblijfselen van het lint waarmee de politie de plaats van de misdaad had afgezet. Ze bukte en dook eronderdoor. Ze zag de donkere vorm waar de politie het struikgewas had weggehaald van de plek waar Judith had gelegen. Ze ging op de grond zitten en ging toen plat op haar rug liggen om naar de sterren te kijken. Er was vanavond geen maan, maar de sterren stonden helder aan de hemel. Ze rolde op haar buik en wreef met haar gezicht over de aarde.

Ze dacht aan het aanbod dat Ursula Beckett haar had gedaan. Om een paar dagen te komen logeren terwijl haar man weg was.

'Hij gaat met een paar vrienden van de zeilclub zeilen. Ik ben niet graag alleen met de kinderen. Aan de au-pair heb ik niets. Zij is ook nog een kind. Ik zal haar het weekend vrijgeven. Kom bij me logeren, dat is leuk. Ik zou het heel leuk vinden.'

'Wat moet ik doen, Judith?' fluisterde ze. 'Moet ik het doen? Is het het waard? Zal het helpen?'

Ze ging op haar rechterzij liggen en drukte haar oor tegen de aarde. Toen ging ze weer op haar rug liggen en keek weer naar de sterren. Ze glimlachte en sprak weer. 'Vaarwel, Judith, en bedankt. Voor je liefde en warmte. Voor je gulheid. Voor het feit dat je me hebt helpen kiezen hoe ik mijn leven in de toekomst zou leiden. Rust nu maar, rust in vrede.'

De tranen liepen over haar wangen. Ze trok haar benen op en sloeg haar armen eromheen. Haar lichaam schokte door haar heftige snikken terwijl ze zichzelf wiegde en naar het gemurmel van de zee luisterde die weer langzaam over de richels zand stroomde. Ze had plannen gemaakt voor als ze uit de gevangenis kwam. Ze had alles uitgedacht. Iedere stap, iedere beweging. En nu liep het. Ze was op weg. Binnenkort zou ze hebben wat ze wilde. Binnenkort zou ze het hebben. Ze wiegde zichzelf nog een beetje. Ze deed haar ogen dicht. Ze viel in slaap.

19

Het was maar anderhalf uur met de trein vanuit het centrum van Londen, maar het was een landschap zoals Jack nog nooit gezien had. Enorme vierkante akkers, minstens tweeënhalve hectare, bedekt met een dicht woud van draden die bij iedere hoek ondersteund werden door hoge houten palen en waar rijen en rijen lange groene klimplanten overheen hingen. Kleine stenen huisjes met pannendaken die de kleur van gedroogd bloed hadden stonden netjes langs de spoorlijn, hun tuintjes boordevol zomerbloemen. En zo nu en dan werd de zee van groen onderbroken door droogovens, realiseerde hij zich ineens, waarvan de cilindervormige snuiten omhoog wezen. Dus dit waren hopvelden, die vreemde, onnatuurlijke terreinen die eruitzagen als reusachtige wijngaarden. Of waren het hoptuinen, zo werden ze toch genoemd, meende hij zich vaag te herinneren, denkend aan vrolijke cockney's die in de zomervakantie hop gingen plukken of zoiets. Hij leunde achterover en hield een kartonnen bekertje lauwe koffie in zijn hand terwijl hij akker na akker aan zich voorbij zag trekken.

Hij was die ochtend al vroeg op pad gegaan. De vlucht om zes uur van Dublin naar Heathrow, de trein naar Paddington, de ondergrondse naar London Bridge, en toen weer een trein door al die forensenstadjes met typisch Engelse namen als Chislehurst, Petts Wood, Orpington en ten slotte naar Tunbridge Wells in Kent. Hij was er niet van overtuigd dat het de moeite waard was. Maar hij was geïntrigeerd door het telefoontje dat hij gisterochtend had ontvangen. Het was van Elizabeth Hill.

'Ik bel u,' had ze gezegd, 'omdat ik net in de *Irish Times* van vandaag gelezen heb over de arrestatie en het verhoor van een man die ik, uit de beschrijving in de krant, herken als mijn ex-man. En ik ben werkelijk met stomheid geslagen dat u zou denken dat hij ook maar iets te maken zou hebben met de dood van mijn dochter. Het is ondenkbaar dat hij haar iets aangedaan zou hebben. Ik begrijp niet waar u mee bezig bent.'

Hij had uitgelegd dat ze bewijzen genoeg hadden om hem te arresteren. En ze verwachtten dat ze een voldoende sterke zaak tegen hem hadden om hem veroordeeld te krijgen. Hij is, vertelde Jack haar, sterk verdacht.

Het was even stil.

'U heeft het mis, meneer Donnelly, u heeft het helemaal mis. Ik weet niet waar u mee bezig bent, wat voor logica u hanteert; het kan me niet eens schelen wat voor bewijzen u denkt tegen hem te hebben, maar u slaat de plank volkomen mis.'

Hij schrok. Zijn maag kromp ineen en hij kreeg een droge mond. Ze had het mis, natuurlijk had ze het mis, maar waarom zou ze zo haar best doen om de man te verdedigen die haar overduidelijk haatte? Dit was de vraag waarover hij zat te piekeren terwijl hij door een taxi van het station in Tunbridge Wells, over smalle weggetjes waar de hopvelden boven hen uittorenden, naar het bos werd gebracht waar Elizabeth Hill nu woonde. Het was, vond hij, net iets uit een sprookjesboek van zijn dochters. Een en al donkerte en mysterie, de zon verduisterd door de bomen die zich aan weerszijden van de weg opdrongen. Jack stelde zich voor hoe het er 's nachts uitzag. Pikdonker en stil, op de roep van een enkele uil na. En hij glimlachte bij de gedachte. De kinderen zouden het prachtig vinden.

De taxi minderde vaart en stopte bij een groot houten hek.

'Ik zet u hier maar af. Het is niet zo ver meer, even voorbij die bocht in de weg.' De chauffeur maakte een hoofdgebaar in die richting. Jack zocht in zijn zak en haalde er een handvol pondmunten uit. Hij telde ze uit en legde ze in de handpalm van de man.

'Bent u een vriend van haar uit Ierland?' De chauffeur draaide zijn dikke nek om hem beter te kunnen bekijken.

'Ja, inderdaad. Kent u haar?'

Hij haalde zijn schouders op, haalde zijn kwitantieboekje te voorschijn en begon het in te vullen. 'Niet echt, maar iedereen hier in de buurt weet wie ze is. Ze is de officiële kunstenaar voor het natuurreservaat. Ze doet allerlei dingen. Kalenders, kaarten, posters. Vogels en dieren, allemaal heel mooi. Maar niet mijn smaak. Ik heb liever een ander soort vogels, als u begrijpt wat ik bedoel.'

Godallemachtig, dacht Jack, die stomme taxichauffeurs ook.

'Dus ze woont hier in haar eentje? Dat is behoorlijk eenzaam.'

'In haar eentje? U kent haar blijkbaar niet zo goed. Ze heeft altijd wel een logé of zo.' En de man gniffelde, zodat zijn bolle wangen trilden. 'Ze is me er eentje, hoor. Maar ja, u weet hoe die kunstenaars zijn, hè?'

Jack wachtte tot de auto weg was voor hij begon te lopen. Zijn voeten maakten geen geluid terwijl ze door de gevallen dennennaalden schuifelden. Het rook fris en scherp naar hars. Hij voelde zich ineens een heel eind van huis. Hij dacht aan de rit van het station. Hoe keurig en netjes de heggen waren. Geen gescheurde plastic zakken die aan de takken van de hazelaar en wilde roos hingen. Alle verkeersborden waren pas geverfd, volkomen leesbaar. En er was geen afval, geen autowrakken of gedumpte zwarte vuilniszakken waar het afval van iemand anders uitdroop. De dorpen waar ze langs waren gereden hadden een meent en hij had zelfs een vijver met eenden gezien, en een cricketveld, met een typisch houten paviljoentje. Het was heel erg Engels, heel erg thee en dunne boterhammetjes met komkommer. Heel erg anders.

Het huisje van Elizabeth Hill was ook heel erg anders. Het was van steen, van verschillende kleuren steen: zachtrood, roze, zachtgeel, en het was half betimmerd. Het had een puntdak, met hoge, bewerkte schoorstenen. De ramen waren klein, de ruiten ruitvormig, blinkend in het zonlicht, en de bovenste helft van de deur stond open, vastgemaakt aan een haakje aan de muur. Hij ging ervoor staan en keek naar binnen. De deur kwam rechtstreeks uit in haar woonkamer, zo vermoedde hij. Het was er donker, schemerig, afgezien van een felle spot die aan het plafond hing en neerscheen op een tekenbord, een papier en het blonde hoofd van een vrouw die over haar werk gebogen was. Hij bleef buiten staan en keek. Ze keek niet op. Hij wachtte, met zijn hand op de grendel.

'Kom binnen,' zei ze. 'U bent laat. Ik verwachtte u al een uur geleden.'

Hij bleef midden in de kamer staan en keek om zich heen, naar de muurschilderingen die iedere vierkante centimeter muur bedekten. Bomen groeiden vanaf de lambrisering naar boven en hun kronen strekten zich uit over het plafond. Vogels vlogen van tak naar tak en vanachter de massa bladeren gluurden kleine gezichtjes. Kinderen met grote ogen en blond haar, met uitgestoken handen. Zelfs de vloerplanken waren versierd: dicht groen gras, aangebracht met gedetailleerde penseelstreken, zodat hij de zachtheid bijna onder zijn voeten voelde toen hij naar haar toe liep.

Ze zat op een kruk bij het tekenbord. Ze droeg een slobberige witte katoenen broek en een ruimvallend geel hemd. De mouwen waren opgerold, zodat haar lange slanke armen, die bedekt waren met sproeten, zichtbaar waren. Terwijl ze bewoog, gleden zilveren armbanden op en neer van haar pols tot aan haar elleboog, een constant getinkel dat klonk als filmmuziek die al haar gebaren begeleidde. Ze droeg geen schoenen aan haar kleine voeten. Zij waren ook bruin en zaten vol sproeten, met hoge wreven en lange rechte tenen. Hij herinnerde het zich. Hij had die voeten eerder gezien. Ze zag eruit als een kind, die vrouw met haar rafelige blonde pagekapsel en haar lenige, stevige lichaam, maar in het felle licht van de spot zag hij de wirwar van rimpeltjes om haar ogen, haar mond en over haar voorhoofd.

Ze bood hem limonade en zelfgemaakte koekjes met donkere honing aan.

'Lekker,' zei hij, terwijl hij achterover in de kussens van de lage bank zonk.

'Het komt van hier,' antwoordde ze. 'Mijn buren op de volgende boerderij houden bijen.'

Het was stil terwijl hij knabbelde. Hij likte zijn vingers af en zei: 'U woont hier, hoe lang al?'

'Ik ben zo'n veertien jaar geleden uit Dublin weggegaan. Ik had geluk. Ik kreeg al snel deze baan. Ik vind het hier fijn. Het is bijna mijn thuis.'

'Bijna?'

'Bijna. Zoveel een thuis als een plek maar kan zijn die niet je geboorteplaats is.'

'Dus dat vindt u, hè? Dat het niet mogelijk is het ene thuis door een ander te vervangen?'

'Dat is het dilemma van de emigrant, hè? Het verlangen naar iets dat voortdurend verandert. Nooit helemaal gelukkig kunnen zijn met wat je hebt.'

'Gaat u dan vaak terug naar Dublin?'

'Houdt u niet van de domme, inspecteur Donnelly. U weet vast wel dat ik dat niet doe. U weet waarschijnlijk ook wel dat toen ik terugging voor de herdenkingsdienst van Judith, het de eerste keer was sinds ik er wegging.'

'Dus u kwam niet terug toen ze in de problemen zat? Toen ze de gevangenis in moest.'

'Dat weet u. U weet dat ik dat niet heb gedaan. Eerlijk gezegd wist ik het niet eens. Judith had ervoor gekozen het me niet te vertellen. En mijn man houdt me niet op de hoogte van het wel en wee van mijn kinderen. Niet sinds al die toestanden, al die jaren geleden. Hij heeft het me nooit vergeven, vrees ik, dat ik hem toen bedrogen heb. Vreemdgaan was al erg genoeg, maar vreemdgaan met een vrouw ging helemaal de perken te buiten.'

'Wacht even.' Hij ging rechtop zitten en keek haar aan. 'Vreemdgaan met wie?'

Ze moest hardop lachen om de verbazing op zijn gezicht.

'U bent geschokt,' zei ze. 'U die alles heeft gezien. Heeft niemand het u verteld? Ik had toch gedacht dat ze niet konden wachten om u de omvang van mijn schande uit de doeken te doen.'

En toen hij erover nadacht, was het zijn beurt om te lachen. Iedereen had alleen maar 'verhouding met een vriend van de familie' gezegd, en hij en de anderen hadden de voor de hand liggende conclusie getrokken.

'Weet u, ik ben niet alleen een overspelige vrouw, maar ook nog eens een lesbienne. Dubbel schokkend. En mijn man moest de wetenschap zien te verwerken dat hij was bedrogen met een vrouw, en, nog erger, met een vrouw die hij kende en aardig vond. Die lieve Jenny Bradley. Ze was getrouwd. Zij en haar man waren buren van ons. We zijn samen weggelopen. We hebben allebei ons gezin, onze man en kinderen, in de steek gelaten. Maar zij is teruggegaan. Ze kon er niet tegen. Ze realiseerde zich dat ze van hen allemaal meer hield dan van mij. Maar zo was het niet wat mij betrof. En Mark heeft me nooit de schande, de openbare vernedering, de schaamte vergeven. Daarom was ons gevecht om de voogdij zo bitter en langdurig. Daarom deed ik iets wat ik nu schandalig vind en nam de kinderen mee naar hier.'

'Schandalig? O ja? Het was, denk ik, een beetje dom. U had

kunnen weten dat de Britse politie hen zou vinden en terug-brengen.'

Ze knikte. 'Ik denk het wel. Ik weet niet precies meer wat ik toen dacht of wist. Maar ik weet wel dat ik ze na die verschrikke-lijk dag toen ze, hoe zal ik het zeggen, "verwijderd werden uit mijn voogdij", dat ik ze moest loslaten. Dat er geen toe-komst in zat. En ondanks alles wist ik dat Mark een goede va-der was. Een betere vader dan ik een moeder. Hij hield oprecht van ze. En hun thuis was bij hem. Dus nam ik het besluit om bij hen uit de buurt te blijven. Ik wist dat als ik probeerde een om-gangsregeling te krijgen, er allerlei voorwaarden en regels aan verbonden zouden zijn en dat soort gelul kon ik niet verdragen. Dus beredeneerde ik het en kwam tot de conclusie dat ze, als ze ouder waren, zelf konden kiezen. Of ze me wel of niet wilden zien.'

'Maar was u niet bang dat de mening van uw man over u, zijn standpunt over het gebeurde, zijn invloed de overhand zouden krijgen? Hij zou er toch zeker wel voor zorgen dat ze u niet meer wilden?'

'Dat was een risico dat ik bereid was te nemen. Maar ik ken hem. Ik ken hem heel goed. Ik ken hem al sinds ik klein was. Wij maakten deel uit van hetzelfde wereldje. Allebei uit Church of Ireland-gezinnen. We woonden in hetzelfde deel van Dublin. Onze families waren bevriend. We waren bijna broer en zus. Ik had nooit met hem moeten trouwen. Ik wist vanaf het begin dat het een vergissing was. En dit weet ik ook.' Ze stond op en nam een sigaret uit een bewerkte houten doos die op de schoor-steenmantel stond. Ze stak hem aan, ging weer op haar kruk zitten zodat het licht op haar gezicht scheen. 'Ik weet dat hij nooit, maar dan ook nooit zoiets met Judith zou doen. U ver-gist zich zo in hem.'

'Maar wie dan wel? Vertel me dat dan, want we hebben vol-doende bewijs, weet u.' En toen vertelde hij haar over het ate-lier, het bloed, het gereedschap, de foto's, en zag hoe de kleur uit haar gezicht wegtrok. Ze stond op en liep naar de hoge kast in de hoek. Ze deed hem open en haalde er een fles en twee glaasjes uit. Ze schonk ze vol. Ze nam een slok. Hij aarzelde.

'Toe maar,' zei ze. 'Het is goed spul.'

Hij nam voorzichtig een slokje. Het was gemaakt van ap-pels, dat rook hij door de alcoholgeur heen. Ze schonk zichzelf nog een glaasje in. Hij schudde zijn hoofd.

'Dit komt ook van hier,' zei ze. 'Een andere buurman die appels kweekt voor cider maakt het. Je zou het zelfgestookte calvados kunnen noemen. Het is heel goed voor noodgevallen.'

Ze wendde zich af met gebogen hoofd. Het was stil in de kamer. Ergens buiten hoorde hij een tractormotor starten. Vol gas en vervolgens een zacht gebrom. Hij wachtte. Hij keek weer om zich heen. Er stond een bureau tegen de muur tegenover hem. Er stond een computer op. Lelijk en plastic. In tegenstelling tot al het andere in de kamer. Erboven hing een rij foto's, ingelijst. Hij stond op, met zijn glas in zijn hand, en liep erheen om ze te bekijken. Hij herkende ze. Judith en Stephen als kinderen. Dezelfde foto's die aan de muur in haar atelier in Rathmines hingen. En ook andere foto's. Een vrouw met donker haar en een dikke pony. Ze kwam hem bekend voor. Hij keek neer op het bureau. Er zat een stapel pagina's in een plastic insteekhoes. En daarnaast een kleine reproductie, een schilderij dat hij onmiddellijk herkende.

'Die Caravaggio hier. Het lijkt wel een soort obsessie bij jullie allemaal. Dit is al de derde keer dat ik hem tegenkom sinds Judiths overlijden.'

Ze keek op en ging met haar hand langs haar ogen.

'Grotesk, hè? Ik moet hem weggooien. Ik had veel bewondering voor de manier waarop het geschilderd was. Die vreemde mengeling van expliciet realisme met een soort verhoogde dromerige sfeer. Maar het is het soort schilderij waar je alleen van kunt genieten als je nooit met geweld te maken hebt gehad. Maar voor mij is het nu pornografie. Het verheerlijkt en zwelgt in moord. Het vereert het.' Ze liep naar het bureau. Ze pakte de plastic map. 'Judiths essay. Ze stuurde het me toe zodat ik het kon lezen. Ik was onder de indruk. Het is een uitstekend stuk werk. Maar ik kan niet meer naar dat schilderij kijken. Ik word er misselijk van.' Ze pakte het en scheurde het in stukken. Vervolgens gooide ze het in de open haard. Ze schonk nog een glaasje in en dronk er in één slok de helft van. Ze ging naast hem staan terwijl ze naar de foto's keek. 'Dat is ze,' zei ze terwijl ze naar het gezicht van de jonge, donkere vrouw keek. 'Dat is mijn Jenny. Ze was toen zo mooi.'

'En nu?'

Ze glimlachte. 'Nu is ze een vrouw van middelbare leeftijd met een goedgeknipt kapsel en een slecht figuur. Ik zag haar toen ik in Ierland was. Ze was naar de herdenkingsdienst gekomen. Ze keurde me nauwelijks een blik waardig. En daarna, na de herdenkingsdienst, nodigde ze iedereen uit naar haar huis. Maar het was heel duidelijk dat ik niet bij "iedereen" hoorde.'

Natuurlijk, nu kon hij haar thuisbrengen. De buurvrouw die het weekend dat Judith werd vermoord jarig was. De buurvrouw aan wie Judith de bloemen gegeven had.

'Is er nog iets anders dat u wilt weten, meneer Donnelly? Zo niet, dan vrees ik dat ik verder moet met mijn werk. Ik loop achter.' Ze zette de computer aan en trok een rechte stoel naar het bureau.

'Dat verbaast me,' zei hij terwijl hij zijn aktetas pakte en naar het scherm wees. 'U leek me een potlood-en-papiertype.'

'Wat moet, dat moet,' antwoordde ze terwijl haar rechterhand druk bezig was met de muis. 'Ik gebruik hem nu voortdurend. Het grafisch programma is snel en simpel. En ondanks mezelf ben ik een fan van internet geworden. Ik kan iedere dag de Ierse kranten lezen en op de hoogte blijven van wat er thuis gebeurt. Dus, meneer Donnelly, ik hou u in de gaten, wees maar niet bang.'

Ze liep met hem naar het hek en wachtte tot de taxi kwam. Hij dacht eraan hoe ze eruitzag toen hij die ochtend aankwam, bijna als een kind in haar eenvoudige kleren en op haar blote voeten. Nu zag ze eruit als een oude vrouw. Haar huid grauw en uitgezakt. Haar ogen dof. Haar bewegingen sloom en onhandig.

'Denk alstublieft aan wat ik u over Mark heb verteld.' Ze legde haar hand op zijn arm. 'Ik smeek u om het serieus te nemen. Ik geloof niet dat hij Judith heeft vermoord. Ga alstublieft niet verder met dit onderzoek. Er kan niets goeds uit voortkomen. Hij heeft in de loop der jaren al genoeg geleden. Maak het alstublieft niet nog erger.'

Hij was uitgeput tegen de tijd dat hij op het vliegveld aankwam. Hij wilde alleen maar terug naar Dublin, een rustig hoekje in een rustige pub zoeken en lekker een paar glazen bier drinken. Maar het vliegtuig had vertraging. Eerst een halfuur en toen nog eens veertig minuten. Hij zat aan de bar en had een glas bier voor zich. Om zich heen hoorde hij overal Ierse stemmen. Troostende, vertrouwde geluiden. Je bent een ongelooflijk watje, zei hij bij zichzelf. Een dag weg van huis en je stort in. Totaal geen avontuurlijk type. En toen hoorde hij zijn naam roepen. Hij draaide zich om en herkende de kleine blonde vrouw achter zich.

Ze was twee dagen in Londen voor een conferentie over pleeggezinnen, zei ze. Het was heel saai, niets nieuws.

Ze hadden elkaar al een paar keer eerder ontmoet, dacht hij. Altijd met Andy Bowen. Hij meende zich zelfs te herinneren dat hij op een bepaald moment had gedacht dat ze iets met elkaar hadden. Maar Andy had nee gezegd en had bij de gedachte moeten lachen. Alison niet, hoor, had hij gezegd. Ze is veel te eerlijk en principieel om met een getrouwde man te scharrelen. En had er zuur aan toegevoegd: 'Jammer genoeg.'

Hij wachtte op de onvermijdelijke vragen over de moord, over de arrestatie, over het onderzoek. Maar ze kwamen niet. In plaats daarvan praatte ze over haar tuin.

'Het is belachelijk,' zei ze. 'Ik ben drie dagen weg en het enige waar ik aan kan denken is de bladluis op de rozen en of de loganbessen al rijp genoeg zijn om te eten. En ik heb vorige week een paar zilverberkjes geplant, en ik hoop dat de buurjongen ze water zal geven, waar ik hem voor betaald heb.' Ze lachte en er verschenen kuiltjes in haar ronde gezicht. 'Sinds ik vorig jaar verhuisd ben naar dat huis in Sandymount ben ik een saaie tuinzeur geworden. Ik ben net iemand die pas een baby heeft gekregen. Ik heb maar één gespreksonderwerp.'

'Dat is wat ik nodig heb,' zei hij terwijl hij haar pinda's aanbood. 'Een hobby. Iets om me van het werk af te leiden.'

'Ja,' zei ze tussen het geknabbel door. 'Ja, ik werd ook helemaal geobsedeerd door mijn werk. Ik dacht er constant aan, praatte er ook voortdurend over. Alle kinderen die in pleeggezinnen zitten en die ik in de gaten houd, waren net mijn eigen kinderen. Ik stond altijd voor hen klaar. Ze belden me dag en nacht op. Zeuren, klagen. En dan de ouders. Jezus, die waren nog erger. En daar zat ik dan, er precies middenin.'

'En was Amy Beckett ook zo?'

'Aha, Andy heeft zijn mond voorbijgepraat, hoor ik.' Ze schudde nog een handvol pinda's uit de zak. 'Eerlijk gezegd heb ik nooit problemen met haar gehad. Ze heeft het ontzettend getroffen met haar pleeggezin. Het is een heel leuk stel en ze konden meteen met elkaar overweg. Wat heel fijn was, want ik zal je vertellen dat je maar beter geen slechte vrienden met het meisje kan worden. Het is een harde. Rechtlijnig. Gericht. Dat en nog veel meer.'

'Net als haar vader, lijkt me.'

'Ja.' Alison keek naar hem. 'Jij kende hem natuurlijk. Ik heb nooit het genoegen gehad.'

Jack pakte de zak van haar af, hield hem op zijn kop en maakte een quasi-verontwaardigd gebaar dat hij leeg was.

'Sorry.' Ze glimlachte. 'Kom op, dan nemen we nog een zak. Ik rammel.'

'En laten we onszelf een plezier doen,' zei hij terwijl hij naar de barkeeper gebaarde dat hij nog een rondje wilde. 'Laten we over niets praten dat ook maar in de verste verte met ons werk te maken heeft. Ik ben er doodziek van en het spijt me dat ik erover begonnen ben. We nemen nog een zak pinda's en gaan het weer over jouw tuin hebben.'

Ze hield hem aan de praat tot ze moesten instappen. Hij was verrast door haar. Ze kwam op de een of andere manier helemaal niet overeen met hoe Andy haar beschreven had. Hij keek naar haar blonde hoofd tijdens de vlucht en ging naast haar lopen terwijl ze door de aankomsthal op de luchthaven van Dublin liepen.

'Geen bagage,' zei ze terwijl ze naar de keurige kleine tas op wieltjes wees. En toen ze buiten in de schemering stapten, was het logisch dat hij haar een lift aanbood. En het was nog logischer dat ze hem binnen vroeg om iets te eten en misschien iets lekkers te drinken.

'Ik schaam me dood,' zei hij terwijl hij langzaam door haar grote, mooie woonkamer liep. 'Hoe ben je erin geslaagd het er allemaal zo perfect uit te laten zien?'

'Liefde,' zei ze. 'Ik werd twee jaar geleden verliefd op dit huis. Het was een troep, bijna onbewoonbaar. Ik doe er al zo lang over om het min of meer in orde te krijgen.'

De kamers op de begane grond waren in felle juweelachtige kleuren geschilderd. Mosgroen en diepblauw. De keuken was felgeel. Hij dacht aan zijn flat. Witte muren. Geen versiering. En aan het huis waarin hij al die jaren met Joan had gewoond. Ze had gezeurd en gesmeekt, gevloekt en gedreigd. En hij had nooit haar zin gedaan. Hij wilde er niets aan doen. Nu ging hij zitten en keek naar Alison terwijl ze een maaltijd klaarmaakte. Een tomatensaus voor de pasta maakte. Ze sneed rode pepers en brokkelde stukjes feta voor in de sla. Haar bewegingen waren efficiënt en precies.

'Hier.' Ze keek naar hem, met een fles en een kurkentrekker in haar handen. 'Mannenwerk.'

Hij rook aan de kurk. 'Mmm. Dat ruikt goed.'

Ze nam de fles aan en schonk in.

'Niet half zo goed als hij smaakt,' zei ze en hief haar glas. Hij keek naar haar hals terwijl ze slikte. Hij was lang en wit. Hij wilde ineens haar huid beetpakken met zijn tanden. Hij voelde hoe hij bloosde toen hij eraan dacht. Hij hief zijn eigen glas op en dronk. De wijn was vol en fruitig, met een lichtzure nasmaak. Ze keek naar hem.

'Lekker,' zei hij. 'Wat is het?'

'Guelbenzu. Een van die Spaanse wijngaarden die ineens heel goed zijn geworden.'

'O, je weet het een en ander van wijn.'

Ze glimlachte en schonk hun glazen nog eens vol. 'Alleen zodat ik de goede drink. Dat is alles. Zoals deze.'

'Je houdt van goede dingen, hè? Goed eten, goede wijn.'

Ze deed een stap naar hem toe. Ze legde haar hand op zijn schouder. Hij zag de vorm van haar borsten door haar witte blouse.

'Ja, inderdaad. Ik word graag bevredigd. Ik wil graag genieten.'

Hij legde zijn hand op haar schouder, ging met zijn vingers langs haar sleutelbeen en liet ze in het holletje van haar hals rusten. Ze slikte en hij voelde hoe zijn vingers mee op en neer gingen. Toen ze sprak, voelde hij de trillingen van haar strottenhoofd.

'Ik heb vaak aan je gedacht, Jack. Andy zei nooit veel. Hij is te discreet. Maar ik heb gehoord dat je nu gescheiden bent, klopt dat?'

'Dat klopt,' zei hij. Hij nam nog een slok wijn. Hij boog voorover en gaf een kus op haar wang. Ze bewoog haar gezicht zodat haar mond tegen de zijne kwam. Hij kuste haar nog eens en voelde haar lippen opengaan.

Ze maakte zich los en draaide het fornuis uit. 'We eten straks wel,' zei ze.

20

Had ze ooit eerder zo'n zonsondergang gezien? Ze kon het zich niet herinneren. Ze zat op het terras voor het huis en keek uit over de zee. Het donkerblauw van de horizon lag voor haar, twintig kilometer verderop, en daarboven het lichtblauw van de hemel met wolken vol onwaarschijnlijke tinten roze en oranje en goud. Ze zat en keek ernaar tot het uitzicht brak en vervormde door de tranen die in haar ogen sprongen. Zo was het dus al die jaren geweest terwijl zij afgesloten van de wereld was. Avond na avond had Daniël Beckett hier gezeten, op deze bank, aan deze tafel, en gekeken naar de schoonheid die nu voor haar lag. En ze had het niet geweten.

Ze hief haar drankje en rook eraan. De zoetheid van de gin, de bitterheid van de tonic en de scherpe zure smaak van het schijfje limoen. Ze liet het in haar glas ronddraaien, keek hoe de lange slierten bubbeltjes naar de oppervlakte stegen, hoorde het muzikale getinkel van het ijs, en toen nam ze een slok. Ze wende steeds meer aan alcohol. De eerste paar weken nadat ze uit de gevangenis was gekomen vond ze het effect beangstigend. Zoals haar lichaam niet langer bij haar leek te horen. Zoals ze met dikke tong begon te praten. De golf van emotie, blijdschap, welbevinden, opwinding die haar overspoelde, haar meevoerde als een golf die op het strand slaat en haar vervolgens als een hoopje ellende bij de vloedlijn neersmeet.

Maar nu was ze nuchterder in haar houding. Ze dronk en voelde de koude drank door haar keel glijden. Toen voelde ze een warmte in haar wangen opstijgen. Vandaag was bijna volmaakt geweest. En vanavond zou het nog beter worden.

Ze stond op en liep naar de deuren die naar de lange, vrolijke woonkamer leidden. Ze bleef staan en luisterde. Er klonk muziek. Frank Sinatra die zong. En uit de keuken ernaast een andere stem, die met hem meezong. Ze riep.

'Ursula, heb je hulp nodig? Kan ik iets doen?'

Ursula verscheen in de deuropening. Ze duwde wat haren uit haar gezicht en veegde haar handen aan haar gestreepte schort af.

'Nee.' Ze glimlachte. 'Je hebt genoeg gedaan. De kinderen naar bed brengen is meer dan genoeg dat een volwassene op één avond kan doen. Hier,' zei ze terwijl ze de fles gin omhoogstak, 'neem nog wat.'

Ze had met hen gespeeld, verstoppertje in de tuin. Ze hadden haar al hun bijzondere geheime plekjes laten zien. De schuur met het slot dat kapot was. De plastic tunnel waarin ze schuilden als het regende. De drie enorme compostvaten. Eén gevuld met donker, kruimelig mengsel, één vol met keuken- en tuinafval en de derde leeg, groot genoeg om in te kruipen, met een deksel dat je gemakkelijk open en weer dicht kon doen. Er was een plateau in de stevige takken van een eikenboom gebouwd, en een er hing een touwladder om erin te klimmen. Net genoeg ruimte voor een volwassene, een kleine volwassene. En een geweldig uitzicht naar binnen door de slaapkamerramen van het huis. En al die paadjes en tunnels door de dichtbegroeide varens, dorens en pijnbomen op de top van het klif.

'We mogen eigenlijk niet buiten het tuinhek spelen,' vertrouwde Jonathan haar toe. 'Ze zijn bang dat we op de spoorlijn komen of van de rotsen vallen. Ze denken dat we stom zijn.'

'Ja.' Laura knikte door haar kin zo hoog mogelijk op te tillen en hem vervolgens tegen de knopen van haar bloesje te drukken. 'Stom, ze denken dat we stom zijn. Maar dat zijn we niet, hè?'

'Nee.' Rachel gaf haar een kus. 'Jullie zijn geen van beiden stom. Jullie zijn slim. Nou. Laat me nog eens iets zien. Laat me eens echt ongelooflijke schuilplaatsen zien, waar niemand jullie ooit zou zoeken.'

Ze hadden haar mee rond het huis genomen, stiekem, op hun tenen, langs de glazen deur die in de keuken uitkwam, en de deur naar de garage opengeschoven.

'Kijk.' De jongen wees met zijn teen naar de planken die keurig naast elkaar in een lichte uitsparing in de vloer lagen. 'Dat is een goeie.'

'Maar we mogen er niet in. Papa zegt dat het gevaarlijk is.' Laura keek angstig.

'Wat is het?' Rachel boog voorover om het beter te kunnen zien.

'Het is om, eh, je weet wel.' Jonathan zette zijn handen op zijn heupen en nam een air van mannelijke belangrijkheid aan. 'Het is om, eh, dingen te maken. Als er iets onder de auto kapot is. Papa doet het weleens. Hij maakt graag dingen.'

Rachel bukte en duwde een van de planken een stukje opzij. Een smeerput natuurlijk. Daniël was altijd goed geweest met mechanische dingen. Goed in het uit elkaar halen van motoren, klokken, naaimachines en transistorradio's en het weer in elkaar zetten ervan.

Ze legde haar handen op de schouders van de kinderen en zei: 'Ik vind dat je je hier niet moet verstoppen. Ik denk dat papa in dit geval gelijk heeft. Het is er trouwens waarschijnlijk ook heel glibberig en ik denk dat het er stinkt.'

'En dat het er heel donker is.' Laura keek alsof ze op het punt stond in huilen uit te barsten.

'Maar donker is fijn,' zei Rachel terwijl ze vooroverboog en Laura recht in haar gezicht keek. 'Donker is niet eng; je bent veilig in het donker.'

Ze ging naast haar bed zitten en keek naar haar. Keek hoe haar kaken haar duim omklemden en haar wangetjes trilden terwijl ze zoog en zoog, en toen, naarmate ze dieper in slaap viel, ontspande, zodat haar duim uit haar mond viel, nat en glinsterend, met een sliert speeksel als het zilverachtige spoor van een slak over haar kinnetje. Rachel pakte een hoek van het laken en veegde het weg. Ze streelde het zachte donkere haar van het kind en gaf haar nog een kus op haar wang. Toen stond ze op en liep weg.

Ursula had besloten dat ze buiten zouden eten. Van de mooie avond profiteren. Ervan genieten zolang ze konden.

'Hier.' Ze reikte Rachel een kurkentrekker aan. 'Neem jij de honneurs waar.'

Het was zo'n houten, met een lange spiraal, en een boven- en ondergedeelte die tegen elkaar in hoorden te draaien en de kurk moeiteloos uit de fles hoorden te trekken. Rachel deed haar best. Ze voelde hoe Ursula naar haar keek. Ze werd zenuwachtig, ongeduldig. Het eten stond te wachten; de grote kommen vissoep stonden af te koelen.

'Het spijt me.' Rachel keek haar aan. 'Het lukt me niet. Ik ben nog nooit zo'n ding tegengekomen. Doe jij het maar. Ik zal de rest van het eten uit de keuken halen.'

Er waren broodjes, warm uit de oven voor bij de soep, en zelfgemaakte hamburgers. Ze had gezien hoe Ursula het gehakt met uien en peterselie met haar handen kneedde, en er de grote oranje dooier van een ei bij deed, en had zich misselijk gevoeld. Maar gebakken, zwart geschroeid aan de buitenkant, leken ze niet zo slecht. Ze had patat gebakken, Franse frietjes noemde ze die, dunne reepjes aardappel, knapperig en zout. En er was een salade van sla, tomaat en bieslook. En een schaaltje mayonaise en potjes mosterd en allerlei soorten zoetzuur.

Ze aten zwijgend. Het was lekker. Het was heerlijk. Ze keek naar Ursula. Ze was gulzig. Ze propte haar mond vol. Ze deed hem ver open, zodat Rachel de inhoud kon zien, hief vervolgens haar glas en goot er wijn bij. Rachel voelde haar maag omhoogkomen. Ze schoof haar bord van zich af.

'Dat was een echt feestmaal. Dank je.'

'Je bent toch nog niet klaar? Er is zelfgebakken appeltaart en ijs. En slagroom, als je er zin in hebt. Toe, Rachel, ik doe dit niet vaak. Ik zou nooit meer in mijn kleren passen als ik dit te vaak deed. Maar ik wilde ons vanavond trakteren. Jij ziet eruit alsof je wel een uitgebreide maaltijd kunt gebruiken. Hier, geef mij de kurkentrekker eens, dan maak ik nog een fles open.'

Rachel keek naar haar handen, zoals ze het metaal dat om de kurk zat lostrok. Het was scherp. Ze had haar vinger opengehaald. Er verscheen een dun streepje rood op het topje van haar vinger. Maar blijkbaar had ze het niet in de gaten. Ze stond op om in te schenken en wankelde, zodat er wijn op het tafellaken en op haar witte broek spatte.

'Shit.' Ze begon te lachen. 'Ik wist wel dat dat zou gebeuren. Ik ga even een doekje halen.' De telefoon binnen ging over. 'Wil jij hem opnemen, Rachel? Als het Dan is, zeg dan maar dat ik bezig ben. Zeg maar dat alles in orde is. Zeg maar dat ik van hem hou.'

Er waren overal telefoons. Dat was haar al eerder opgevallen. Iedere kamer scheen er minstens één te hebben. Ze liep langs de rode in de woonkamer. Ze ging de hal in. Ze deed de deur dicht. Ze nam de hoorn van de haak. Ze luisterde. Ze sprak. Ze legde de hoorn op de haak, nam hem weer op, luisterde en legde hem naast de telefoon. Ze liep weg terwijl ze het water in de keuken hoorde stromen.

'Wie was dat?' Ursula's stem klonk luid, te luid.

'Niets. Verkeerd verbonden.'

Het begon laat te worden. Het begon donker te worden.

'Haal jij het toetje, Rachel. Het staat allemaal in de koelkast. En er staat een fles Baileys op het dressoir. Laten we daar ook een glaasje van nemen. Ik vind het heerlijk.'

Ze schonk de likeur zorgvuldig in twee glaasjes. Ze keek over haar schouder naar het terras. Ursula had kaarsen en een buitenlamp aangestoken, die aan de haak aan de muur hing. Het licht flikkerde over haar haar terwijl ze achteroverleunde en haar ogen bijna dichtvielen. Dit zou een makkie worden, dacht Rachel. Ze stak haar hand in haar zak en haalde er een plastic pillendoosje uit. Ze deed het open. Ze haalde er twee rode capsules uit. Ze trok de plastic hulsjes voorzichtig los en goot het fijne witte poeder in een van de glazen. Ze keek weer over haar schouder. Ursula was opgestaan en naar de rand van het terras gelopen. Ze zwaaide zachtjes heen en weer. Rachel pakte een theelepeltje en roerde tot het poeder opgelost was. Ze boog haar gezicht over het glas en inhaleerde diep. Het enige wat ze kon ruiken was room en cacao en alcohol. Ze liep naar buiten en gaf Ursula een glaasje. Ze keek hoe ze eraan rook.

'O,' zei ze, 'dat ruikt lekker.'

Ze sliep voor ze het glas leeg had. Haar hoofd zakte voorover op de tafel. Rachel bekeek haar. Nu zag ze er niet meer zo perfect uit, met haar gevlekte broek, haar slappe gezicht, haar open mond, waar luid gesnurk uit klonk. Ze dacht aan de stem van Daniël, hoe hij door de telefoon had geklonken. Ze had hem niet meer gehoord sinds die dag in de rechtszaal. Toen hij haar verloochende en zich van haar afkeerde. Toen hij haar verried.

'Hoi, schat,' zei hij, en toen er geen reactie kwam, zei hij nog een keer: 'Ben jij dat, Ursula, hoe gaat het, lieverd?' En toen ze niet antwoordde, zei hij weer: 'Hoe gaat het, hoe gaat het met de kinderen, kun je een beetje met je zielige mevrouw overweg? Heb je het naar je zin?'

'Met wie spreek ik?' Ze sprak met een stem die niet bij haar hoorde. 'U bent verkeerd verbonden.' Voor ze ophing.

Hij zou het opnieuw geprobeerd hebben, maar hij zou een ingesprektoon hebben gekregen. En vervolgens zou hij het opgegeven hebben. Hij zou morgenochtend weer bellen. Maar morgenochtend zou zijn vrouw niets meer weten van de avond ervoor.

Rachel stond op. Ze liep om de tafel heen en hees Ursula overeind. 'Kom op,' zei ze. 'Tijd om naar bed te gaan.'

Ursula's ogen gingen met een ruk open, en zakten weer dicht terwijl haar lichaam in elkaar zakte. Rachel sleepte haar min of meer naar de woonkamer. Ze legde haar op de lange bank. Ze kleedde haar uit. Ze liep naar de kast in de hal en vond er een deken. Ze stopte haar in. Ze kwam overeind en keek op haar neer. Ze sliep als een roos. Als haar kinderen boven. En nu, dacht Rachel, is het huis van mij. Ze pakte haar glas. Ze ging voor de hoge spiegel staan die één wand bedekte. Ze hief haar glas in een heildronk. Ze nam een slok.

Het was ochtend toen ze wakker werd. Ze werd wakker van het gehuil van een baby dat doordringend, steeds luider en dwingender werd, en van een ruk aan het beddengoed en de stem van het meisje dat haar riep.

'Wordt eens wakker, perzikmevrouw, wordt alstublieft wakker. De baby heeft honger en hij is kletsnat en ik weet niet waar mama is.'

Ze lag op haar zij en het zonlicht maakte het felle geel van de gordijnen roomkleurig. Ze tilde haar hoofd op. Laura stond naast haar, met haar kleine broertje balancerend op haar knie. Zijn gezichtje was paars en een combinatie van tranen en snot liep over zijn bolle wangen. Hij snikte en snakte naar adem, wild van de honger. Hij rook naar ammonia. Ze sloeg de dekens van zich af en stond op.

'Hier.' Ze stak haar handen uit en nam hem over. 'Mama ligt beneden te slapen. Stoor haar maar niet. Laat me maar zien waar zijn luiers liggen.'

Het was allemaal zo simpel en natuurlijk. Zo vertrouwd. Ze legde hem op een handdoek op de badkamervloer en trok zijn doornatte pakje uit. Ze waste hem, poederde hem en deed zijn schone luier om. Ze vond een badstoffen pakje. Ze veegde zijn gezichtje af en gaf hem een kus.

'En nu,' zei ze tegen Laura en Jonathan, die erbij was komen staan, 'wie wil er ontbijt?'

De keuken beneden was brandschoon. Ze had afgewassen, opgeruimd, alles klaargezet voor de volgende morgen. Ze zette de baby in zijn kinderstoel en maakte zijn flesje warm. Ze deed cornflakes in kommen en stopte boterhammen in de broodrooster. Ze gaf de oudere kinderen een glas sinaasappelsap en zette een pot koffie. Al snel was het pais en vree. En toen hoorde ze een geluid uit de woonkamer komen.

'Wat is dat?' vroeg ze.

'Dat is mama,' antwoordde de jongen. 'Ze heeft vannacht op de bank geslapen. Ik geloof dat ze overgeeft.'

Ze liet de kinderen verder eten en liep naar binnen. Ursula zat overeind. Haar gezicht was spierwit. De geur van braaksel hing in de kamer. Rachel ging bij haar staan en keek naar haar. Ursula sloeg haar handen voor haar gezicht.

'Wat is er gebeurd?' vroeg ze.

'Weet je dat niet meer?'

Het was stil.

'Ik denk,' zei Rachel langzaam, 'dat je iets te veel hebt gedronken. Je bent hier in slaap gevallen, dus het leek me het beste om je maar te laten liggen.'

'En dit, hoe komt het dat ik er zo bij lig?' Ze keek omlaag terwijl ze de deken omklemde.

'O, dus dat weet je ook niet meer?'

Ze schudde haar hoofd.

'Je wilde dansen. En toen wilde je strippen. Je liet je niet tegenhouden.'

De tranen drupten van Ursula's ongelukkige gezicht. Even had Rachel bijna medelijden met haar.

'En maak je geen zorgen,' zei Rachel. 'Wat je me gisteravond hebt verteld, blijft tussen ons. Goed?'

Ursula bloosde. Ze wendde haar gezicht af en keek toen weer naar Rachel.

'De kinderen?' zei ze.

'Dat gaat prima. Ik heb de baby verschoond en eten gegeven en de andere twee zitten nu aan het ontbijt. Maak je maar geen zorgen over hen.' Ze ging naast haar zitten en pakte haar hand. 'Luister, het was gewoon een beetje gedol. Ik vond het niet erg. Weet je wat? Ga naar boven, lekker in bad en dan naar bed. Ik blijf hier wel om voor de kinderen te zorgen tot je je beter voelt. Wat zeg je daarvan?'

Rachel bracht een blad naar haar slaapkamer. Een kop thee en wat stukjes geroosterd brood.

'Bah.' Ursula trok een gezicht terwijl ze dronk. 'Ik gebruik geen suiker.'

'Drink op,' zei Rachel. 'Zoete thee is precies wat je nodig hebt tegen een kater. Mijn vader zwoer erbij.'

Thee met suiker en nog twee slaaptabletten. Zo hield ze zich de rest van de dag wel rustig. Ze zag hoe Ursula zich tegen de kussens liet zakken.

'Zal ik een eindje met ze gaan wandelen?'

Ursula glimlachte slaperig. 'Neem de auto maar als je wilt. Je bent zo lief, zo attent. Ik stel dit heel erg op prijs. En het spijt me.'

Rachel bleef in de deuropening van de slaapkamer staan en zag hoe haar ogen dichtvielen. Het was een mooie kamer, deze kamer waar ze vannacht had geslapen, met brede ramen die over de tuin uitkeken naar de top van het klif en de zee erachter. Het was een kamer vol geheimen. De kluis onder het kleed in de hoek. Het sieradenkistje boven in de kleerkast. Het dagboek in de bovenste lade van het kleine, rijk bewerkte bureautje. Ze hadden het altijd gezegd, de meisjes in de gevangenis. Je zult er versteld van staan wat mensen allemaal opschrijven. De pincode van hun bankpasjes. De code van hun alarminstallaties. De combinatie van hun kluis. Ze wist ze nu allemaal. Ze was de avond tevoren naar de kamer in de klokkentoren gegaan. Daniëls kamer. Ze had de lamp aan gedaan en aan zijn bureau gezeten en naar de rij foto's op de plank gekeken. Ze had gezocht naar sporen van haar eigen leven en had ze gevonden. De foto van Martin in het zilveren lijstje. Genomen door Daniël, met haar camera, op een zomerdag voor ze trouwden, in de achtertuin van het huis van zijn ouders. Ze draaide het lijstje om en schoof de clips opzij waarmee het glas vastzat. Ze legde het glas en het karton achter de foto op het bureau en haalde de foto eruit. Hij was half opgevouwen, één helft was verborgen. Het was de helft waar zij op stond. Martin zat in een ligstoel. Hij had zijn overhemd uitgetrokken. Zijn huid zag bleek. Zij zat op het gras en keek naar hem op. Ze zag er zo jong en mooi uit. Ze keek nu op en zag haar spiegelbeeld in het donkere raam. Ze keek weer naar de foto en dacht na, maakte afwegingen, vroeg zich af wat ze moest doen. En met een zucht vouwde ze hem terug, zette het lijstje weer in elkaar en zette het terug op de plank, precies waar het stond voor ze het pakte.

Ze had de zolderkamer ook gevonden. De kinderen hadden haar de smalle trap en de kleine deur bovenin gewezen.

'Hij zit op slot,' zei Jonathan. 'We mogen er niet komen. Daar bewaart de kerstman zijn cadeautjes.'

Maar ze had de sleutels meegenomen die Ursula op de keukentafel had laten liggen en de juiste gevonden. Ze had de deur opengemaakt en was met gebogen hoofd naar binnen gegaan. Zocht het lichtknopje. Zag dat de kamer leeg was, op een veldbed in de hoek na, een slaapzak, een stapel dozen. Deed de deur dicht en draaide hem op slot.

En nu reed ze in Ursula's auto. En probeerde het zich te herinneren. Wat moest ze ook alweer met haar handen en voeten? Hoe moest ze coördineren, tegelijk laten bewegen? Eraan denken de achteruitkijkspiegel te gebruiken, richting aan te geven terwijl ze een ruk aan het stuur gaf om een bocht te nemen, zodat de auto over de witte streep ging. En het jongetje op de passagierstoel naast haar keek op van zijn Gameboy en zei: 'We hebben stuurbekrachtiging, hoor. Dit is een van de beste Saabs. Het nieuwste model. Hij was heel duur.'

Ze glimlachte naar hem terwijl ze zei: 'Dank je, Jonathan, ik kan niet zo goed rijden.'

Ze reden moeiteloos de heuvel op naar het dorp en ze dacht aan de keren dat ze hetzelfde stuk hijgend had gelopen; altijd die ene persoon die liep, terwijl iedereen haar in net zulke auto's als deze passeerde.

Ze stopten boven. Ze parkeerde voorzichtig, zich bewust van de veelbetekenende blik van de jongen toen haar voet van de koppeling glipte terwijl ze achteruitreed, zodat ze met een schok tot stilstand kwamen. Maar er moesten ijsjes gekocht en vervolgens opgegeten worden, wat voor een korte afleiding zorgde terwijl ze naar de andere kant van de heuvel naar het winkelcentrum reed. Ditmaal slaagde ze erin de auto zonder ongelukken in een parkeervak te krijgen. Ze haalde de sleutels uit het contact en zei tegen Jonathan voorin, en Laura en de baby achterin: 'Jullie moeten even hier blijven. Ik ben zo terug, en als ik terug ben, waar willen jullie dan heen? Naar het strand, naar de kermis? Jullie mogen het zeggen.'

Ze liep snel langs de rij winkels tot ze vond wat ze zocht. De sleutelbar in het kleine kioskje aan het eind. Ze gaf de hele bos. Huissleutels, autosleutels, sleutels van de garage, sleutels van de kluis. Ze wachtte. Ze nam de kopieën aan en stak ze zorgvuldig in haar zak. Ze liep terug naar de auto. Ze zag zichzelf in de zijspiegel. Streek haar haar uit haar gezicht. Glimlachte. Zag de gezichtjes van de kinderen oplichten terwijl ze het portier opendeed en weer de leiding nam.

Het was halverwege de middag toen ze hen terug naar huis

reed. Ze waren moe. Ze hadden zich uitgeleefd in de botsautootjes, de draaimolen, op de flipperkasten en computerspel-
letjes. Ze reed langzaam en voorzichtig. Ze hadden blijkbaar
niet in de gaten waar ze heen gingen. Ze sloeg het stille doodlopende straatje in en reed om het dorpsplein, op zoek naar het
huis waar ze heen wilde. Ze stopte.

'Goed,' zei ze. 'Laura, ga je eventjes met me mee? Jonathan,
wil jij hier blijven om op de baby te passen?' Ze had verwacht
dat hij zou tegensputteren, maar hij knikte alleen maar en stak
zijn hand uit naar de radio. Ze pakte Laura's hand en ze liepen
naar de voordeur. Haar hart ging tekeer. Ze belde aan. De bel
was nieuw. Vroeger zat er een klopper op de deur. Ze hoorde
voetstappen en zag het silhouet van een vrouw door het melkglas.

'Ja?' Ze liep op haar blote voeten en droeg een wijde bloe-
metjesjurk. Ze was zeker in de tuin bezig, dacht Rachel, terwijl
ze keek naar de handen van de vrouw, die in zware rubberen
handschoenen gehuld waren.

'Neem me niet kwalijk dat ik u stoor, maar ik wilde iets vragen. Ik heb een aantal jaren geleden in dit huis gewoond. Ik ben
lange tijd weggeweest en ik was gewoon nieuwsgierig. Vindt u
het erg als ik snel even rondkijk?'

Ze was vriendelijk, ze was beleefd. Ze deed een stap opzij en
liet hen binnen. Rachel keek door de hal naar de keuken.

'Ga uw gang,' zei de vrouw. 'Het is nogal een troep. Zondag,
hè?'

Rachel liep met Laura de woonkamer binnen. Ze voelde hoe
het zweet haar uitbrak. Ze keek in de richting van de tuin, de
serre. Ze bracht haar hand naar haar mond.

'Hij is weg,' zei ze. 'Het is helemaal veranderd.'

'Ja.' De vrouw bukte zich en raapte een paar sportschoenen
en een honkbalpet van de glanzende parketvloer. 'Ja, ik denk
dat het in de loop der tijd behoorlijk veranderd is. Er is een geschiedenis verbonden aan dit huis. Wist u dat? Was dat voor
uw tijd?'

'Een geschiedenis?'

'Er is hier iemand vermoord. O, eeuwen geleden, hoor. Maar
er is daarna een hoop aan het huis verbouwd. Niet door ons,
maar door de mensen die het daarna hebben gekocht. Wij hebben het daardoor trouwens goedkoop gekregen. Er kwamen
steeds mensen langs die even wilden komen gluren. Vanwege
wat er gebeurd is.'

Rachel liep naar de deur naar de tuin. Hij was helemaal verdwenen. Haar zorgvuldig aangelegde vijver en borders. Nu was er alleen nog maar een grasveld, waar een stel jongens liep te voetballen. Ze voelde hoe Laura aan haar jasje trok en hoorde haar zachtjes kermen. Ze bukte zich en tilde haar op.

'Ze is moe,' zei ze. 'Het is een lange dag geweest.'

'Wat een schatje. Ik heb altijd een dochter gewild, maar ik krijg alleen maar jongens.' Ze klopte op haar bolle buik. 'Deze ook weer, weer een kleine David Beckham.'

Rachel glimlachte en streelde Laura's zijdezachte haar.

'Haar oudere zus heeft hier als baby gewoond. Haar kamer was boven. Mag ik het haar laten zien?'

'Natuurlijk, waarom niet? Maar let niet op de rommel, hoor.'

Ze liep op haar gemak van kamer naar kamer en legde het allemaal aan het kind uit, dat nu slaperig tegen haar schouder leunde. De vrouw stond haar onder aan de trap op te wachten.

'Dank u,' zei Rachel, 'dit was heel vriendelijk van u. Ik stel het erg op prijs. Het betekent heel veel voor me.'

'O ja? Dat verbaast me.' De vrouw keek nieuwsgierig. 'Ik had niet gedacht dat u terug zou durven komen. Na wat u gedaan heeft.'

Rachel keek haar aan. Ze probeerde iets te zeggen, maar ze kon niets bedenken.

'U bent haar toch, hè? Ik dacht het wel zodra ik u zag. Terug naar de plaats van de misdaad, hè? Ik ben echt verbaasd. Ik dacht dat ze dat alleen in films deden.'

Rachel legde haar hand op de deurknop.

'Het geeft niet. Het kan mij niets schelen. Het verbaast me alleen, dat is alles. Ik dacht dat u in de gevangenis zat.'

'Zeg alstublieft niets meer.' Rachel stak haar hand uit. 'Alstublieft.'

De vrouw glimlachte. 'Ik zou maar gaan. Mijn man zou het niet prettig vinden dat u hier bent. Maar wat mij betreft, tja,' ze haalde haar schouders op, 'het is zo lang geleden. Leven en laten leven, zeg ik maar zo. Maar het kind, dat kan toch niet van u zijn?'

Het was niet ver van het stille straatje naar het huis op het klif. Vijf of zes kilometer, dat was alles. Ze reed hard van het dorp naar beneden. De banden piepten op het warme wegdek. De baby was in slaap gevallen en hij zwaaide heen en weer in zijn stoeltje. Laura zat naast hem te doezelen. Jonathan had zijn ogen dicht. Er was een bocht in de weg. Erachter zag ze de varens en brem en daarachter de zee. Ze drukte het gaspedaal dieper in. De auto schoot naar voren. Jonathans ogen vlogen open. Hij ging rechtop zitten.

'Te hard,' zei hij. 'U gaat te hard. Ga eens wat zachter.'

Het was stil in huis toen ze voorzichtig met de slapende baby naar binnen liep en hem in zijn ledikantje legde. Ze bleef bij Ursula's slaapkamer staan en keek naar binnen. Zij was ook diep in slaap. Ze hoorde de tv beneden aan gaan en toen de telefoon overgaan. Ze hoorde de stem van Jonathan terwijl ze langs de deur van de woonkamer liep.

'Ja, papa, we zijn met de perzikmevrouw mee geweest. Mama is ziek. Ze heeft erge hoofdpijn. Ze ligt in bed. Kom je gauw thuis? Goed. Dag.'

'Wat zei hij?' Ze voelde haar hart bonken.

'Hij is onderweg. Hij is hier over een uurtje.'

Ze hing de sleutels terug aan de ring bij de keukendeur. Ze keek nog een keer om zich heen. Alles was zoals het geweest was. Ze maakte boterhammen voor de kinderen en gaf hun een beker melk.

'Ik ga nu. Tot gauw.'

Ze keken naar haar. Laura stond op. Ze liep naar haar toe en stak haar armen uit. Rachel bukte zich en gaf haar een kus.

'Dag, mijn lieverd. Tot gauw.'

Ze liep snel over het grasveld naar de top van het klif. Het was gemakkelijker om zo weg te gaan. Ze wilde niet het risico lopen dat ze zijn auto op de weg tegenkwam. Ze voelde de sleutels in haar zak rinkelen terwijl ze liep. En ze dacht aan alles wat ze achtergelaten had. Vingerafdrukken op ieder denkbaar oppervlak. Haren op de kussens en het matras van het bed waar Daniël en Ursula sliepen en een stel oorhangers verborgen in het stof eronder. Draadjes van haar kleren op de meubelen en een knoop van haar jasje onder de kussens op de bank. Alles lag op zijn plaats. Alles was klaar. En binnenkort zou zij het ook zijn.

21

Nu hing er nog een kaart naast de eerste boven haar bed. Rachel had hem zelf getekend toen ze terugkwam van het huis op het klif. Het huis dat *Spindrift* heette. Het schuim dat over het oppervlak van de zee scheert. Opgezweept door de wind, wervelend en dansend, een laag wit die de toppen van de golven onzichtbaar maakt, het onmogelijk maakt te zien hoe hoog ze zijn. Maar nu kon ze alles in gedachten zien. Ze was gaan zitten met een groot vel papier, een potlood en een liniaal, en ze had alles uitgetekend. De indeling van het huis, verdieping voor verdieping. Alle kamers, de ramen en de deuren ingetekend. De omtrek van de tuin aangegeven en met verschillende pennen ingekleurd. De moestuin, de plantenborder, het gazon, de bomen. Daarna de familie aangebracht. De figuurtjes, harkerig, maar herkenbaar getekend. Daniël met zijn donkere haar en baard. Ursula met haar lange blonde vlecht. En de kinderen. Voltooide de tekening en leunde achterover om het resultaat te bewonderen. Prikte die vervolgens naast de andere. Het was goed. Het was klaar.

En nu was er iets anders dat ze moest doen. Ze moest haar dochter nog een keer spreken. Ditmaal had ze het via de geëigende kanalen geregeld. Ze had Andrew Bowen gevraagd of hij ervoor wilde zorgen. Hij had met Amy's maatschappelijk werkster gesproken. Zij hadden overeenstemming bereikt. Rachel en Amy zouden afspreken op wat ze neutraal terrein noemden, zoals ze in het verleden zo vaak hadden gedaan, toen ze nog in de gevangenis zat. Ze had het fijn gevonden als ze elkaar, al was het maar één keer, in de buitenlucht hadden kunnen ontmoeten. Misschien aan het eind van de westpier, waar de enorme granietblokken die de zee tegenhielden door de zon werden opgewarmd. Of al was het maar in een van de stadsparken. St. Stephen's Green, waar Rachel haar vroeger mee naar toe nam om de luidruchtige wilde eenden te voeren. Of Merrion Square, om op het gras tussen de plantenbedden, vol vrolijke begonia's, te zitten. Of het liefst in de Iveagh Gardens, verborgen achter het grote grijze concertgebouw en de National University, overwoekerd en wild, half kapotte beelden die tussen de struiken gevallen waren. Een plekje waar ze als student graag heen ging om in de zon te liggen en te dromen.

Maar het mocht niet zo zijn. Andrew Bowen had het haar verteld. Ze moest naar het hoofdkantoor van de reclassering.

'Ze zitten in Smithfield, waar vroeger de oude veemarkt was. Maar je zou het nu niet meer herkennen; er staan zoveel moderne nieuwe gebouwen. Weet je nog hoe je er moet komen? Wil je dat ik meega, of ga je liever alleen?'

Ze had ervoor gekozen alleen te gaan. Naar de kades te lopen, met angst en beven langs de Four Courts te gaan, waar ze het gevoel had dat het enorme gebouw met de pilaren en de groenkoperen koepel naar haar voorover helde en dreigde op haar te vallen. Ze herinnerde zich hoe ze hier die twee weken, twaalf jaar geleden, iedere ochtend heen kwam, zich een weg banend door de hordes journalisten en fotografen die naar haar brulden. 'Kijk eens, Rachel. Lach eens, Rachel. Hoe gaat het, Rachel? Wat heb je te zeggen, Rachel?'

Met haar vader naast zich, met een strak gezicht, terwijl de wanhoop diepe rimpels in zijn voorhoofd, tussen zijn wenkbrauwen en langs zijn mondhoeken trok. En zijn ogen omfloerst en uitdrukkingloos maakte. En op de laatste dag, met Amy in haar armen om te proberen haar mee te nemen naar de Round Hall, op zoek naar de ingang aan de zijkant van het gebouw, door de klapdeuren waar de juristen door naar binnen liepen, de plotselinge schreeuw hoorde toen een van de fotografen haar zag en naar zijn vrienden riep: 'Hé, kijk eens, daar heb je haar, met het kind.'

En het moment dat de jury uitspraak deed, had ze er zo'n spijt van dat ze haar meegenomen had. Het was egoïstisch en dom. Niet iets dat een keurige, goede moeder zou doen, haar kind op zo'n manier aan de publiciteit blootstellen. Hoe had ze het kunnen doen? Het verlangen om haar kind te zien voor ze weggebracht werd, dat was toch begrijpelijk? Iedere moeder zou dat gevoel toch hebben gehad?

Ze was meteen aan zichzelf gaan twijfelen. En nu had ze geen enkel idee meer of ze gelijk had gehad. Had ze ooit wel echt een moederinstinct gehad? Bestond dat eigenlijk wel, vroeg ze zich af terwijl ze de rivier de rug toekeerde, naar het grote, met kinderkopjes geplaveide plein, en bleef staan om naar de rij moderne kantoorgebouwen te kijken, waar ooit een onregelmatige skyline van huizen, winkels en pubs was geweest. En waarom koos ze uitgerekend dit moment om het te testen? Waarom had ze gevraagd om Amy te mogen spreken terwijl Amy zo duidelijk had gemaakt dat ze haar niet in haar leven wilde hebben? Ze stak het grote plein over en leunde tegen het hek dat eromheen liep. Ze deed haar ogen dicht en keerde haar gezicht naar de zon terwijl ze diep ademhaalde om de paniek te onderdrukken die haar dreigde te overspoelen. Het enige wat ze wilde, dacht ze, was in hetzelfde vertrek met haar zijn. Nee, verbeterde ze zichzelf, dat was niet helemaal waar. Ze wilde meer. Ze wilde dichtbij haar staan, haar armen om haar heen slaan, haar jonge, lenige lichaam tegen zich aan drukken. Haar wang tegen de zachte huid van de wang van haar dochter laten rusten. Haar warme geur opsnuiven. Zeep en pasgewassen haar en die onbeschrijflijke geur van kind. Het gewicht van het hoofd van haar dochter voelen dat ze op haar schouder liet zakken. In haar oor fluisteren dat zij, Rachel, ondanks alles nog steeds haar moeder was. Dat zij, Amy, ondanks wat er gebeurd was, nog steeds haar dochter was. Dat ze met elkaar verbonden waren door de negen maanden die Amy in het lichaam van haar moeder had doorgebracht. Door de vijf jaar van zorg en liefde die ze met elkaar hadden doorgebracht. En terwijl ze met haar gezicht naar de zon gekeerd stond, met haar ogen dicht, voelde ze haar mondhoeken omhooggaan in een onverwachte, spontane glimlach.

Ze deed haar ogen open en keek om zich heen, terwijl ze snel met haar ogen knipperde omdat ze een ogenblik verblind werd door de felheid van het licht, en zag de auto die naast het grootste gebouw was gestopt. Het gebouw met de hoge ramen van spiegelglas op de begane grond en de letters op de glazen deuren. Ministerie van Justitie. Reclasseringsdienst. Ze stond op. Een man en een vrouw zaten voorin. Het meisje zat achterin. Ze keek toe terwijl de vrouw uitstapte en het portier achter zich openhield. Ze zag haar dochter, met kortgeknipt zwart haar, een rij oorringetjes in haar rechteroorlel, een strakke spijkerbroek, een kort topje dat een bruinverbrande buik onthulde, sportschoenen met dikke zolen en een sigaret die tussen haar vingers bungelde. Ze zag hoe de vrouw haar arm om haar heen sloeg, haar even tegen zich aan drukte en haar snel een kus op haar wang gaf. Zag de uitdrukking op het gezicht van haar dochter. De weerzin die haar gelaatsuitdrukking verwrong zodat ze er mokkend, boos, onaantrekkelijk uitzag. Ze smeet de sigarettenpeuk op het trottoir en trapte hem uit voor ze de zware glazen deuren opentrok en ze achter zich dichtsloeg. De vrouw liep schouderophalend en met een gezicht van berusting terug naar de auto. Ze zag Rachel, staarde haar een ogenblik aan terwijl haar mond een smalle streep van afkeer werd voor ze het portier opendeed en instapte. Terwijl ze langzaam wegreden en de banden over de kinderkopjes weerklonken, staarden hun twee gezichten haar aan. En toen waren ze verdwenen.

Het was een lichte kamer waar ze naartoe gebracht werd. De grote ramen lagen op het westen, en stofdeeltjes die boven de lange glimmende tafel dansten, lichtten op in de stralen van de middagzon. Rachel bleef bij de deur staan wachten. Amy zat in een stoel in de hoek. Een kleine blonde vrouw stond naast haar. Haar hand rustte op Amy's schouder. Ze glimlachte naar Rachel en begon te spreken. Ze stelde zich voor. Ze heette, zei ze, Alison White. Ze was de maatschappelijk werkster van Amy. Misschien wist Rachel het nog? Ze hadden elkaar enkele jaren geleden een of twee keer ontmoet.

Rachel knikte en zei toen zachtjes: 'Twee keer, we hebben elkaar twee keer ontmoet.'

De vrouw glimlachte en keek naar het aantekenboekje in haar hand. Toen ging ze verder. Dit was, zei ze, een lastige situatie. Zoals ze allemaal wisten, had Amy helemaal geen zin om contact te onderhouden met haar moeder sinds ze uit de gevangenis was. En natuurlijk had Rachel het er niet beter op gemaakt door haar poging Amy te spreken op, wat op z'n best, een ad-hocmanier kon worden genoemd. Amy was er erg van overstuur geraakt en voelde zich bedreigd door Rachels gedrag, dat, zei de vrouw, onacceptabel was. Echter, Rachel had duidelijk van haar vergissing geleerd, en ditmaal had ze haar verzoek via de geëigende weg ingediend.

Rachel keek in Amy's richting. Toen Amy haar blik voelde, ging ze verzitten. Ze draaide haar bovenlichaam zo dat haar hele gezicht afgewend was. Een lastige houding, oncomfortabel en moeilijk vol te houden. Rachel zag de botten, de punten van haar nekwervels, uitsteken in het stuk tussen haar haarlijn en de stretchstof van haar knalroze topje.

'Ik ben van mening,' zei de vrouw, 'dat het goed zou zijn als Amy opnieuw een of andere vorm van contact met haar natuurlijke moeder opbouwde. Hoewel Amy bijzonder gesteld is op haar pleegmoeder en de rest van het pleeggezin, die zich enorm ingespannen hebben om zo goed mogelijk voor haar te zorgen, kan de natuurlijke band tussen de biologische moeder en haar kind niet genegeerd worden, en ik weet uit ervaring dat er altijd een moment komt dat het de kop opsteekt.'

Ze zweeg even.

'En ik weet uit ervaring dat het beter is als hier op de juiste manier mee wordt omgegaan, dat zowel de moeder als het kind begeleid wordt in deze moeilijke periode van aanpassing. En nu, voor ik jullie alleen laat, kan ik een kopje thee inschenken?'

Ze wees naar het blad met een metalen theepot, melkkannetje, suikerpotje, twee koppen en schotels en een schaaltje chocoladebiscuitjes, dat in het midden van de tafel stond.

Het smaakte als iedere andere instellingsthee. Muf en gekookt, bitter en wrang. Rachel nam een slok en dwong zich hem in te slikken. Ze keek naar Amy aan de andere kant van de tafel. Het meisje had de thee die Alison haar aanbood afgeslagen. In plaats daarvan haalde ze een pakje sigaretten te voorschijn en stak een sigaret op, ondanks de niet-rokensticker die op de deur zat. Maar blijkbaar was ze niet de enige die in dit vertrek rookte, dacht Rachel, terwijl ze naar de grote asbak keek die Amy van zijn centrale plaats op de tafel zo zette dat ze er gemakkelijker haar as in kon aftikken.

'Nou, dan ga ik maar. Ik zit hiernaast als jullie me nodig hebben.' Alison White keek op haar horloge. 'Jullie hebben ongeveer een uur voor deze kamer weer nodig is. Maar als jullie meer tijd willen hebben, dan zijn er andere kamers verderop in de gang.' Ze glimlachte terwijl er, heel even maar, een bezorgde blik over haar mooie gezicht flitste en toen liep ze weg.

De deur viel met een klap achter haar dicht. Rachel ging zitten. Ze boog voorover en pakte de theepot. Hij was zwaar. Ze voelde dat haar pols doorboog alsof hij ieder moment kon knappen. De bruine vloeistof spoot uit de metalen tuit en plonsde in zowel de kop als de schotel en spatte op de tafel. Ze zette de pot weer op tafel en voelde in haar broekzak naar een tissue. Ze depte haastig de gemorste thee op. Ze kneep het vochtige doekje tot een bal en boog voorover naar de asbak.

'Mag ik?' zei ze, en liet het balletje erin vallen.

Amy haalde haar schouders op en nam een flinke trek van haar sigaret. Rachel keek naar de gelige rook die het meisje uitblies terwijl ze met haar mond een 'o' vormde, zodat er keurige ronde rookkringetjes ontstonden, die langzaam naar de plafondtegels opstegen.

'Niet gek,' zei Rachel. 'Goed zelfs. Sommige van de vrouwen met wie ik in de gevangenis zat konden de ongelooflijkste vormen blazen. Kringen in kringen in kringen. Ze waren absolute experts.'

'En?'

'En, niets, niets bijzonders. Ik heb het alleen nooit gekund. Zelfs toen ik nog een zware rookster was, voor ik zwanger van jou werd, natuurlijk, toen ik nog studeerde. Toen roken het tofste leek wat je kon doen.'

Het was stil. Rachel boog over de tafel en pakte het schaaltje met biscuittjes. Ze hield het Amy voor.

'Wil je er een? Het zijn chocoladebiscuitjes. Je vond ze heerlijk toen je klein was. Je kreeg er maar geen genoeg van. Ik moest altijd net doen of ze op waren, anders hield je maar niet op met zeuren.'

Allemaal op, allemaal op, Amy.

Allemaal op, mama. Kwietjes allemaal op.

Amy keek haar nietszeggend aan, nam nog een sigaret uit het pakje en stak hem met de peuk van de eerste aan.

'Dus je loog zelfs toen al tegen me? Niet de hele waarheid, zo helpe je God almachtig.'

'Sorry?' zei Rachel geschrokken. Ze kreeg het ineens koud in dat warme, zonnige vertrek.

'Sorry. Meen je dat?' Voor het eerst keek Amy haar aan. Rechtstreeks. Ze keek haar strak aan, zonder haar ogen neer te slaan.

'Het spijt me, natuurlijk spijt het me. Ik heb zo verschrikkelijk veel spijt van alles wat er tussen ons is gebeurd. Voor jou en voor mij. En ik wil een kans om het weer goed te maken.'

'Goedmaken. Juist. En hoe dacht je dat te willen doen?' Amy leunde achterover in haar stoel, sloeg haar benen over elkaar en leunde met de neus van haar schoen tegen het tafelblad. Ze duwde zichzelf heen en weer.

Rachel schraapte haar keel. Ze dacht aan de woorden die ze had geoefend, gerepeteerd. Alle dingen die ze had willen zeggen. De verklaringen, de redenen, de rechtvaardigingen. Het had zo eenvoudig en ongecompliceerd geleken, al die nachten dat ze in haar bed in haar kamer in Clarinda Park lag en naar de kaart aan de muur naast zich keek. En zich herinnerde. En Amy's reactie was zo geweldig. Ze hoorde haar dezelfde woorden van liefde en verdriet terug zeggen. Van spijt. Van medeleven. En haar voornemen dat ze vanaf nu samen een nieuw leven zouden beginnen.

'Ik wacht.' Ze schommelde steeds harder heen en weer. De stoel kraakte. Het rubber van Amy's schoen kraakte terwijl hij over het hout van de tafel gleed.

Piep, piep, piep.

De rubberen wielen van de kinderwagen, heen en weer op de glimmende houten vloer.

Slaap, kindje, slaap,
Daarbuiten loopt een schaap,
Een schaap met witte voetjes,
Die drinkt zijn melk zo zoetjes,
Slaap, kindje, slaap,
Daarbuiten loopt een schaap.

De baby krijst, kleine beentjes die schoppen en zwaaien, kleine armpjes die boven de dekentjes wuiven. Ga maar slapen, Amy, mijn schat. Mama is bij je.

'Heb je het er moeilijk mee? Niet helemaal het gelukkige weerzien dat je je had voorgesteld, hè? Je dacht dat we elkaar huilend in de armen zouden vallen, hè? Je dacht dat het zoiets zou zijn als die tv-films die je goedkoop bij de videotheek kunt halen. Nou, Rachel, mevrouw Beckett, hoe ik je ook moet noemen, vergeet het maar. Als je het nog niet doorhad, zal ik het nog een keer zeggen. Ik wilde deze afspraak helemaal niet. Ik heb je niets te zeggen. Ik heb geen gevoel voor jou. En zodra het kan, ben ik hier weg. Voorgoed. Is dat duidelijk?'

De stem van het meisje galmde door het vertrek. Rachel had het gevoel dat de ramen zouden gaan trillen en rammelen, de kopjes en schotels op de grond zouden pletteren en de as uit de asbak in een fijne grijze wolk boven hun hoofd zou opstijgen. Ze wachtte tot het stil was. Toen schraapte ze haar keel, sloeg haar ogen neer en begon te spreken.

'Ik verwacht geen vergeving, begrip of liefde van jou. Ik wil niets van je, Amy. Behalve dat je erkent dat ik je moeder ben. Dat is het enige wat ik wil. Daarom heb ik gevraagd je te mogen spreken. Dat is het enige wat ik nodig heb. Meer niet. Dat zou genoeg zijn om hier mee vandaan te nemen. En als ik het gevoel had dat ik dat had, zou ik je nooit meer lastig hoeven vallen.'

Ze zweeg even en keek op. Amy blies weer rookkringetjes. Haar gezicht was verwrongen. Haar ogen stonden kil. Rachel boog haar hoofd en vervolgde.

'Ik accepteer je relatie met de familie Williams volkomen. Ik heb nooit getwijfeld aan hun integriteit of aan hun verlangen om je te beschermen en te koesteren. We hebben allebei geboft met de familie Williams. Toen ik naar de gevangenis moest en me mijn rol en verantwoordelijkheid als moeder ontnomen werd, had ik een familie als hen nodig om bij te springen. Jij had ook een gezin nodig. En ik ben ze heel dankbaar. Ik hoop dat ze dat beseffen. Ik weet dat ik de belangrijkste twaalf jaar van je leven gemist heb en dat dat nooit goed te maken is. Maar nu je bijna volwassen bent, nu je een nieuwe fase van je leven ingaat, wil ik gewoon weten of er misschien in de toekomst een of andere rol voor me weggelegd is. Als dat zo is,' ze zweeg even en keek weer op, 'als dat zo is, nou, dan zou ik zo dankbaar en gelukkig zijn. Zo niet...' Ze haalde haar schouders op en staarde naar het korrelige tafelblad. 'Zo niet, nou, dan moet ik dat ook accepteren. Maar ik wil je laten weten dat, hoe dan ook en waar dan ook en onder wat voor omstandigheden dan ook, ik er altijd voor je zal zijn.'

Er klonk een klap toen Amy de stoel abrupt op de grond zette.

'Je bedoelt, zoals je er voor me was die nacht dat je mijn vader vermoordde. Heb je het daar over? De dag dat je er voor me was toen je me meesleepte naar de rechtbank zodat mijn gezicht in alle kranten kwam te staan en ik er nooit meer van af kom. Dus iedere keer als de zaak weer opgerakeld wordt, of als ze weer eens zo'n stom nieuwsoverzicht van de afgelopen tien jaar of zoiets laten zien, dan sta ik daar weer, op die klote-tv. Met m'n vijf jaar, jankend terwijl het snot van mijn gezicht druipt. Met mijn teddybeer die in mijn hand bungelt. Denk je dat ik dat leuk vind? Denk je dat? Denk je dat ik graag aan die tijd herinnerd word? Vind je het gek dat ik van naam veranderd ben? Dat ik nu Amy Williams ben? Dat wat mij betreft de enige Beckett die ik wil kennen Samuel Beckett is?'

'O, lees je hem graag?' Op de een of andere manier zag Rachel kans om iets te zeggen, alles om Amy's woordenstroom te onderbreken.

'Lees ik hem graag? Hij interesseert me geen donder. Al die stomme woorden. Leugens, dat is wat de meeste woorden zijn. Net als jouw woorden. Waarom gaf je niet gewoon toe dat je hem vermoord had? Waarom gaf je niet gewoon toe dat je schuldig was? Dan zou ons allemaal het proces bespaard zijn en alles dat ermee gepaard ging. En dan misschien, misschien...'

Ze zweeg. De tranen stonden in haar ogen, zodat ze glansden en schitterden. Toen begonnen de tranen en de woorden te stromen. 'En dan zou je niet zo lang in de gevangenis hebben gezeten. Ze zouden je eerder vrijgelaten hebben. En ik zou een dag of een tijd in de toekomst hebben gehad om naar uit te kijken. Ik had een kalender aan mijn muur kunnen hebben gehad en dan had ik de dagen met een rode viltstift kunnen doorkrassen. Dat had ik dan kunnen doen. Ik zou geweten hebben wanneer je thuis zou komen, dat zou het verschil zijn geweest. Maar ik heb nooit iets geweten. Het enige wat ik wist, was dat je een slechte vrouw was.'

Rachel keek naar haar, naar de plotselinge pijn in haar gezicht, een uitdrukking die ze jaren niet had gezien. En toen ze sprak, was het op smekende toon. 'Hoe kun je dat zeggen? Heb ik je niet altijd gezegd dat ik je vader niet vermoord had, dat ik het niet had gedaan, dat ik niet verantwoordelijk was voor wat er is gebeurd? Heb ik je dat niet altijd gezegd? Iedere keer dat ze je meenamen om me op te zoeken, heb ik je altijd gezegd dat ik je de waarheid vertelde. En ik kon er niet over liegen, toegeven aan wat alle anderen wilden. Ik heb het je zo vaak gezegd. En ik heb het iedereen zo vaak gezegd. Ik heb hem niet vermoord. Ik was het niet. Maar niemand wilde me geloven. Ik dacht jij misschien wel. Maar ik neem het je niet kwalijk; ik voel me er verantwoordelijk voor. Maar ik dacht dat ik kans had gezien het je duidelijk te maken. Wanneer ik je in mijn armen hield en met je knuffelde en je kusjes gaf en met je speelde, dan zei ik de hele tijd tegen je: "Amy, je bent mijn dochter, mijn baby, en ik hou het meest van jou."'

'Maar dat was de leugen, hè, moeder?' Bij het geluid van het woord op haar lippen draaide Rachels maag om en werd ze slap in de benen. 'En ik geloof je ontkenningen niet. En ik geloof niet dat je het meest van mij houdt, want anders zou je mijn vader niet hebben vermoord. Dus hou nu maar op met je ontkenning.' Amy kwam overeind. Ineens heel volwassen, heel beheerst. 'Wat je ook zegt, het maakt toch niet uit. Gedane zaken nemen geen keer. Je hebt in feite een wees van me gemaakt, zonder zelfs ook maar herinneringen als houvast.'

'Maar dat is niet waar.' Rachel stopte haar hand in haar tas en haalde er een klein plastic mapje uit. 'Weet je niet meer? Ik heb jou er net zo een gegeven. Met al die foto's erin. Kijk.' En ze klapte hem open en bladerde door de plastic hoesjes, haalde er foto's uit en legde ze op tafel alsof ze een pak kaarten uitlegde. 'Weet je niet meer?'

'Weten, natuurlijk weet ik het nog, moeder.' Weer het gebruik van het woord, weer de intonatie van walging en minachting. 'Maar de herinneringen die ik had, zijn besmeurd door jou. Ik bewaarde mijn foto's onder mijn kussen. Ik gaf ze een kus voor ik ging slapen. Die vreemde en mooie mensen. Die mooie vrouw, die knappe man en dat lieve baby'tje. Maar toen kwam het moment dat ik er niet eens meer naar wilde kijken, omdat ik niets anders meer voelde dan de pijn die jij veroorzaakt had. Dus wil je weten wat ik ermee gedaan heb, moeder?'

Rachel keek haar gebiologeerd aan. Ze wilde haar gezicht afwenden, maar dat lukte niet. Ze moest haar blik gericht houden op dat meisje dat voor haar ogen in een vrouw veranderde.

'Zal ik doorgaan, zal ik verder gaan? Zal ik je vertellen wat ik gedaan heb, moeder?'

Rachel knikte, met dichtgeknepen keel.

'Op een dag ga ik naar de keuken, ik denk dat ik een jaar of tien moet zijn geweest, en ik klim op een krukje en ik doe het kastje open waar mama, mama Williams, de lucifers bewaart. Ze bewaart ze daar, zodat niemand van haar kinderen ze te pakken kan krijgen en aansteken en zich bezeren. Maar ik vind ze en ik neem ze mee naar mijn kamer en ik steek de ene na de andere aan en ik verbrand mijn foto's. Natuurlijk ben ik oud genoeg om van brand en dat soort dingen af te weten. Maar als de foto's branden, steken ze ineens het beddengoed aan, en als ik probeer het vuur te doven, begint mijn pyjama ook te branden. En ik brand me. Kijk maar.' En ze stroopte de strakke mouw van haar topje op en liet de gestreepte roodwitte huid van haar onderarm zien. 'Ze hebben je niet verteld dat dát hetgene was dat er was gebeurd, hè? Wat hebben ze tegen je gezegd? Dat ik een ketel kokend water over me heen had gekregen, te dicht bij de kachel was gekomen, iets dergelijks? Iets waardoor de familie Williams de schuld zou krijgen. Ze wilden je niet nog meer verdriet doen, zie je. Maar het was hun schuld niet. Ze waren veel te goede ouders om zoiets onnadenkends te laten gebeuren. En weet je wat verder nog? Ik wilde ook vervagen, zwart worden en verdwijnen. Net als de mensen op de foto's. En daarna vond ik het jammer dat het niet was gebeurd.'

Nu stroomden de tranen vrijelijk over Rachels wangen. Ze huilde stilletjes, zonder een poging te doen ze weg te vegen. De druppels vielen op haar handen en vielen op haar bovenbenen, waar ze donkere vlekken in het blauw van haar spijkerbroek maakten. Ze hoorde de deur achter zich opengaan. Ze voelde een luchtstroom langs zich gaan toen Amy de kamer uitliep. Ze hoorde de deur dichtgaan en bleef maar huilen. Ze stond op en liep naar het raam. Ze keek naar het plein en zag de auto die er net kwam aangereden. De man die uitstapte, sloeg zijn arm om Amy's gebogen schouders, deed het achterportier open en hielp haar naar binnen en uit het zicht. Rachel trok zich terug in de kamer. Ze deed haar mond open, maar er kwam geen geluid. Ze ging op haar hurken zitten, sloeg haar armen om zich heen, klemde haar handen om haar schouders en wachtte tot de siddering over was. Toen stond ze op, trok haar T-shirt uit haar broek en veegde haar gezicht ermee af. Pakte haar tas. Keek even naar de foto's die over de tafel verspreid lagen. Ze liep naar de deur, deed hem open en liep naar de lift. Drukte op de knop met de pijl die naar beneden wees. Hoorde het mechanische gehuil terwijl hij steeds dichterbij kwam. Stapte erin. Keek naar het gezicht van de vrouw dat in de glimmende wanden weerkaatst werd. Stapte de hal in. Liep naar de glazen deuren. Wandelde het felle middaglicht in. Ademde de warme lucht in. Draaide zich vervolgens om en liep weg.

22

De perzikmevrouw, zo had Daniëls dochter haar genoemd. Zijn vrouw noemde haar anders. Ze had gezegd dat ze Barbara Keane heette, de eerste keer dat hij haar vroeg wie die vrouw was over wie de kinderen het de hele tijd hadden. Nu keek ze naar hem op vanachter zijn bureau, waar de map met krantenartikelen voor haar uitgespreid lag, en zei: 'Ik wist niet dat je al die spullen bewaard had. Dat heb je me nooit verteld.'

Hij boog over haar heen en veegde alle papieren op een hoop.

'Trouwens,' vervolgde ze, 'ik meen me te herinneren dat toen ik naar haar vroeg, je tegen me zei dat je alles wat met haar en je broer en het proces te maken had, weggegooid had. Wat doet dit hier verdomme dan? Plotseling is die trut in mijn huis. En ik kwam er bij toeval achter toen ik in de dossierkast naar de geboorteakten van de kinderen zocht. Zodat ik hun Amerikaanse paspoorten kan gaan halen.'

Hij suste en kalmeerde haar, stopte alles weer in de map en zei dat hij met haar naar de politie zou gaan.

'Ze is gestoord,' zei hij. 'Ze is altijd gek geweest. Het is waarschijnlijk nu nog erger na al die jaren in de gevangenis.'

'Maar je hebt tegen mij gezegd dat ze nooit uit de gevangenis zou komen.' Haar stem klonk schril, op het randje van hysterie. 'Ze zouden haar nooit vrijlaten. Wat wil ze nu dan? Wat moet ze met mij en de kinderen?'

Hij had geprobeerd erachter te komen wat er was gebeurd, het weekend dat de vrouw die ze de perzikmevrouw noemden, was blijven slapen. Maar Ursula zei niets.

'Niets, niet veel. We hebben gewoon te veel gedronken. Ik voelde me de volgende ochtend verschrikkelijk, en zij is een eindje met de kinderen gaan rijden, zodat ik kon blijven liggen.'

Hij vroeg het de kinderen.

'We hebben lol gehad,' zei Jonathan. 'We zijn naar de kermis geweest. Ze is met ons in de botsautootjes gegaan. We hebben popcorn gegeten.'

'En suikerspinnen,' onderbrak Laura hem, 'en heel veel cola. Het was heel leuk.'

Hij inspecteerde het huis om te zien of er iets verdwenen was. Maar alles leek normaal. Alles lag op zijn plaats. Het was alsof ze er nooit was geweest.

'Wees maar niet bang. Het komt goed. Ik zal er wel voor zorgen.' Hij zag de plotselinge onzekerheid, angst in Ursula's gezicht. En vroeg zich af hoe Rachel het zo doeltreffend voor elkaar had gekregen. Hun veiligheid, hun vertrouwen in de wereld had doorgeprikt.

Hij zou haar wel voor zijn rekening nemen als het nodig was. Hij hield haar raam in de gaten terwijl hij 's avonds in zijn auto op het trottoir achter het huis geparkeerd stond en naar dat verlichte vierkant licht keek. Zag haar naar haar werk gaan en thuiskomen. Zag hoe ze met rechte rug liep, hoe ze grotere stappen nam en hoe haar lichaam en gezicht ronder waren geworden. Zag de glimlach op haar gezicht terwijl ze de buren groette, bleef staan om de kat te aaien die op de stoep van het huis van de buren lag, zich bukte om een takje lavendel te plukken en eraan rook terwijl ze in haar tas naar haar sleutels zocht.

Hij dacht aan de politie. Hoe hij nooit van de moord op zijn broer beschuldigd was. Hoe ze zijn verhaal en het alibi dat zijn moeder hem had gegeven, hadden geloofd. Haar hadden geloofd toen ze zei dat ze de grootvaderklok op de overloop bij haar slaapkamer het hele uur had horen slaan. Wist niet dat hij het ruitje voor de klok opengedaan had en de wijzers teruggedraaid had en hem vervolgens dichtgedaan had. Zat bij haar en keek naar haar video's tot ze in slaap viel en draaide de wijzers toen weer verder. Zo gemakkelijk. Zo eenvoudig. Het laatste wat hij wilde was dat er een of andere nieuwsgierige jonge rechercheur de zaak opnieuw ging onderzoeken, door het bewijs heen keek en gaten in het verhaal zag die nooit eerder opgevallen waren. Het laatste wat hij wilde.

Dus had hij haar geobserveerd en had gewacht. En in de tussentijd bleef hij naar het café bij de haven gaan waar het meisje werkte. Hij kon goed met haar opschieten. Ze vond hem aardig. Ze had hem verteld hoe ze heette.

'Amy Williams,' zei ze schouderophalend, terwijl ze een meesmuilend gezicht trok.

'Amy, dat is een leuke naam.' Hij leunde achterover en keek naar haar op.

'Ja, te leuk, te lief, te mooi.' Ze tilde zijn kop en schotel op om de kruimels van zijn gebakje op te vegen.

'Nee,' zei hij. 'Hij is subtiel en anders. Net als jij.' En zag de blos op haar wangen en de glimlach die erop volgde. Nu kon hij haar moeder in haar zien. In de manier waarop ze haar ogen neersloeg als ze iets zei, even snel opkeek en dan haar blik weer afwendde.

Geduld, dat had hij nodig, zijn tijd afwachten. Martin was daar goed in geweest. Hij kon niets beters doen dan het voorbeeld van zijn kleine broertje volgen. Martin had vaak genoeg tegen hem gezegd: 'Doe niets halsoverkop, neem geen overhaaste beslissingen, wacht je tijd af. Uiteindelijk blijkt het dat waard te zijn. Dat is altijd zo.'

Martin had wat de meeste dingen betreft gelijk, dacht hij. Behalve die laatste keer. Maar nu zou hij doen wat hij aangeraden had. Hij zou wachten. Hij zou zijn tijd afwachten. Hij zou geduld oefenen.

23

De telefoon wekte Jack uit een diepe, droomloze slaap. De beste slaap die hij in maanden, zo niet jaren, had gehad. Wat zeiden de jongens op school ook alweer? Twee soorten diepe slaap. De slaap der rechtvaardigen en de slaap vlak erna. Dit was absoluut het laatste. Hij rolde op zijn zij nadat hij zachtjes Alisons hoofd van zijn schouder had geduwd, en zocht naar zijn telefoon, die een muzikale beltoon liet horen. *Eine kleine Nachtmusik* op dubbele snelheid. Dat had Ruth gedaan. Ze zat er altijd aan te friemelen en instellingen te wijzigen. Zoals de meeste tienjarigen wist ze meer van mobiele telefoons dan wie dan ook.

Hij wist zeker dat hij eraan gedacht had hem op een plek te leggen waar hij hem gemakkelijk kon vinden. In tegenstelling tot de rest van zijn bezittingen, die slordig over de slaapkamervloer verspreid waren. Zijn vierde achtereenvolgende nacht bij Alison. Het weekend waarin hij met kinderen en vaderlijke plichten gegoocheld had, maar er desondanks in geslaagd was in Alisons krakende koperen bed terecht te komen.

Zijn vingers omklemden het plastic hoesje. Hij keek op het LED-venstertje. Het was vijf over negen. Het was het nummer van Sweeney. Verdomme, dacht hij, ik ben hartstikke laat. En toen dacht hij, nee, dat is het niet. Ik heb een vrije dag, mijn eerste vrije dag in weken. Wat is dit dan? Problemen.

Het lichaam hing nog net zoals het gevonden was, bungelend aan de trapleuning, in de hal, zachtjes ronddraaiend in een statige pirouette terwijl het touw zich om de nek wikkelde en afwikkelde. De huishoudster had hem gevonden. Ze had zichzelf, zoals gebruikelijk, even na halfnegen binnengelaten. Ze had naar het kleed in de hal gekeken en vond, zei ze, dat het langs de randen wel erg begon te slijten. Dat ze er echt met dr. Hill over moest spreken. Het zou niet lang duren voor het gevaarlijk werd, en dat kon toch echt niet met zoveel mensen die iedere dag in en uit liepen. Dus had ze het niet meteen in de gaten. Pas toen ze onder hem stond, zag ze hem. Zag ze zijn voeten net boven haar hoofd hangen. Zijn arme voeten, zei ze telkens. Ze had nog nooit eerder zijn blote voeten gezien. Hij was altijd zo'n pietje precies over alles, zorgde altijd heel goed voor zichzelf. Hij heeft prachtige handen, zei ze, echt de handen van een genezer. Maar zijn voeten, wat een ramp. De nagels moesten geknipt worden, zijn hakken zaten vol eelt en er zat een eksteroog op zijn middelste teen. Jack keek Sweeney over haar hoofd aan. Hij knipoogde en had meteen een rotgevoel. Sweeney moest zijn lachen inhouden.

'Dus, wat heeft u verder nog gezien?'

'Verder niks,' zei ze. 'Ik schrok zo dat ik hier alleen maar naar die arme man stond te kijken, en toen belde ik voor een ambulance, en toen ik zei wat hij had gedaan, zeiden ze dat ze de politie zouden sturen. Meteen.'

De doctor had zich aan de trapleuning op de eerste verdieping opgehangen. Jack keek naar het touw. Het was waslijn. Verschoten, oranje, net als de lijn waarmee zijn dochter was gewurgd. Hij had een briefje achtergelaten. Het zat in de borstzak van zijn overhemd. Een enkel blaadje, gescheurd van wat vermoedelijk een receptenblokje was. Zijn naam, adres, telefoonnummer en spreekuren stonden bovenaan gedrukt. En eronder, in een klein, nauwelijks leesbaar handschrift, de datum en het bericht.

Ik heb mijn dochter, Judith, niet vermoord of op enigerlei wijze pijn gedaan. Ik weet niet wie het wel heeft gedaan. Maar ik kan de gedachte aan nog meer schande en vernedering niet verdragen. Ik weet dat ik beschuldigd zal worden van de moord op haar, dat ik veroordeeld en schuldig bevonden zal worden. Ik zou nooit naar de gevangenis kunnen. Dit is voor iedereen de beste oplossing.

Het was niet ondertekend. Jack keek toe terwijl Johnny Harris erop toezag dat het lichaam uit de hangende positie werd gehaald. Hij leunde tegen de lambrisering in de hal. Ondanks alles voelde hij zich geweldig. Hij kon nauwelijks een grijns onderdrukken. Hij keek op zijn horloge. Het was halfelf. Alison had de hele dag huisbezoeken. Hij had gezegd dat hij haar zou bellen. Misschien konden ze iets tussen de middag afspreken. Maar in ieder geval zou ze naar zijn flat komen voor het avondeten en de rest. Hij deed zijn ogen dicht. Hij kon nog haar borsten tegen zijn borst voelen, haar benen om zijn heupen. Nog haar huid ruiken en haar mond proeven.

'Hé, baas, word eens wakker.' Sweeney gaf hem een por tussen de ribben. 'Er staat iemand aan de deur die "degene die met alle geweld de leiding heeft" wil spreken. Ik neem aan dat jij dat bent, hè?'

Dit keer herkende hij haar onmiddellijk. De vrouw van middelbare leeftijd met het mooie kapsel en het slechte figuur. Ze wachtte buiten op het tuinpad.

'Ik vroeg me af wat er aan de hand is. Wat dit allemaal heeft te betekenen.' Ze gebaarde naar de ambulance en de drie politieauto's die onder de platanen geparkeerd stonden. 'Is er iets aan de hand? Ik ben niet zomaar nieuwsgierig. Mark Hill is een heel goede vriend.'

Hij dacht dat ze zou flauwvallen toen hij het haar vertelde. Eerst werd ze rood en toen trok alle kleur uit haar gezicht weg. Ze wankelde en hij stak zijn arm uit om haar te ondersteunen.

'Wacht even, dan breng ik u naar huis.'

Jennifer Bradley, zo heette ze. Hij herinnerde zich het huis. Links van het huis van de Hills. En de bloemen die Judith haar voor haar verjaardag had gegeven.

'Zal ik mee naar binnen gaan? Gaat het wel?'

Ze knikte en bedwong met moeite haar stem. 'Dank u, maar mijn man is er. Hij zal er net zo erg van schrikken als ik. We kennen de familie Hill al jaren. We zijn hier tegelijkertijd komen wonen.'

'U was bevriend met Elizabeth Hill, hè?' Hij probeerde zo neutraal mogelijk te klinken.

Ze keek hem aan en glimlachte kil. 'Inderdaad. Ik neem aan dat u alle details kent.'

Hij knikte. 'Niet alle. Alleen de belangrijkste. Ik ben gewoon nieuwsgierig als u het niet erg vindt. U en uw man hebben het uitgepraat. U bent bij hem gebleven. En u en dr. Hill konden het ook goed met elkaar vinden, klopt dat?'

'Ja.' Haar stem klonk nog killer. 'Ik heb een fout gemaakt.

Dat heb ik ingezien. Ik heb een bepaald,' ze zweeg even, 'een bepaald gevoel de overhand laten krijgen. Maar ik zag wel dat er geen toekomst in zat. Mijn toekomst lag hier bij mijn gezin.'

'Maar Elizabeth dacht er anders over?'

'Elizabeth Hill is altijd een rebel geweest. Dat was een van de dingen die haar zo aantrekkelijk maakten. Maar ik was het niet. En Mark wist wat het verschil was tussen ons. En hij heeft het me niet kwalijk genomen. Ik heb zoveel mogelijk geprobeerd hem met de kinderen te helpen. Judith en Stephen liepen bij mij altijd in en uit. Ze kwamen naar mij en mijn man als Mark het druk had. En Judith paste vaak op mijn jongere kinderen. Ze was bijna een oudere zus voor ze. We hielden allemaal zoveel van haar. Het is zo'n verlies. En nu dit. Het is zo oneerlijk.' Haar gezicht betrok en ze begon te huilen. Ze haalde haar sleutels te voorschijn en deed de voordeur open.

'Het spijt me.' Jack stak haar zijn hand toe. 'Het was niet mijn bedoeling uw verdriet nog groter te maken, maar soms moeten die vragen gesteld worden.'

Iemand moest het Elizabeth vertellen. Hij nam aan dat hij het wel zou zijn. Zijn gevoel van welbehagen verdween. Hij kon het maar beter snel achter de rug hebben. Hij liep langzaam naar het huis van de Hills. Hij zou het hier op straat doen, waar het rustig was. Hij haalde zijn telefoon en agenda te voorschijn. Hij vond haar nummer. Hij begon de cijfers in te toetsen. Toen voelde hij een stomp op zijn rug, gevolgd door nog een en nog een. Hij draaide zich om. Stephen Hill stond achter hem, met een ziedende uitdrukking op zijn smalle, witte gezicht.

'Klootzak, vuile klootzak. Kijk eens wat je met mijn familie hebt gedaan. Je hebt ze kapotgemaakt. Je hebt mijn vader kapotgemaakt.' Hij begon weer naar hem uit te halen; hij stompte hem in zijn maag, zijn middenrif, zijn buik. Jack begon nerveus te lachen terwijl hij zijn vuisten balde om zich te verdedigen. En voelde een overweldigende pijn toen Stephen zijn voet optilde en hem een welgemikte schop in de ballen gaf. Hij klapte dubbel en snakte naar adem terwijl de pijn door zijn hele lichaam trok en er braaksel in zijn mond kwam. Hij hoorde meer dan dat hij zag dat Sweeney Stephen Hill van hem afplukte en terug het huis in duwde, terwijl hij zich tegen het tuinhek liet zakken om te wachten tot de pijn afnam.

Het was veel later toen hij er eindelijk toe kwam om te bellen. Hij wachtte tot hij van Johnny Harris had gehoord. Hij bevestigde dat dr. Hill zichzelf van het leven had beroofd.

'Eén ding,' zei hij, 'verbaast me. Hill had toegang tot alle soorten medicijnen. Eén blik in zijn spreekkamer en ik zag dat hij daar meer dan voldoende morfine had. Genoeg om een pijnloze dood te sterven. Toch koos hij ervoor om zichzelf te wurgen. En dat doet ongetwijfeld pijn. Maar ja, dat is wel het patroon. Vrouwen nemen pillen, mannen kiezen een actievere, agressievere vorm van overlijden.'

'Ik weet waarom u belt.' Elizabeth klonk ingetogen, afstandelijk. 'Stephen heeft me al gebeld. Hij is over zijn toeren. Ik kom vanavond. Ik zal de begrafenis regelen. Hij heeft me verteld dat hij naar u heeft uitgehaald. Hij heeft er nu spijt van. Hij weet dat het uw schuld niet was.'

Of was het wél zijn schuld? Hij zat op het balkon met Alison naast zich en keek hoe de hemel boven de haven donkerder werd. Er lagen schepen langs de havenmuur afgemeerd, bezoekers uit Engeland, Duitsland, Frankrijk. Ze zagen hun lampen en navigatielichten branden en hoorden hun gepraat en de muziek uit hun radio's. Alison pakte zijn hand en gaf er een kus op.

'Het is niet jouw schuld, Jack,' zei ze. 'Je hebt alleen maar je werk gedaan. Wie weet waarom hij zelfmoord heeft gepleegd. Een hoop zelfmoorden zijn niet spontaan. Een hoop zijn op de een of andere manier, bewust of onbewust, al jaren gepland. Hij had zijn verdriet om zijn dochter niet behoorlijk verwerkt, hè?'

'Hoe kan het ook als hij haar vermoord had? Hoe zou hij dan om haar hebben kunnen treuren?'

'Maar dat is het dilemma, hè?' Ze schonk nog wat wijn in hun glazen. 'Moet je je de combinatie van verdriet en schuldgevoel voorstellen die die man met zich meedroeg. Ik zag het gisteren bij Rachel Beckett, toen ze met Amy kwam praten. Je ziet wat een tol het heeft geëist. Het doet pijn om naar haar te kijken. Je moet er niet aan denken.'

Maar hij kon niet anders dan eraan denken. En die nacht, terwijl hij met Alisons hoofd op zijn borst lag, zag hij het gezicht van Mark Hill zodra hij zijn ogen dichtdeed. Zijn tong uit zijn mond, zijn paarse, opgeblazen wangen en zijn blote voeten, wit en zacht, met de sporen van talkpoeder nog tussen zijn tenen.

Verdriet en schuldgevoel. Hij voelde ze zelf allebei. En hij zag geen kans om een van de twee achter zich te laten. Nu niet. Nooit niet.

24

Rachel zat al de hele middag naar de kat van de buren te kijken. Haar aandacht was in eerste instantie getrokken door de plotselinge flitsende bewegingen over het geplaveide terrasje, in de richting van het kleine ovalen vijvertje, vervolgens de snelle klim in de eenzame oude appelboom die zelfs nu, hartje zomer, geen enkel blad had.

Ze had zitten kijken hoe de zwarte staart van de kat heen en weer zwiepte terwijl hij ineengedoken bij het rotstuintje zat, met iets kleins en donkers tussen zijn voorpoten. Ze had gezien hoe hij zich een ogenblik terugtrok alsof hij door iets werd afgeleid, en vervolgens, zodra het kleine donkere ding probeerde weg te komen, hij ook bewoog, opnieuw alert, geconcentreerd, de glanzende zwarte oren gespitst.

Ze had haar raam zo hoog mogelijk opengedaan en leunde zo ver mogelijk naar buiten om te kunnen zien waar de kat zich zo mee bezighield. Ze kon, boven het lawaai van het verkeer uit, het gemiauw en gegrom horen dat hij slaakte terwijl hij om zijn prooi sloop. En toen ze de spanning niet langer kon verdragen, nam ze de drie trappen naar de deur die naar de tuin leidde, waar stapels hout en kapotte meubelen lagen. Rommel die haar huisbaas had achtergelaten, maar die een bruikbare ladder opleverde waarmee ze zich naar de bovenkant van de muur kon hijsen en in de geordende schoonheid van het tuintje van de buren kon kijken. Het vierkantje met tegels, het vijvertje met waterlelies en vissen, het stukje gazon dat aan drie kanten omringd werd door een smalle border, volgepropt met zomerbloemen en groenten. En in zijn eentje, de appelboom, waarvan de stam in tweeën gespleten was, als vingers die in de lucht staken. Waar de kat nu zat en met zijn gele ogen tegen het felle zonlicht knipperde. Terwijl er onder aan de boom, de poten gespreid op het kortgeknipte gras, een kikker lag.

Ze keek ernaar. Het leek alsof hij dood was. Ze hees zich bovenop de muur en liet zich de anderhalve meter tot aan de grond vallen. De kat draaide zijn kop in haar richting en dook weg in de zwarte rand bont om zijn dikke nek. Ze keek naar het huis, maar er was geen teken van leven achter de glimmende ruiten. Ze liep zachtjes over het gras naar de appelboom. Ze hurkte en onderzocht de kikker. Hij was een centimeter of tien lang. Zijn poten, met groene en bruine vlekken, lagen gespreid. Ze zagen er bijna menselijk uit, dacht ze. Elegant. De prins met de maillot. Ze pakte een takje en prikte er voorzichtig mee in zijn rug. Hij bewoog niet. Ze duwde ertegen, maar het lijf scheen de druk niet te registreren. Boven haar hoofd hoorde ze geritsel en het geluid van nagels op hout terwijl de kat langs de stam naar beneden begon te kruipen. Ze stak haar hand in haar zak en haalde er een stapeltje papieren zakdoekjes uit. Ze pakte de kikker behoedzaam op, hield hem voorzichtig vast en rende er bijna mee naar de vijver. Terwijl ze zich over het water boog, wriemelde de kikker ineens en sprong uit haar handen, terwijl zijn poten al zwembewegingen maakten voor hij met een muzikaal plonsje verdween. Omlaag, omlaag, onder de plompenbladeren, in het donker. Ze keek naar de kat die achter haar aan was gekomen. Hij staarde geconcentreerd in het troebele water en ging vervolgens ineengedoken zitten, terwijl zijn staart heen en weer zwiepte en er een teleurgesteld gegrom uit zijn keel klonk.

'Ga weg,' siste ze naar hem, terwijl ze hem met haar blote voet tussen zijn ribben porde. Hij liep snel naar de andere kant van het terras. Maar terwijl ze zich weer over de muur hees, zag ze dat hij alweer langzaam en doelbewust in de richting van de vijver sloop. En tegen de tijd dat ze in haar kamer boven in het huis was, kon ze zien dat hij opnieuw iets tussen zijn voorpoten had terwijl hij ineengedoken bij het rotstuintje ging zitten.

Ze moest zijn volharding bewonderen, die dikke zwarte kat die aan de andere kant van de muur woonde. Was het eigenlijk wel volharding? Ze nam aan van niet, bij een dier. Het was waarschijnlijk instinct, iets waaraan hij niet kon ontsnappen. En toen dacht ze aan de andere katten die ze gekend had. Die het grootste deel van de dag volkomen tevreden op een warm plekje lagen, spinnend en wassend en op hun rug rollend zodat ze over hun buik geaaid konden worden. Mooie wezens waren het, herinnerde ze zich. Veilig in hun lijf en zeker van hun plaats in de wereld.

Net als de mensen die ze nu op het huwelijksfeest van Ursula en Daniël Beckett zag, terwijl ze onder de pijnbomen aan de rand van de tuin stond en naar de kleine groepjes mensen keek, die, met hun glas in hun hand, achter de grote panoramavensters bewogen. Ze hoorde door de openstaande deur het gemurmel van hun stemmen boven de muziek uit, die van de groep musici kwam die op een klein podium op het gazon zaten te spelen. Ze keek naar Ursula, die zich tussen haar gasten bewoog. Ze kende de woorden die ze ongetwijfeld gebruikte. Hartelijk, bemoedigend, vertrouwelijk, vleiend. Ze keek naar de kinderen in hun zondagse kleren, die in en uit liepen en dingen brachten en haalden. Ze trok zich een ogenblik terug onder de bomen en draaide zich om naar de zee. Het was nog steeds heel licht. Het water onder de rotsen schitterde in het avondlicht. Donkergroen vlakbij de kust, donkerblauw verder weg, en een lichte streep langs de horizon. En het begin van de zonsondergang, die de wolken licht met zachtroze en grijs besprenkelde. Ze haalde een poederdoos uit haar tas en maakte hem open. Ze keek naar zichzelf terwijl ze de spiegel kritisch van het ene onderdeel van haar gezicht naar het andere bewoog. Ze streek haar wenkbrauwen met haar vinger glad en haalde een kam te voorschijn om haar haar in het gareel te krijgen. Toen draaide ze zich weer om naar het huis. Ze haalde diep adem. Ze keek op en staarde naar de verlichte ramen. Nu was het moment. Nu was ze klaar.

Het was gemakkelijk om door de wijd openstaande deur naar binnen te glippen. Niemand merkte haar op. Niemand keek. Behalve de ober in zijn witte jasje, die onmiddellijk een gast zonder glas bespeurde en zijn blad in haar richting stak.

'Iets drinken, mevrouw? Wijn, mineraalwater of misschien champagne?'

Ze aarzelde en liet haar hand boven de glazen hangen terwijl ze naar de kleuren keek. Het donkere rood, lichtgeel, heel lichtgele bubbeltjes. Ze nam een glas witte wijn. Ze hield het bij haar neus en snoof de geur in voor ze een slok nam terwijl haar ogen de kamer afspeurden, op zoek naar de man met het dikke donkere haar en de net zo donkere baard, wiens gezicht ze zich herinnerde van vroeger. Wiens foto ze had gezien bij de artikelen die ze uit de 'glossy' tijdschriften had geknipt. Ze liep naar voren en baande zich soepel een weg door de mensen terwijl ze in het voorbijgaan flarden van gesprekken opving.

Ze zag Ursula's blonde hoofd en hoorde haar stem, waarvan het accent boven het gemurmel in de kamer uitsteeg. Rachel liep langzaam naar de tuindeuren. Ze ging aan een tafeltje op het terras zitten en keek uit over zee, naar een rij wolken die boven de horizon lag.

Ze dronk haar glas wijn leeg en gebaarde naar de ober dat ze er nog een wilde. Ze dronk nog wat. Door de alcohol veranderde haar stemming. Ze voelde zich vrolijk en levendig, zelfverzekerd, tot alles in staat. Ze stond op en liep weer bij het huis vandaan, naar de grote partytent die op het grasveld was neergezet. Hij was nog leeg. Een groep musici zette hun instrumenten klaar in de hoek. Ze rook nat tentdoek en geplet gras. Het deed haar denken aan vakanties toen ze klein was. Kamperen in Wexford. Regen op het dak van de tent en de geur van de primus. Ze liep naar het midden van de houten vloer en leunde tegen de tentpaal. De band was begonnen hun instrumenten te stemmen. Gitaren, een mandoline, een viool en een accordeon. Ze keek naar hen, leunde achterover tegen de paal en deed haar ogen dicht. Ze begonnen te spelen. Hun muziek klonk als zigeunerliedjes. Ritmisch, romantisch, nostalgisch. Ze deinde op de muziek en neuriede de bekende melodietjes mee tot ze iets aan haar rok voelde trekken. Ze deed haar ogen open en keek naar beneden. Laura stond naast haar. Rachel bukte zich en drukte haar lippen op de wang van het meisje.

'Wil je met me dansen, schat?' vroeg ze. Het kind knikte en stak haar handen uit. Rachel pakte ze beet en samen zwierden ze over de houten dansvloer. De band begon sneller te spelen. Ze draaiden maar in het rond. Laura lachte. Ze liet zich achteroverleunen in Rachels greep. Rachel voelde dat ze duizelig begon te worden en dreigde haar evenwicht te verliezen. Ze ging langzamer dansen en tilde het kind op. Ze hield haar op haar heup terwijl ze een wals danste, haar voeten glijdend over de houten vloer van de enorme tent. Laura gierde van het lachen en leunde achterover om tegenwicht te geven aan Rachels bewegingen terwijl ze in de rondte zwaaide en zwaaide en zwaaide.

En stopte toen Ursula plotseling naast hen stond, het kind uit Rachels armen rukte en naar haar schreeuwde, wilde weten wat ze dacht waar ze mee bezig was, waarom ze hier was, hoe ze op een dergelijke manier inbreuk op hun privacy durfde te maken.

Rachel streek haar haar uit haar gezicht. Ze was buiten adem. Ze haalde diep adem, pakte haar wijnglas en nam nog een slok.

'Maar je hebt me uitgenodigd,' zei ze. 'Die dag dat we naar de kwekerij gingen, toen zei je dat ik ook moest komen. En je hebt het weer gezegd die nacht dat ik bij jou bleef slapen. Je hebt me een uitnodiging gegeven. Weet je dat niet meer?'

Ze zag hoe de uitdrukking op Ursula's gezicht veranderde. Hoe twijfel de plaats van woede innam.

Rachel deed een stap in haar richting. 'Ja, je zei hoe fijn je het vond me hier te hebben, dat je me aan al je vrienden wilde voorstellen, hoe graag je wilde dat ik je man zou ontmoeten. Dat weet je toch nog wel?'

De band was opgehouden met spelen. Mensen kwamen de tent binnengelopen om te zien wat er aan de hand was. Ze bleven in een vreemde halve cirkel om de twee vrouwen staan.

'Ja,' vervolgde Rachel, 'je zei dat er muziek zou zijn en dat we samen zouden dansen, net zoals we die avond dansten, Ursula. Weet je niet meer? Je had het die avond zo geweldig naar je zin dat je zei dat we het nog eens zouden doen. Waarom niet, waarom niet nu? Ik weet zeker dat iedereen het wel zal willen zien, zoals we die avond dansten.'

Ze pakte Ursula's hand. En toen zag ze hem, enigszins apart van de rest van de gasten. Die vrolijke, fonkelende mensen, met hun overdreven gebaren en hun zelfverzekerde bewegingen. Hun sieraden, hun make-up, hun schitterende uiterlijk. Die nu tot niets verbleekten toen ze zag dat Daniël naar haar keek. En zij keek naar hem. Ze zag de grijze strepen in zijn donkere haar, het extra vlees op zijn lichaam en gezicht. Ze herinnerde zich hoe ze hem gecreëerd had, vanuit het diepst van haar geheugen opgeroepen had terwijl ze in haar cel lag, nacht na nacht. Eraan dacht hoe hij eruitzag en aanvoelde. Terwijl haar benen slap werden en haar mond droog zodat ze niet wist of ze iets zou kunnen uitbrengen. Het was een ogenblik stil. Toen rende Laura naar hem toe. Ze klampte zich eerst aan zijn knieën vast, stak toen haar armpjes uit en trok aan zijn broekriem.

'Papa, papa, til me eens op. Geef me eens een kusje.'

Hij bukte en legde zijn handen onder haar oksels. Hij zwaaide haar hoog in de lucht en zette haar op zijn schouder. Het kind lachte en schreeuwde: 'Kijk, perzikmevrouw, kijk. Ik ben de prinses.'

Daniël kwam langzaam naar haar toe. Hij stak zijn rechterhand uit.

'Rachel, zowaar. Na zoveel jaren.'

Ze hoorde toen de stemmen, het commentaar, het gegons van herkenning.

'Wat fijn je te zien. Wat interessant. Ik ben blij dat je het hier zo naar je zin hebt gehad. Dat je zo van onze gastvrijheid hebt genoten.'

Hij tilde Laura van zijn schouders en zette haar voorzichtig op het terras. Hij deed een stap naar voren en pakte Rachel bij haar pols. Zijn hand was een klem, pijnlijk.

'Maar nu,' zei hij, 'is het tijd dat je weggaat.'

Hij trok aan haar arm en ze wankelde naar voren. De wijn uit haar glas droop over haar jurk en maakte een donkere vlek. Hij trok weer aan haar, en weer wankelde ze. De mensen gingen opzij. Ze kon door de open flap van de tent naar buiten kijken. Er stonden twee mannen te wachten. Ze droegen een donkerblauw uniform en een T-shirt met een logo in wit op de voor- en de achterkant. Daniël knikte in hun richting en ze kwamen snel naar voren. Hij liet haar los. De mannen gingen aan weerszijden van haar staan. Met hun drieën gingen ze in looppas de tent uit, het gazon over, langs de zijkant van het huis, via de oprijlaan naar het hek. Hun voetstappen klonken luid op de kiezels. En toen ze bij de weg kwamen, hoorde Rachel de band weer beginnen. Een dansmelodie, weer een wals. Ze hoorde de gitaren, de mandoline, de viool, de accordeon allemaal tegelijk spelen. Ze begon te neuriën. De bewakers deden het hek open. Ze gingen opzij staan.

'Opgehoepeld, schatje.' Dat was de jongste van de twee. Hij gaf haar een duw in haar rug. Ze viel naar voren en stak haar armen uit om haar val te breken. Haar handen en knieën kwamen onzacht in aanraking met het harde wegdek. Ze voelde de steentjes in haar huid prikken. De tranen sprongen in haar ogen. Ze hoorde hun voetstappen toen de mannen zich omdraaiden en wegliepen. Toen hoorde ze het gerammel van de ijzeren grendel waarmee het hek dichtging. Ze wachtte een paar minuten tot het stil was en toen kwam ze overeind. Ze draaide zich om en liep de heuvel op naar het dorp. Het donker omsloot haar, wikkelde haar in zijn troost en veiligheid. Ze bleef een ogenblik staan en hield haar hoofd achterover om naar de hemel te kijken. De halvemaan hing boven haar zoals hij boven de gevangenis had gehangen. Maar als ze nu bewoog, bewoog hij met haar mee, volgde haar pad, stopte wanneer zij stopte, zweefde door de nacht terwijl zij weer begon te lopen.

Het was zo'n groot huis, het huis waar Daniël en zijn gezin woonden. Vol hoeken en gaten. Ze zag het allemaal voor zich. Ze dacht aan het alarmsysteem, het nummer dat ze in haar agenda had opgeschreven, de sloten op de deuren en ramen. Ze dacht aan de sleutelbos die ze zorgvuldig in haar kast had gestopt. Hij zou ze vanavond allemaal controleren voor hij naar bed ging, daar was ze van overtuigd. En zou hij vannacht slapen? Waarschijnlijk niet, of als hij wel sliep, dan zouden zijn dromen hem wakker maken. Maar zij zou goed slapen, beter dan ze in lange tijd had geslapen. In jaren eigenlijk, nu ze erbij stilstond. Ze zou slapen als een roos. Een roos die eindelijk gevoed en verzorgd en gekoesterd wordt. Ze verheugde zich er zo op. Ze kon niet wachten.

25

De volgende ochtend werd ze wakker van gebonk. Hardnek-
kig, luid, tot diep in haar dromen doordringend, ook al draaide ze zich op haar buik en trok ze het kussen over haar hoofd
en drukte ze haar handpalmen tegen haar oren. Het haalde
niets uit. Ze was wakker. Ze bleef een ogenblik op haar rug liggen en keek naar het zonlicht dat over het plafond kroop terwijl ze zich probeerde te herinneren waar ze was. Ze ging rechtop zitten en het zweet brak haar uit toen ze angstig dacht: zat
ze weer in de gevangenis? Kwam het lawaai daarvandaan? De
gevangenbewaarsters die via de galerij op weg naar haar cel
waren? Sleutels in de hand, het gerammel, het geratel, de klap
van het slot, dan de dreun, de schreeuw, het goeiemorgen, dames. Tijd voor het ontbijt. Maar de stem die haar naam nu
schreeuwde was een mannenstem. Een stem die ze van vroeger
kende, van vóór de gevangenis zelfs.

Ze had de tijd willen hebben om haar haar te borstelen, haar
gezicht te wassen, maar het was nu zó'n herrie dat de buren van
beneden mee gingen doen. Ze bonkten op hun plafond zodat
haar vloerplanken trilden. Ze dreven haar het bed uit om snel
de deur open te maken. Om een stap achteruit te doen en hem
binnen te laten. Geconfronteerd te worden met zijn woede.
Zijn vragen te beantwoorden.

'Wat wil je?'

'Waar ben jij in godsnaam mee bezig?'

'Wie denk je wel dat je bent?'

'Mijn vrouw en kinderen in de luren leggen met dat idiote
verhaal. De in de steek gelaten vrouw, de twee zoons, al dat gelul. Nou, zeg eens op. Waarom ben je hier? Nu, na al die jaren.
Waarom nu?'

'Ik zou jou dezelfde vraag kunnen stellen, hè? Waarom ben jij hier, nu, na al die jaren?' Ze sloeg haar armen om zich heen omdat ze het ineens koud had. 'Je zou me moeten bedanken vanwege het feit dat ik je vrouw niet alles over jou en mij verteld heb. Toen ik besefte wie ze was. Dat ik het er niet allemaal uitgegooid heb. Het hele verrotte verhaal. Dat ik het voor mezelf heb gehouden. Dat ik vriendelijk genoeg was om iets anders te bedenken zodat ze niets in de gaten zou hebben.'

'Dus jij durft te beweren dat het gewoon toeval was dat je haar tegenkwam, hè? Nou, ik geloof je niet, geen ogenblik. Ik ken je, weet je nog, Rachel? Ik ken je heel goed.' Zijn stem werd schril van woede terwijl hij met gebalde vuisten op haar af kwam. Terwijl de deur achter hem openging en ze de jongen van beneden zag staan, zijn blonde haar in een kuif als een klein kind, zijn ogen dik van de slaap.

'Wat is hier in godsnaam aan de hand?' Hij zette nog een stap verder de kamer in en keek naar hen allebei. Toen zei hij bezorgd, angstig: 'Gaat het, Rachel? Is alles in orde?'

Ze keek naar Daniël. 'Nee, dat is het niet. Donder op. Nu.' Ze sprak hard; haar accent en toon waren plotseling niet meer de hare terwijl ze op hem af liep en hem een harde duw tegen zijn borst gaf zodat hij achteruitwankelde, zoals de jongen van beneden ook veranderde, dreigend, zijn tengere lichaam in het sweatshirt en de trainingsbroek hard en gespannen. Ze sloeg de deur achter Daniël dicht en ze luisterden naar het geluid van zijn voetstappen op de trap en de holle dreun toen de zware voordeur weer in het slot viel.

Hij wachtte haar op toen ze later die avond klaar was met werken. Zijn bestelwagen stond buiten het winkelcentrum geparkeerd; hij leunde ertegen en bladerde in een krant. Ze zag hem een tel voor hij haar zag. Ze wilde zich omdraaien, maar hij stond al naast haar en legde zijn hand op haar arm.

'Loop niet weg,' zei hij. 'Ik wil met je praten.'

'O ja? Waar zouden we het in hemelsnaam over kunnen hebben?'

'Luister, het spijt me van wat er vanochtend is gebeurd. Het was niet mijn bedoeling om je bang te maken. Laten we een borrel gaan drinken. Je ziet eruit alsof je er wel een kunt gebruiken.'

Hij glimlachte. Ze zag Amy in zijn gezicht.

'Niet hier, niet hier in de buurt. Ergens anders.'

Hij nam haar mee naar een grote nieuwe pub langs de weg naar Bray. Het was er druk, rumoerig. Op een breedbeeld-tv aan de ene kant was een voetbalwedstrijd bezig. Aan de andere kant dreunde een jukebox de nieuwste hits. Ze moest dichtbij hem gaan zitten om hem te kunnen verstaan. Ze kon hem ruiken. Zonlicht, buitenlucht, pas omgewoelde aarde. De lichte geur van zweet.

Hij zag er goed uit. Hij zag er beter uit dan ze zich hem herinnerde. Het was net of hij gegroeid was. Langer, breder, gezonder, sterker.

'Hoe heb je me gevonden?' vroeg ze.

Hij haalde zijn schouders op. 'Ik zou jou hetzelfde kunnen vragen. Hoe heb je mij gevonden?'

'Ik heb mijn hoofd gebruikt, Daniël. Ik heb mijn gevangenishoofd gebruikt.'

'En nu, wat wil je nu? Geld, een baan, een huis? Zeg het maar; verras me; geef me een aanwijzing.'

Ze dronk gin. Die smaakte lekker. Ze keek naar hem en glimlachte.

'Ze is mooi, jouw Ursula. En je kinderen ook. Je hebt geweldig geboft. Het zit je mee, hè, sinds je broer is overleden en je in je vaders voetstappen bent getreden. Als Martin nog geleefd had, zou hij degene zijn geweest die de zaak had overgenomen. En waar had jij dan gestaan? Zijn boodschappenjongen, zijn koerier, zijn zondebok. Maar toen Martin stierf, veranderde dat allemaal. Weet je, Dan? Volgens mij sta je bij me in het krijt.'

Ze dronken nog meer. Het werd buiten schemerig. De lichten binnen fonkelden. Een band had de plaats ingenomen van de jukebox. Ze speelden oude hits, liedjes die ze zich allebei herinnerden. Stelletjes dansten in elkaar verstrengeld op de kleine houten vloer.

'Kom mee.' Daniël stak zijn hand naar haar uit. Ze legde haar hoofd op zijn schouder en deed haar ogen dicht. Ze herinnerde zich de tatoeage. De roos, rode streepjes net onder de huid. Zijn hand lag in de holte van haar rug. Ze herinnerde zich toen hoe het was om naast een mannenlichaam te liggen. Zo anders dan al die jaren in een cel.

Na sluitingstijd bracht hij haar naar huis. Ze zeiden niets. Ze keek naar zijn gezicht bij het licht van de weg. Toen hij voor haar huis stopte, keek hij haar aan.

'Jij wilt me, hè? Je wilt toch dat ik mee naar binnen ga?'

Daarna, toen hij weg was, sliep ze. Ditmaal zo diep dat, toen ze uren later wakker werd, ze zich amper kon herinneren wat er was gebeurd. Maar er waren overal sporen van hem. Donkere haren op haar kussen en in de plooien en vouwen van de lakens. Een natte plek die ze onder haar dijen voelde toen ze zich omdraaide. En toen ze voor de spiegel stond en naar haar lichaam keek, wist ze door de tekens dat hij het was. Het donkerrood van het bloed dat hij in haar hals en op de witte huid rond haar tepels naar de oppervlakte had gezogen. Blauwe plekken aan de binnenzijde van haar dijen, en op haar polsen en bovenarmen. En toen ze zich in het bad liet zakken, voelde ze het prikken in de lange krassen op haar rug en binnenin haar, waar het water zachtjes kabbelde.

'Verraad me niet,' had hij tegen haar geschreeuwd terwijl hij haar handen achter haar hoofd vasthield. En ze had haar ogen dichtgedaan toen ze zich aan hem overgaf. Tweemaal. Onrustig gedoezeld na de eerste keer, vervolgens haar hand weer naar hem uitgestoken en hem opnieuw gevonden.

Hij zei niets toen hij zich aankleedde en wilde weggaan.

'Ik zal je zeggen wat ik wil,' zei ze op zachte toon, terwijl ze haar hoofd van het kussen tilde, zodat hij voorover moest buigen om haar te verstaan. 'Ik wil een keer mee op je boot. Ik heb haar in de haven zien liggen. Je weet toch nog wel, hè, hoe het was toen we vroeger samen gingen zeilen? Dus, vervul die ene wens, Daniël. Neem me mee uit zeilen, dan zal ik jou noch je gezin ooit meer lastigvallen. Dat beloof ik.'

Ze keerde hem haar rug toe, trok haar knieën op en sloeg haar armen eromheen terwijl ze voelde hoe ze door slaap overmand werd.

'Goed,' zei hij. 'Afgesproken.'

Ze glimlachte en trok de sprei over haar hoofd. Het was er warm en donker. Het donker is goed, had ze tegen het kind gezegd. Het donker kan je redden. Het kind had haar niet geloofd. Maar ze had al die tijd gelijk; dat wíst ze gewoon.

'Zeg eens, Rachel, hoe is het nu buiten? Is het net zo warm en heerlijk als het me lijkt?'

Het was laat op de avond. Rachel zat op de vloer, tegen het bed van Clare Bowen geleund. Ze had haar voorgelezen. Vanavond was het *Pride and Prejudice*.

'Ik wil het hoofdstuk waar meneer Darcy Elizabeth ten huwelijk vraagt en zij hem afwijst. Ik vind dat zo'n heerlijk moment, jij niet?'

Buiten was het donker en stil. Binnen wierp de lamp op het nachtkastje een volle gele gloed over hen beiden. Rachel keek naar haar en nam het boek weer op. Ze begon te lezen. Clare ging weer tegen haar kussens liggen. Ze zuchtte. Ze deed haar ogen dicht. Toen Rachel klaar was, bewoog Clare zich onrustig.

'Je voelt je niet lekker, hè?' Rachel stak haar hand uit en voelde aan haar voorhoofd. Het was warm en plakkerig.

'Wil je dat ik je was, zodat je je frisser voelt als je gaat slapen?'

Clare deed haar ogen open en knikte.

Rachel liet een waskom vollopen met lauw water. Ze sloeg het beddengoed terug en trok Clares nachtjapon over haar hoofd. Ze stroopte haar mouwen op en stopte haar spons in het water. Ze deed er zeep op en veegde voorzichtig het zweet weg dat plakkerig tussen en onder Clares kleine, platte borsten lag. Clare keek naar haar, stak haar hand uit en raakte Rachels arm aan. Ze hield hem dichter bij het licht.

'Hoe kom je aan die blauwe plekken?'

Rachel keek ernaar. Ze waren donkerpaars tegen de witheid van haar huid.

'Als ik het je vertel, beloof je dan dat je het niet tegen je man zegt?'

Clare tilde haar hand op en duwde de kraag van Rachels blouse opzij. Haar vingers bleven op de plekken in haar hals rusten. Ze luisterde zwijgend.

'Wees voorzichtig,' fluisterde ze. 'Wees heel voorzichtig.'

Daarna wachtte Rachel tot Clare sliep. Ze had haar haar pillen gegeven, haar hoofd omhooggehouden terwijl ze die inslikte. Haar daarna gesust en getroost, wetend dat Clare zou vechten tegen de slaap die kwam. Dat ze bang was dat dit de nacht was waaruit ze niet meer zou ontwaken. Rachel hoorde Andrews sleutel in het slot van de voordeur, en zijn voetstappen in de hal. Ze hoorde hem tegen de muur wankelen, het geluid van water uit de kraan in de keuken dat in de gootsteen stroomde, het gerinkel en de klap van iets dat kapotviel. Ze stond op en liep naar de voordeur. Andrew zat op zijn handen en knieën glasscherven van de tegels op te rapen. Hij keek naar haar op, zijn gezicht rood, zijn ogen bloeddoorlopen.

'Dank je,' zei hij. Ze knikte en liep weg.

Buiten was het nog steeds warm. Ze begon te rennen, steeds harder naarmate ze dichter bij huis kwam. Het was niet nodig dat hij haar bedankte. Hij en zijn vrouw deden haar een plezier. Alleen wisten ze het niet. Nóg niet tenminste. Maar binnenkort wisten ze het wel. Binnenkort zou het hun en iedereen allemaal duidelijk worden.

26

Wat moest hij nu met de zaak Judith Hill aan? Technisch gesproken was die nog steeds onopgelost. Niemand was tot nu toe aangeklaagd wegens de moord op haar, dat was een ding dat zeker was. Maar met de hoofdverdachte dood en begraven, hoe moest hij nu verder? Jack zat achter zijn bureau en keek om zich heen. De meeste rechercheurs die aan de zaak hadden gewerkt, hadden een andere opdracht gekregen. Zelfs Sweeney. En hij ging twee weken met vakantie.

'Het is heel netjes van je,' had Alison gezegd toen hij het haar vertelde. 'Zo krijgt Joan ook eens de kans om met haar vriend op stap te gaan. Je kunt het haar niet kwalijk nemen. En je zegt altijd dat je niet genoeg tijd met je kinderen doorbrengt. Het zal wel leuk worden. Dan heb je ze twee hele weken voor jezelf.'

Ruth wierp hem een zijdelingse blik toe toen hij voorstelde dat Alison ook zou komen. Zo nu en dan een nachtje.

'Waar moet ze dan in vredesnaam slapen, papa?' Ze klonk vol morele verontwaardiging. 'Rosa slaapt bij jou; ik slaap op de bank. Er is toch geen plek?' Ze keek hem boos aan en hij voelde dat hij spijt begon te krijgen van zijn besluit. Maar Alison was begrijpend.

'We komen er wel uit,' zei ze op haar kalme, nuchtere manier, gaf hem een kus en trok hem weer in haar bed en sloeg stevig haar armen om hem heen.

En het wás leuk, om de hele tijd met de meisjes op te trekken. Voor hen te koken, hen weer helemaal te leren kennen. Dol te raken op Ruths koppige intelligentie en Rosa's melancholieke speelsheid. Zo dat Judith Hill en haar vader, haar broer en haar moeder weinig meer werden dan personages over wie hij in een boek gelezen kon hebben of die hij in een tv-serie kon hebben gezien. Dit was het ware leven. Iedere ochtend met zijn dochters wakker worden, ontbijt voor hen klaarmaken, op het smalle balkon zitten en de scheepjes de binnenhaven in te zien varen. Kijken naar alle kinderen die deelnamen aan cursussen die georganiseerd waren door de zeilschool aan het eind van de westpier, die rondspetterden in hun wetsuits, in en uit kano's vielen, hun kleine zeilbootjes lieten kapseizen. Dus toen Alison langskwam, voelde hij bijna weerzin tegen haar aanwezigheid, de inbreuk op zijn huiselijke leven. Tot hij weer gewend raakte aan het gevoel van haar zachte lichaam tegen het zijne terwijl hij achter haar in de keuken ging staan of gebaarde dat ze een paar minuten mee de slaapkamer in moest.

En toen het voorbij was, en het leven weer zijn normale loop nam, bedacht hij wat een heerlijke tijd het was geweest. Die twee weken midden in de zomer, dat bijzondere jaar.

Rachel had Jack Donnelly en de twee meisjes op hun balkon in de ochtendzon zien zitten als ze haar dagelijkse rondje ging hardlopen. Ze leken allemaal heel erg op elkaar. Allemaal heel donker, met een glanzende bos haar. Ze had hen met hun drieën over de pier zien kuieren, op hun gemak, hier en daar stilstaand om naar de steenlopers, kwikstaarten en alle meeuwen te kijken. Naar de zeehonden die rond de boten zwommen. Vreugdekreten slakend als ze zagen hoe ze naar boven kwamen en zich op hun rug draaiden, loom een zwempoot uitstaken voor ze naar beneden doken en verdwenen. Ze had hem ook 's avonds gezien en de blonde vrouw bij hem herkend. De maatschappelijk werkster, Alison White. Ze probeerde niet te denken aan de laatste keer dat ze elkaar hadden ontmoet. De pijn om bij Amy te zijn en haar weg te zien gaan.

Daniël had haar verteld hoe hij Amy ook had gevonden. Schepte erover op. Vertelde haar hoe hij naar het café was gegaan waar ze werkte. Met haar kletste, haar plaagde, haar aan het lachen maakte. Ze is leuk, zei hij.

'Heb je haar verteld wie je bent?' vroeg ze.

Nee, zei hij. Hij wilde haar niet van streek maken. Hij wilde alleen maar weten hoe ze was.

'En hoe is ze?'

'Ze lijkt op mij. En soms lijkt ze op jou. En soms lijkt ze op geen van ons tweeën.'

Ze hadden elkaar een aantal keren ontmoet sinds die nacht. Hij had haar gebeld, met haar afgesproken als ze klaar was met haar werk bij de stomerij. Hij had haar door de stad rondgereden in zijn bestelwagen. Ze waren naar verschillende plekken gegaan. Een appartement in een gebouw dat eigendom van zijn bedrijf was. Zijn kantoor als er niemand was. Hij had haar rondgeleid. Uitgelegd hoe de oude Beckett na Martins dood een stapje terug had gedaan en hoe Daniël de zaak geleidelijk steeds meer was gaan overnemen.

'Niet gek, hè? Voor het zwarte schaap van de familie. Weet je nog, Rachel, hoe jij me een beter gevoel gaf, meer vertrouwen in wat je "mijn intellectuele vermogens" noemde? Daar was je heel goed in, hè? En toen Martin er niet meer was, tja, die ouwe had niemand anders die hij net zo kon vertrouwen als hij mij vertrouwde. Tenslotte, Rachel, hoor ik bij de familie, hè?'

Net zoals ík bij de familie hoor, dacht ze. Een deel van het geheel. Met een onuitwisbaar stempel.

'Weet Ursula dat je me weer ontmoet hebt?' vroeg ze. 'Ben je niet bang dat ze erachter komt?'

'Bang? Nee. Ursula heeft de arrogantie van haar klasse en haar achtergrond. Ze kan niet geloven dat ik haar zou bedriegen. Niemand heeft haar ooit bedrogen. Alles is haar altijd voor de wind gegaan, vanaf de dag dat ze in een rijke familie geboren werd die bepaalde hoe haar leven geleid zou worden. Ze kent geen teleurstelling. Eerlijk gezegd,' hij glimlachte naar haar, 'was de enige keer dat ik ooit angst op haar gezicht heb gezien die avond van het feest. Toen was ze bang. Doodsbang.'

'Wat denkt ze dan dat er nu met me is gebeurd?'

'Ze denkt dat ik naar de politie ben gegaan om me over jou te beklagen. Ze denkt dat je een waarschuwing hebt gekregen. Ze denkt dat je geen kwaad kan. Een gebroken, bittere vrouw zonder toekomst.'

'En wat denk jij?'

'Ik denk dat ik wil weten wat jij van me wilt. Ik denk dat je wilt dat ik je help, maar ik weet niet goed hoe.'

'Begin maar eens met me een kus te geven, Daniël. Dat is voldoende. Het is zo lang geleden dat ik gekust ben. En vertel me dan eens waarom je mijn man hebt vermoord.'

Hij nam haar gezicht in zijn handen. Zijn vingers gleden naar haar hals. Hij duwde haar hoofd achterover. Ze voelde hoe zijn duimen tegen haar luchtpijp drukten en hoe haar adem in haar keel begon te stokken. Hij ontspande zijn vingers en trok haar tegen zich aan.

'Je weet waarom ik hem vermoord heb. Hij wilde mijn leven kapotmaken.'

'En in plaats daarvan heb jij het mijne kapotgemaakt.'

'Nee, nietwaar. Jij hebt het zelf kapotgemaakt. Jij had tegen hem gelogen. Je had hem bedrogen. En je hebt ervoor geboet. Maar nu kun je weer opnieuw beginnen. Je bent jong genoeg; je bent nog steeds mooi. Je bent slim. Ik zal je helpen, Rachel. Dat weet je.'

Hij was nerveus, dat wist ze. Hij was onzeker. Hij wilde haar bij zich in de buurt houden. Hij vroeg haar naar het huis te komen en een paar nachten te blijven. Ursula was een paar weken weg. Ze had de kinderen meegenomen op vakantie naar Amerika.

'En mijn boottochtje, Daniël? Dat heb je me beloofd, weet je nog?'

Ze hadden afgesproken in de haven. Zondagmiddag. Drie uur.

'Ik zal eten meenemen, iets te drinken. Wat vind je ervan?'

'Klinkt uitstekend.'

'En waar gaan we dan heen, welke richting, noord of zuid?'

'Dat zien we wel. We varen met de wind mee.'

Ze zouden elkaar op de steiger treffen. Ze had alles wat ze nodig had voor de tocht. Een verschoning voor het geval ze nat werd. Een dikke trui voor het geval dat het koud werd. Eten voor onderweg. Hij had de rest. Zeiljacks, zeilbroeken en zwemvesten, die in een canvastas achter in zijn bestelwagen lagen. Ze roken muf toen ze de tas opendeed.

'Ik bewaar die spullen altijd hier,' zei hij, 'voor het geval ik de kans krijg om te zeilen. Het is handig.'

Er waren ook riemen die bij het bijbootje hoorden dat tegen de zeemuur geleund stond.

'Hé, kom eens helpen,' riep hij, en samen hesen ze het van de granieten helling. Ze keek hoe hij het bootje vollaadde en zorgvuldig het gewicht over de boeg en de achtersteven verdeelde.

'Dat is een zware,' zei hij terwijl hij haar tas optilde. 'Wat heb je erin zitten, al je aardse bezittingen?'

Ze glimlachte. 'Gewoon een paar dingen voor de tocht. Je weet hoe het is; je moet op alles voorbereid zijn.'

Hij hielp haar in de boeg van het bootje en ging tegenover haar zitten. Hij hief de riemen op. Zijn bewegingen waren snel en zeker. Ze liet haar hand door het koude, heldere water gaan. Het was diep en donkergroen, bijna ondoorzichtig als blokken agaat of groensteen. Ze boog over de rand en zag haar gezicht naar haar kijken. Ze glimlachte. En zag hoe ze naar zichzelf glimlachte. Ze keek naar hem.

'Dank je,' zei ze, 'je hebt geen idee hoeveel dit voor me betekent.'

Zijn boot was van hout, negen meter lang, met een kajuit met twee slaapplaatsen.

'Wat wordt het, Rachel? Zeil of motor?'

'Wat denk je? Wat zou jij doen met deze heerlijke wind?'

Het was windkracht vier, volgens het weerbericht. Goed zicht. Barometer hoog. Samen hesen ze de zeilen: de fok en het grootzeil. Ze stond met haar voeten ver uit elkaar, balancerend toen de boot onder haar begon te bokken.

'Ben je klaar?' schreeuwde Daniël. Ze keek naar hem en knikte. Ze hurkte en maakte de tros los. De boot draaide als een gek in de rondte en kwam recht te liggen toen Daniël de helmstok pakte en de grootschoot aantrok, zodat de boeg in een bepaalde hoek op de wind kwam te liggen. Ze stapte voorzichtig terug naar de kuip en ging naast hem zitten. Ze pakte de fokkenschoot, trok hem zo strak mogelijk aan en voelde het touw in de zachte huid van haar handpalmen snijden.

'Maak maar vast,' schreeuwde hij naar haar, en ze wond het touw snel in een acht om de koperen kikker. Ze leunde achterover en keek omhoog, terwijl ze haar hand boven haar ogen hield tegen de zon. Het enorme witte zeil stond strak gebold, vol wind nu. Achter de kiel hoorde ze het gesuis en kolken van het water toen ze vaart kregen. Ze lachte hardop toen ze overweldigd werd door een geluksgevoel. Ze keerde zich naar hem en legde haar hand op zijn wang.

'Dank je,' zei ze nogmaals. 'Dank je hiervoor.'

Ze staken in noordelijke richting de baai over. De boot maakte scherp slagzij en er stroomde water over het dek vanaf de boeg, door de kuip, zodat hun benen en voeten doorweekt werden. Ze keek naar Daniël, hoe hij zelfverzekerd het roer vasthield, het zeil inspecteerde, zorgde dat hij voor de wind bleef, kleine, precieze koerscorrecties aanbracht. Hij wist wat hij deed. Dat zag ze. Hij moest wel veel gezeild hebben sinds die zomer dat ze het hem had geleerd. Hier gezeild, met de wind in zijn haar, het zout op zijn lippen, terwijl zij met haar gezicht naar de muur van haar cel gekeerd lag. Op dat moment keek ze weg, naar de vonkjes zonlicht die op het glanzende wateroppervlak dansten. Ze keek achterom en zag de grijze granieten havenmuren van Dun Laoghaire steeds kleiner worden. Voor hen lagen de heuvel van Howth en de vuurtoren van Bailey. En overal om hen heen het zachte blauw en groen van de bergen, de donkere streep waar de stad zich uitstrekte en tegen de glooiende heuvels duwde. Ze wilde het uitschreeuwen van vreugde, zingen van geluk. Ze staarde naar de monding van de rivier die tot in het hart van de stad liep. De rivier die langs Four Courts stroomde, waar haar leven was geëindigd. Het water van het kanaal kwam er ook in uit. Het kanaal, dat slijmerig groen en stinkend buiten de gevangenismuren lag waar ze al die jaren had doorgebracht. Al die jaren van verspild leven.

'Zullen we stoppen?' schreeuwde Daniël naar haar terwijl ze rond de vuurtoren voeren en het kleine haventje erachter genesteld zagen liggen. Maar ze schudde haar hoofd en schreeuwde nee, ze wilde niet aan land, ze wilde gewoon doorgaan, zover als het oog reikte. Hij lachte en stopte zijn hand onder haar shirt, legde hem om haar borst en gaf haar een kus op haar schouder terwijl de wind blies en de boot helde en de mast kraakte en het tuig ratelde en klapperde. Koper en touw op hout.

'Hé, Rachel, je had me toch eten beloofd? En iets te drinken. Kom op, je moet wel voor je schipper zorgen. Is dat niet de eerste regel van de zee?'

Ze stond op en voelde de boot heen en weer gaan toen ze haar gewicht verplaatste. En toen zat ze in de kleine, keurige kajuit, met twee slaapplaatsen, een keukentje met een tafeltje en een gootsteen, een tweepits gasstelletje en een koelkastje. Ze had brood en vleeswaren meegenomen. Sla en tomaten, kaas en plakken donkere vruchtencake. Ze opende een paar blikjes bier en gaf hem er een. Daarna legde ze het eten op de tafel.

'Dan, heb je een mes? Ik ben vergeten er een mee te nemen.' Ze stak haar hoofd door het luik en zag hoe hij het bier aan zijn mond zette en dronk. Zag het schuim langs zijn kin druipen. Hoorde hem zeggen, terwijl hij met zijn hand over zijn gezicht ging: 'De gereedschapskist, op de bodem. Je moet hem eerst even wassen.'

Ze duwde de metalen lipjes omhoog, deed de kist open en vond het mes in het vakje bij de schroevendraaiers. Het lange lemmet was ingeklapt en verzonken in het houten handvat. Ze pulkte het eruit. Liet water in het gootsteentje lopen, hield hem onder de onregelmatige straal en maakte hem zorgvuldig schoon. Vervolgens zocht ze in de gereedschapskist naar de slijpsteen. Haalde een zakdoek uit haar zak en wikkelde hem om het handvat van het mes. Hield het lemmet schuin tegen de slijpsteen en haalde hem erlangs, keer op keer. Hoorde het metalen geschraap van metaal op steen, zodat haar nekharen overeind kwamen en haar tepels hard werden. Toen stak ze haar hand in haar tas en voelde de gladheid van een klein flesje. Nam het eruit. Schroefde de dop eraf. Nam een diepe teug cognac. Keek weer naar het luik. Zag Daniël daar, zijn dikke, donkere haar wapperend in de wind. Hoorde zijn stem. Hij zong, mompelde de woorden van een liedje. Ze liet zich weer uit het zicht zakken. Pakte de fles en nam nog een slok. Daarna pakte ze het mes weer met de zakdoek. Hield hem in haar rechterhand. Spreidde de vingers van haar linkerhand, keek ernaar en stootte het mes hard neer tussen haar duim en wijsvinger. Sneed door de huid, het weefsel, de spier, de bloedvaten. Sneed hard en diep in alles. Zó dat de pijn door haar vingers, via haar arm, naar haar hart schoot. Zó dat ze het uitschreeuwde van pijn en van angst.

'Daniël, Daniël, help. Ik heb me gesneden!'

Zag het bloed uit haar hand stromen. Hield hem voor zich uit en zag hoe het overal op drupte. Op de vloer, op de mooie gebloemde bekleding van de slaapbanken, op haar broek, haar shirt en toen, terwijl Dan tegenover haar stond, op zijn T-shirt. Het drupte op al zijn kleren toen hij probeerde haar hand beet te pakken, haar te helpen, terwijl zij gilde en gilde en grote zwarte vlekken voor haar ogen zag dansen toen de pijn door iedere zenuw in haar lichaam schoot.

'Het mes, het mes, ik wist niet dat het zo scherp was. Waar is het? Raap het op, snij je niet. Leg hem ergens veilig weg.'

Later wist ze niet meer precies hoe hij erin geslaagd was haar te verbinden. Hoe hij er uiteindelijk in slaagde het bloeden te stelpen. Het onder controle te krijgen zodat het niet langer door het gaasverband lekte dat hij in de ehbo-doos had gevonden. Toen suste hij haar en hield haar in zijn armen, zette het keteltje met water op, maakte thee voor haar en wikkelde een deken om haar heen. Zei dat ze zich geen zorgen hoefde te maken om het bloed dat overal lag. Zei dat ze moest rusten, dat hij het wel zou opruimen. Zei dat het niet gaf. Het was een ongeluk. Het kan iedereen overkomen. Hield haar stevig tegen zich aan en troostte haar. Tot ze zei: 'Wat gebeurt er buiten, Dan? Wat is dat voor lawaai?' Toen hoorde ze de wind die aan de zeilen en het tuig rukte terwijl de boot vervaarlijk slingerde en keer op keer dreigde om te slaan. Hij klom op het dek en schreeuwde naar haar.

'Kom snel hierheen en trek een plastic zak over je hand. Ik weet niet wat er aan de hand is, maar het gaat niet goed.'

Hoe had het weerbericht ook alweer geklonken? Windkracht vier, toenemend tot zes of zeven laat in de middag. Zicht goed, maar afnemend. Barometer zakkend. Stormwaarschuwing vanaf zeven uur 's avonds. Ze hadden gelijk. Ze hadden altijd gelijk. Ze begon instructies naar hem te schreeuwen toen ze zich herinnerde wat ze moesten doen en hoe ze het moesten doen.

'Reef de zeilen. Leg er twee reven in. Hier, Dan.' Ze stak hem een zwemvest en een veiligheidslijn toe. 'Maak je vast.'

Ze begon te lachen. Het was perfect. Het was precies wat ze wilde. Het regende. Ze trok haar zeiljack aan en ritste hem tot aan haar kin toe dicht. Zó dicht dat het bloed dat op haar kleren zat niet nat kon worden. Ze ritste zijn jack ook dicht. En dacht aan het mes, waar ze het had gestopt, tussen het fornuisje en het koelkastje, veilig weggestopt. Ze glimlachte naar Dan terwijl de regen over hun gezicht stroomde en hij geleidelijk de boot weer onder controle kreeg. Haar huiswaarts stuurde. Haar door de storm navigeerde tot de wind begon te liggen toen ze de havenlichten voor zich zagen.

Het was al laat tegen de tijd dat ze de boot afgemeerd hadden en Dan hen terug naar de steiger had geroeid. Ze waren allebei uitgeput.

'Wat een zeiltocht,' zei ze. Haar benen trilden toen ze haar evenwicht probeerde te vinden op de vaste grond.

'Niet echt wat je in gedachten had, denk ik, hè, Rachel? Niet echt je bijzondere dag.' Hij glimlachte spijtig terwijl hij al zijn spullen weer in de grote canvastas stopte en hem zorgvuldig achter in de bestelwagen legde.

'Ik weet het niet, ik vond het bijna perfect,' antwoordde ze terwijl ze haar hand ondersteunde. 'Precies zoals het hoort te zijn. Vol spanning en avontuur, en tot slot een goede afloop.'

'Hier.' Hij stak zijn hand uit en probeerde haar hand te pakken. Ze trok hem weg. 'Dat moet gehecht worden. Ik zal je naar het ziekenhuis brengen, zodat ze ernaar kunnen kijken.'

Ze schudde haar hoofd. 'Nee, echt, je hebt genoeg gedaan. Het gaat wel. Ik red me wel.'

Hij fronste zijn voorhoofd. 'Ga je niet met me mee? Ik dacht dat je zou blijven.' Hij wilde haar bij haar arm pakken, maar ze trok zich terug.

'Nee, het gaat wel. Ik zorg er zelf wel voor. Ga jij nu maar. Het is al laat.'

Ze wachtte tot hij de motor startte. Ze zag de twijfel, bezorgdheid op zijn gezicht.

'Ik bel je morgen. Echt, het gaat wel. Ga nu maar.'

Ze wachtte tot zijn achterlichten steeds kleiner werden en tilde toen haar tas op. Hij was zwaar. Alles zat erin wat ze nodig had. Ze liep over de werf en de weg langs de haven. Ze keek naar de appartementen. De lichten waren uit in de woonkamer van Jack Donnelly. Maar ze zag dat zijn deur openstond. Ze zag dat hij er was. Ze wendde haar gezicht af. Ze bleef lopen.

27

Het regende nu iedere dag. Het fraaie droge weer was voorbij. De kinderen waren terug naar hun moeder gegaan. Hij miste hen. Het was niet hetzelfde zonder hen. Hij voelde zich eenzaam en gedeprimeerd. Op de een of andere manier nutteloos. Ook al bracht hij nu de meeste tijd door bij Alison in haar prachtige huis, met de glimmende grenen vloeren en felle edelsteenachtige kleuren op de muren.

'Waarom trek je niet bij mij in?' had Alison gezegd.

Hij had lopen piekeren en aarzelen, en dacht aan de onverschillige rust van zijn flat met de witte muren en uitzicht op de haven. Een onvermogen om zich ergens aan over te geven, dat was zijn probleem. Hij kon niet eens besluiten om de woonkamer te schilderen, laat staan dat hij andere beslissingen kon nemen. Het was gewoon zielig.

Hij was ook gedeprimeerd over de zaak Judith Hill. Hij had haar moeder een paar keer gebeld, met haar gesproken, gevraagd hoe het was, hoe Stephen het verwerkte. Het nieuws was niet goed.

'Ik maak me verschrikkelijk zorgen over hem. Hij is zwaar depressief. Ik probeer hem maar over te halen met mij mee te gaan, maar hij reageert heel vijandig op dat idee. Ziet u, ik had met Judith al wat stappen in de goede richting gezet. We begonnen elkaar te leren kennen. Maar ik heb niet veel met Stephen, afgezien van het feit dat ik zijn moeder ben.'

'Waar woont hij? Niet thuis, hè?'

Ze zuchtte. 'Nee. Inderdaad. Hij logeert bij de Bradley's. Dat is nog een reden waarom het allemaal zo moeizaam gaat.'

Jack kon het zich voorstellen. 'Luister,' zei hij, 'zal ik eens bij hem langsgaan?'

Het was even stil. 'Eerlijk gezegd, meneer Donnelly, vind ik het een heel vriendelijk aanbod, maar ik denk niet dat het zo'n goed idee zou zijn. We kunnen hem het beste maar met rust laten; laat het hem zelf maar uitvechten. Ik ben zelf van plan om te komen, ik weet nog niet precies wanneer, maar ergens in de loop van volgende week. Dan bel ik u wel, zodat we misschien een afspraak kunnen maken. Maar laat het voorlopig maar.'

Hij nam aan dat hij dat maar het beste kon doen. Tenslotte was het niet zo dat hij niet genoeg nieuwe zaken had om bezig te blijven. Er was weer een golf van moorden geweest die met de drugswereld te maken had. Nog meer gebroken lichamen als die van die arme kleine Karl O'Hara. Nog meer verdrietige moeders en vriendinnen, vaderloze kinderen. Er waren twee sterfgevallen in het bijzonder waarvan hij zeker wist dat er een verband tussen bestond. Hij wilde er met Andy Bowen over praten. Hij pakte de telefoon en toetste zijn nummer in. Hij had hem al een tijdje niet meer gezien. Hoogste tijd voor een biertje en een broodje.

Andy zag er niet goed uit. Hij was mager en heel bleek.

'Ik ben blij dat je belde, Jack,' zei hij. 'Eerlijk gezegd was ik net van plan om jou te bellen.'

'Je mist me, hè? Je mist alle prikkelende gesprekken, de kleine juweeltjes van wijsheden die van mijn lippen rollen, waar of niet?'

'Rot op.' Andy glimlachte en hief zijn glas op bij wijze van heildronk. Hij nam een slok. Geen whisky vandaag, zag Jack. Of misschien had hij die al op voor Jack kwam.

'Nee, het is iets anders. Ik weet het niet zeker, misschien is het niets. Maar ik maak me zorgen over Rachel Beckett. Ze is al een paar keer niet voor haar afspraken komen opdagen. En ik kreeg vanochtend een telefoontje van de vrouw die de stomerij runt. Ze is ook niet op haar werk geweest. En haar huisbaas heeft ook gebeld, om te zeggen dat ze haar huur niet heeft betaald.'

'Hoelang is het geleden dat je haar hebt gezien?'

'Het moet wel een dag of tien geleden zijn geweest. Zie je,' hij zweeg even en nam opnieuw een slok, 'ik denk dat ik het je moet vertellen. Ik heb een afspraak met haar. Het is een beetje ongewoon.'

'O ja.' Jack keek hem aan. 'Gluiperd. Wie had dat kunnen denken? De zwarte weduwe, nota bene.' Hij gniffelde.

'Nee, zo is het helemaal niet. Ben je gek? Nee, ik dacht dat het goed voor haar zou zijn.' En hij vertelde hem over Clare.

Jack keek hem aan en trok zijn wenkbrauwen op. 'Dat is wel een beetje vreemd, vind je niet? Tamelijk idioot zou ik denken. Om een veroordeelde misdadigster een vertrouwenspositie bij je eigen vrouw te geven. Dat is het beroepsmatige met het persoonlijke vermengen. Niet bepaald volgens de regels, zou ik denken.'

Andy werd rood. Hij ging rechtop zitten.

'En werken jullie altijd strikt volgens de regels? Toe nou zeg, wie hou je voor de gek?'

'Dat kan wel zijn, Andy, maar ik heb mijn familie nooit betrokken bij een of andere zaak. Dat is gevaarlijk.'

'O, in jezusnaam, Jack, blaas niet zo hoog van de toren. Rachel Beckett is niet agressief of gevaarlijk. Dat weet je. Wat haar is overkomen was eenmalig. Er is nooit enige suggestie geweest dat ze het weer zou doen. Niet echt. Ze hadden haar nooit zo lang moeten laten zitten. Dat weet jij net zo goed als ik. Eerlijk gezegd, en onder ons gezegd en gezwegen, zou doodslag meer op zijn plaats zijn geweest. Ze trof het ontzettend slecht. Vandaag de dag zou ze misschien niet eens meer gevangenisstraf hebben gekregen. In ieder geval,' hij nam nog een flinke slok van zijn bier en veegde zijn mond met zijn hand af, 'in ieder geval werkte het uitstekend met Clare. Ze mogen elkaar. Rachel is heel goed voor haar. En het heeft het voor mij ook veel gemakkelijker gemaakt.'

Gemakkelijker voor jou om uit te gaan en je de hele tijd een stuk in je kraag te drinken, dacht Jack. En had onmiddellijk medelijden met hem. Hij zuchtte. 'Oké, laat ook maar.' Hij priemde met zijn vinger in Andy's richting. 'Toch vind ik het een beetje idioot. En ik denk niet dat je meerderen er zo verrukt van zullen zijn.' Andy maakte een gebaar alsof hij hem wilde onderbreken.

Jack stak zijn handen op. 'Ja, ja, ik snap het al. Je wil gewoon dat ik hier en daar eens discreet mijn licht laat schijnen; eens zien of ze aan haar stutten heeft getrokken, verliefd is geworden of zo, God heeft ontdekt en in retraite is gegaan. Wees maar niet bang, ik doe het wel. En ik zal mijn mond dichthouden. Voorlopig.'

Maar er was meer dat Andy hem wilde laten weten. Wat zijn vrouw tegen hem had gezegd. 'Ze zei tegen me, toen Rachel voor de tweede keer niet was komen opdagen, dat ze zich echt zorgen om haar maakte. Ze zei dat Rachel haar iets had verteld, haar had laten beloven dat ze het niet aan mij zou vertellen. Maar nu twijfelde ze. Blijkbaar was Daniël Beckett erachter gekomen dat Rachel uit de gevangenis was. Hij had haar opgespoord en was erachter gekomen waar ze woonde. En hij had haar opgezocht. Clare zei dat Rachel er daarna slecht aan toe was. Ze was doodsbang. Ze zei dat hij haar had verkracht. Ze had overal blauwe plekken. Erge.'

'Waarom heeft ze jou er niet over verteld?'

'Clare zei dat ze doodsbang was dat daarmee haar voorwaardelijke vrijlating in het gedrang zou komen. Dat ze teruggestuurd zou worden naar de gevangenis. Ze zei dat ze tegen Dan had gezegd dat als ze beter in staat was om het in haar eentje te rooien, ze zou verhuizen. Dat ze hem niet meer problemen wilde bezorgen. Maar volgens wat Clare zei, was ze erg bang.'

'En geloof je haar? Hoe is Clares geestelijke toestand de laatste tijd?'

'O toe, Jack. Ze is ziek, heel ziek, maar niet zo erg. Ze hallucineert niet, heeft geen waanideeën. Luister, waarom kom je zelf niet eens met haar praten? Trek je eigen conclusie. Ik vind het gewoon typisch, dat is alles. Maar ik wil niets officieel doen totdat ik redelijk zeker weet wat er aan de hand is. Ik vind dat ik haar verschuldigd ben haar een kans te geven.'

Om nog maar te zwijgen van je eigen kans, dacht Jack terwijl hij zijn glas leegdronk. 'Oké, ik zal weleens even in haar kamer rondneuzen. Met de buren praten. Eens horen wat ze zeggen.'

Hij herinnerde zich hoe haar kamer eruitzag die dag dat hij haar naar Judith was komen vragen. Alles zo netjes en keurig en schoon. Het enorme schuifraam was zo hoog mogelijk naar boven geduwd, zodat er een harde oostenwind uit zee naar binnen waaide die de gordijnen optilde en de papieren lamp aan zijn fitting in het midden van de kamer deed ronddraaien. Ze had tegen hem gezegd dat ze het fijn vond zo, ook al was het koud.

Er is geen wind in de gevangenis, had ze gezegd. Er is daar niets wat erop lijkt. Zelfs buiten op de luchtplaats ben je nog binnen.

Vandaag was het precies hetzelfde, keurig en netjes, alles op zijn plaats. Behalve dat het raam stijf dicht zat. De kamer rook muf, bedompt. Hij ging in het midden staan en keek om zich heen. Er stond een bos bloemen, verwelkt, in een glazen vaas die midden op de kleine keukentafel stond, en er kwam een geur van bederf uit het kastje onder de gootsteen. Hij trok het open en haalde er een plastic afvalzak uit. Theebladeren en groenteschillen die waren gaan schimmelen. Hij porde er voorzichtig in. Broodkorsten, wat klokhuizen. Niet veel. Hij deed de koelkast open. Er stonden een half pakje melk, zuur, dik, en een paar pakjes yoghurt en wat kaas. Hij gooide het allemaal in de plastic zak en deed elk van de kleine kastjes open. Een stapel borden en schaaltjes, een paar bekers. En in de lade naast de gootsteen wat goedkoop bestek. Hij liep naar de andere kant van de kamer en deed de kleerkast open. Ook hier niet veel. Een paar jurken en rokken, twee broeken en een suède jasje, dat er nieuw en duur uitzag, alles aan metalen hangertjes. Op de rij planken lagen stapeltjes ondergoed, T-shirts, wat blouses en truitjes, allemaal keurig opgevouwen. Niets zag er nieuw uit, afgezien van het suède jasje en een paar sandalen, nog steeds in hun kartonnen doos, onder in de kleerkast. Hij voelde op de bovenste plank. Zijn vingers raakten iets hards. Hij trok het te voorschijn. Het was een klein bruinleren koffertje. De resten van een gescheurd etiket zaten op het gekraste deksel geplakt. Hij ging op het bed zitten en maakte het open. In het koffertje lag een stapel oude foto's. Hij nam ze snel door. Een klein kind, een ouder echtpaar. Hij herkende ze allemaal. Dochter en ouders. Er was een aantal officieel uitziende brieven met het briefhoofd van het minsterie van Justitie erop. En eronder lag een grote bruine envelop. Hij tilde hem op. Hij was zwaar. Hij hield hem op zijn kop en liet de inhoud naast zich op het bed vallen. Het was geld. Stapels en stapels biljetten, in allerlei coupures, bijeengehouden met dikke elastieken. Hij deed een ruwe telling. Het moesten er wel een paar duizend zijn. Vijfduizend op z'n minst. En onderin de envelop een verkreukeld briefje, in een verbleekt handschrift:

Van je moeder. Ze wilde dat je dit zou krijgen. Iets om je weer op weg te helpen.

Toen stond hij op, haalde het bed af en trok het matras weg. Er was niets te zien. Hij tilde het kleed van de vloer, schoof het opzij, maar weer was er niets anders dan stof. Hij deed de deur naar het kleine badkamertje open. Het rook er naar vocht. Hij trok aan het front, met een spiegel erop, van het kastje boven de wastafel. Er lagen een doosje aspirine, een nieuwe tube tandpasta en een paar stukken zeep in. Een paar potjes lotion en vochtinbrengende crème. Er lag een tandenborstel op de wastafel en er hing een washandje over de rand van het bad. Dat was alles. In de hoek naast het bad stond een rieten mand. Hij deed het deksel omhoog. Een handdoek, een laken, een spijkerbroek, een broek die van een soort linnen gemaakt leek te zijn, een blouse, een beha en een stel slipjes lagen op een grote hoop. Hij haalde ze eruit en liet ze op de vloer vallen, en zag onmiddellijk, op het laken, een vlek die eruitzag als opgedroogd bloed. Hij raapte het laken op en liep ermee de slaapkamer in, waar het licht was. Het was in ieder geval bloed, en nog iets. Een ondoorzichtige vlek die in een klein randje aan de stof geplakt zat. Hij ging bij het raam staan en keek om zich heen. Wat voor waardevols had ze deze kamer binnengebracht? Wat voor waardevols was er nog? Hij keek naar de foto's, die nu verspreid over de vloer lagen. Het kind met het steile bruine haar keek hem strak aan. Hij ging weer op het bed zitten en zag ineens de grote kaart aan de muur. Het was een kaart van de stad, met verschillende wijken die in verschillende kleuren aangegeven waren. Hij herinnerde zich dat hij er die dag iets over gezegd had.

Het is mijn geheugenkaart, had ze gezegd. Ik had hem nodig toen ik in de gevangenis zat, toen ik begon te vergeten hoe het erbuiten was. Ik bewaar hem uit nostalgische overwegingen.

Hij legde het geld op een hoop en begon te tellen. Zorgvuldig, zijn tijd ervoor nemend. Alles bij elkaar was het zesduizend zevenhonderdvijftig pond. Een hoop geld voor iemand als Rachel Beckett.

Hij dacht aan het gesprek dat hij die ochtend had gehad met een vrouw die Sheila Lynch heette. Iemand anders over wie Clare Bowen met haar man had gepraat.

'Ja,' zei mevrouw Lynch tegen hem, 'ik ken Rachel en ik maak me zorgen over haar. Ik heb geen idee waar ze heen gegaan is. Ik kom zo nu en dan bij haar langs. Maar de laatste keer toen ik naar het winkelcentrum belde om haar te spreken, zeiden ze dat ze niet wisten waar ze was. Ik heb een paar dingen voor haar gekocht, weet u, haar een paar cadeautjes gegeven. Ze heeft niets, die arme meid. En het is zo moeilijk voor haar. Ze is niet zoals die andere mensen die naar de gevangenis gaan, weet u. Ze komt uit een goede familie. Ze is goed opgevoed. Het was zo moeilijk voor haar, al die jaren. En nu probeert ze het weer goed te maken, en ze was zo overstuur dat haar dochter haar niet wilde zien. Ik heb haar aangeraden geduld te hebben. Ik heb tegen haar gezegd dat tieners zo opvliegend kunnen zijn. Maar ik maak me zorgen. Ik heb geen idee waar ze heen is.'

'Wat denk jij?' vroeg hij Alison die avond terwijl ze samen in bed lagen. 'Jij hebt haar ontmoet. Wat vind je van haar?'

'Ze is ontzettend kwetsbaar. Je had haar moeten zien die dag dat ze met Amy afgesproken had. Ze was zo nerveus dat ze nauwelijks op haar benen kon staan. En daarna, nadat Amy haar uitgekotst had, wilde ik inderdaad achter haar aan gaan, om te zien hoe het met haar ging. Het zou me niet verbaasd hebben als we haar uit de rivier hadden kunnen vissen, zo wanhopig zag ze eruit.'

'Dus jij denkt dat deze verdwijning zelfmoord zou kunnen zijn?'

Alison schudde haar hoofd. Ze draaide zich op haar zij, kuste hem op zijn schouder en liet haar lippen een ogenblik tegen zijn huid rusten. 'Nee, niet echt. Rachel moet nu zo langzamerhand wel een hoopverslaafde zijn, zoals wij dat noemen. Hoop heeft haar door al die jaren in de gevangenis geholpen. Hoop is het enige dat ze nog heeft.'

'Is dat hoop of fantasie?'

'Maakt het in dit stadium iets uit? Ik betwijfel het,' antwoordde ze, en leunde tegen het kussen terwijl ze haar lichaam om het zijne krulde. Hij draaide zich naar haar toe. Ze zag er mooi uit, met haar ogen dicht en haar haar dat over haar gezicht viel. Hij kuste haar teder op haar voorhoofd en trok haar naar zich toe. Toen stak hij zijn hand uit en deed het licht uit. Hij deed zijn ogen dicht. Hij sliep.

28

Het was een val. Dat zag Daniël Beckett nu heel duidelijk. Ze had de val uitgezet, het aas neergelegd, was achterover gaan zitten en wachtte af. En hij was erin getuind. Zonder ook maar te weten wat hij deed. Zonder worsteling, zonder ook maar een greintje verzet. Hij had alle verlokkingen en verleidingen geaccepteerd. En nu boette hij ervoor. Het volle pond.

De politie was heel beleefd toen ze die ochtend vroeg aan de deur kwam. Hij had ergens in de verte de bel horen gaan, diep in de droom die hem naar het ontwaken leidde. Maar hij wilde zijn ogen niet opendoen. Er was iets mis. Hij wist het. De afgelopen paar weken zat er al iets niet goed. Vanaf die zaterdag dat hij Rachel mee op zijn boot had genomen, toen Ursula en de kinderen een paar weken naar Amerika waren gegaan om haar familie op te zoeken en hij in zijn eentje in het huis was achtergebleven. Nou ja, niet helemaal alleen, omdat Rachel bij hem was geweest.

Ze waren heel beleefd toen ze hem op de drempel zagen staan, met zijn kamerjas om zich heen geslagen, op blote voeten, zijn ogen dik van de slaap, zijn mond uitgedroogd. De beleefdheid bleef terwijl ze hem de heuvel op naar Killiney reden, en vervolgens de heuvel af naar de stad beneden. De beleefdheid bleef zelfs toen ze hem in eerste instantie in een cel stopten en na een uur of anderhalf naar een ruimte brachten die ze verhoorkamer noemden. Toen hield de beleefdheid op.

Hij had hen allemaal al eerder ontmoet, de mannen die de hele dag door in en uit kwamen lopen en hem steeds dezelfde vragen bleven stellen. De inspecteur, Jack Donnelly, was degene die de leiding had. Hij was degene die aan de deur stond en met Ursula sprak op de dag nadat ze thuisgekomen was, toen ze nog last van jetlag had. Half sliep. Had haar een foto van Rachel laten zien. Gevraagd of ze haar kende. Wanneer ze haar voor het laatst had gezien. En was iets later, toen het allemaal veel ingewikkelder en moeilijker was geworden, teruggekomen en had tussen neus en lippen door gezegd: 'Het moet wel moeilijk voor u zijn geweest toen u zich realiseerde wie ze was en wat haar verhouding met uw man was geweest.' Veinsde onschuld met betrekking tot de consequenties van zijn vraag.

Het was ook Donnelly die hem die eerste keer in zijn kantoor kwam opzoeken. Zat hem zorgvuldig te manipuleren. Liet hem toegeven dat hij haar zich, ja natuurlijk, herinnerde. En nee, natuurlijk had hij haar al jaren niet meer gezien.

'O,' zei Donnelly, 'dat is vreemd, want uw vrouw heeft ons verteld dat deze vrouw, die ze herkende van een foto, ook al zei ze dat ze haar onder een andere naam kende, bij u thuis was. Op uw huwelijksfeest, om precies te zijn. En dat u haar beslist die avond heeft ontmoet. Klopt dat?'

Dus moest hij het toegeven. Hij zei dat het een gênante situatie was. Natuurlijk was hij verbaasd geweest haar te zien, geschokt zelfs, als hij eerlijk mocht zijn. En hij had haar gevraagd weg te gaan, had haar er in feite uitgesmeten.

'En uw vrouw wist echt niet wie ze was? Wie ze in werkelijkheid was?'

'Nou.' Hij zweeg en dacht erover na hoe hij deze vraag het best kon beantwoorden. 'Eerlijk gezegd, nee, dat wist ze niet. Rachel had een of ander verhaal opgehangen over hoe haar man haar voor een jongere vrouw had laten zitten. Dat soort dingen waar vrouwen gek van worden, snapt u?' Hij probeerde te lachen. 'En Ursula had medelijden met haar en sloot vriendschap met haar. Er is toch zeker geen reden om haar te laten schrikken, hè? U zegt dat Rachel al een paar dagen niet meer gezien is. Dat ze niet op haar werk is verschenen. Dat ze haar afspraken met haar reclasseringsambtenaar niet is nagekomen. Nou, ik weet niet veel van die dingen, maar het lijkt me dat dat een overtreding van de voorwaarden van haar vrijlating is. Ik snap niet wat dat met mij te maken heeft.'

Maar op de een of andere manier zag hij wel in dat dit een probleem was dat niet zo gemakkelijk weg te redeneren was. Hij keek naar Donnelly en de man die bij hem was, een brigadier nam hij aan, die Sweeney heette, die op de leren bank in zijn kantoor plaatsnamen, de bank die Ursula hem aangeraden had te kopen. Ze zaten er blijkbaar lekker, dacht hij. Veel te verdomde lekker. Het zag er niet naar uit dat ze haast hadden om weg te komen. En Donnelly waagde het zelfs om hem te vragen de telefoon voorlopig niet op te nemen. Tot het gesprek afgerond was.

'Het is gemakkelijker,' zei Donnelly, na de derde onderbreking. 'Het is veel gemakkelijker en sneller voor ons allemaal als u het niet erg zou vinden om zich op het onderwerp van gesprek te concentreren.'

'En,' had hij gevraagd, 'wat is dat precies?'

Donnelly had gezegd dat ze zich zorgen maakten over de veiligheid van Rachel Beckett. Ze maakten zich zorgen over haar gemoedstoestand. Blijkbaar had ze een paar weken daarvoor een moeizame ontmoeting met haar dochter gehad, en er bestond een zekere angst dat ze zich misschien iets had willen aandoen. Vandaar hun bezoek aan hem.

'Maar dit is toch geen zaak voor de politie?' Hij had geprobeerd zo neutraal mogelijk te klinken.

'Nou,' Donnelly wreef met zijn hand over het zachte zwarte leer van de bank, 'strikt gesproken niet, maar onze collega's van de reclassering maken zich grote zorgen, en als ze ervandoor is gegaan, dan is dat natuurlijk ook een zaak voor ons. Dus proberen we de mogelijkheden te elimineren. Hoe dan ook...' Weer streelde de hand en drukten de vingers in de fijne structuur van het leer. 'Hoe dan ook, volgens de andere huurders van het huis in Clarinda Park is een man die aan uw signalement voldoet een aantal keren bij haar op bezoek in haar kamer geweest. En bij één gelegenheid...' En nu keek hij even in zijn notitieboekje. 'Ja, dat klopt. De jongen in de kamer onder haar zei dat hij hoorde wat hij beschreef als een enorme ruzie, zo'n herrie dat hij zelfs naar boven liep om tussenbeide te komen. Heeft hij daar gelijk in?' Hij voelde zich ineens heel nerveus en de huid onder zijn oksels begon te prikken van angst. Hij schraapte zijn keel. 'Nou, dat is een beetje overdreven, zou ik zeggen. Ik was nogal nijdig over het feit dat ze op het feest was, en ik was heel kwaad over het feit dat ze tegen mijn vrouw gelogen had over wie ze was. Ik vond gewoon dat het beter zou zijn geweest als ze eerlijk tegen Ursula was geweest. Ik had moeite met het idee dat ze haar voor schut had gezet. Tenslotte wilde Ursula alleen maar aardig zijn.'

'Dus u had woorden?'

Hij haalde zijn schouders op en nam een slok water uit het glas op zijn bureau. 'Waarschijnlijk sprak ik wat harder dan nodig was. Dat was alles.'

'Juist.' Weer gleed de hand over het gladde zwarte leer. 'En dan was er nog ten minste één gelegenheid daarna, waarvan een van de andere huurders, die op dezelfde verdieping zit als Rachel en haar kamer aan de voorzijde heeft die uitkijkt op het plein, zei dat ze geluiden hoorde die duidelijk te maken hadden met wat "vrijen" kon worden genoemd. Wat zegt u daarvan?'

Daniël haalde opnieuw zijn schouders op en nam opnieuw een slok uit het glas.

'Wat heeft dat met mij te maken? Wie weet waar Rachel zich mee bezighoudt sinds ze uit de gevangenis is?'

'Juist.' Stilte en weer die hand, wit tegen het donkere leer. 'Juist, dus het feit dat de huurder in de kamer aan de voorzijde van het huis zegt dat ze een bestelwagen vóór geparkeerd zag staan, met de woorden Beckett Beveiliging op de zijkant, zegt dus helemaal niets. Of wel?' Daniël ging verzitten en sloeg zijn ene been over het andere, zodat zijn rechterenkel op zijn linkerknie rustte. Zijn bruine leren schoenen waren stoffig. Ze moesten gepoetst worden. Ze waren te mooi om naar zijn werk te dragen, dacht hij. Al die smerige plekken die hij iedere dag moest bezoeken. De bouwplaatsen, de fabrieksterreinen, de industriegebieden in de buitenwijken van de stad. Ursula had gelijk. Ze zei altijd dat hij sportschoenen moest dragen, dat hij zijn goede schoenen op zo'n manier bedierf. Maar hij droeg graag leer aan zijn voeten. Rubber en canvas hadden iets waardoor hij zich dom, onhandig, hulpeloos voelde, dat hem deed denken aan zijn tienerjaren, toen hij zich altijd in de nesten werkte en niet wist wat hij moest doen, altijd de wildebras.

'Luister, dit is allemaal een beetje "nou, én", hè? Goed, ik heb haar een beetje genegenheid, een beetje troost gegeven. Dat wilde ze. Dat vroeg ze me. En ik kon het haar nauwelijks weigeren. Ik zag hoe eenzaam ze was.'

Donnelly stond op. 'Juist, meneer Beckett, ik snap het. Ze is de vrouw die is veroordeeld vanwege de moord op uw broer. U heeft pas ontdekt dat ze tegen uw vrouw heeft gelogen over haar identiteit, en toch had u het gevoel dat u haar een plezier moest doen, aardig voor haar moest zijn. Ik moet zeggen dat me dat een beetje vreemd in de oren klinkt, meneer Beckett. Maar ja,' hij stopte zijn notitieboekje in de zak van zijn colbert en gebaarde naar de jongere man, Sweeney, die nog steeds in de kussens van de bank zat weggezakt, 'zoals ik altijd zeg, ieder zijn meug.'

Sweeney stond op, met een brede grijns op zijn gezicht, en samen liepen ze naar de deur. Donnelly bleef even staan en draaide zich om. 'Het was een verschrikkelijke geschiedenis, hè? Ik herinner me uw broer goed. Hij was een geweldige vent. U bent ook verhoord naar aanleiding van de moord, meen ik me te herinneren. Ze probeerde u de schuld te geven, hè? U moet daar wel heel boos over zijn geweest, heel, heel boos. Maar in ieder geval, ik zou me niet te veel zorgen maken; ze komt vast wel opdagen. In dat geval bellen we u. We houden u op de hoogte.'

Hij had Rachel ook hier naartoe meegenomen. Ze had op de bank gelegen waar de twee politiemensen hadden gezeten, terwijl hij zijn werk achter het bureau afmaakte. Ze hadden een koud biertje gedronken dat zij uit het koelkastje in het kantoor van zijn secretaresse had gehaald. Ze was in slaap gevallen en hij had naar haar gekeken, denkend, terwijl hij de facturen doornam en de stapel papieren tekende die zijn secretaresse had achtergelaten, hij dacht eraan hoe ze hem die zomer al die jaren geleden had geholpen zin te geven aan alles wat daarvoor zinloos had geleken. Hoe ze met hem over boeken, ideeën had gepraat. Vragen had gesteld, hem aan het denken had gezet. Met hem had gediscussieerd, hem had uitgedaagd. Tegen hem had gezegd dat hij terug naar school moest gaan en de lessen moest oppikken waar hij ermee gestopt was toen hij in moeilijkheden kwam. Tegen hem zei dat hij zo slim was als ieder ander. Dat hij iets van zijn leven kon maken, dat hij het niet langer in de schaduw van zijn broer hoefde te leiden. Als ik jou voor mezelf had, dan kon ik het wel, dacht hij toen. En toen ze hem aan de kant had gezet, terug naar Martin was gegaan, voelde hij die nieuwe wereld die ze hem had laten zien vervagen en wegsterven. Tot die nacht dat Martin bloedend op de vloer lag en hij het geweer in zijn handen voelde.

Hij keek naar haar terwijl ze sliep, keek op van de papieren en dossiers die over zijn bureau verspreid lagen. Keek naar het computerscherm, analyseerde stroomschema's en spreadsheets. Nog steeds gefascineerd over het feit dat híj, de stommeling van de familie, degene was die de boel runde, de baas was. Ze was mooi, dacht hij, vooral met haar ogen dicht, wanneer hij niet naar haar gelaatsuitdrukking hoefde te kijken, die altijd waakzaam, behoedzaam, onrustig was. En toen hij de laatste brief in een envelop had gestopt en hem in het 'uit'-bakje had gelegd, ging hij naast haar zitten en hield haar in zijn armen, wachtend tot ze wakker werd.

De beleefdheid. Hij herinnerde het zich van lang geleden. Toen hem gevraagd werd naar het bureau te komen: 'Even een verklaring afleggen, goed?' En zijn vader was met hem meegegaan. Hij kende letterlijk iedere politieman bij zijn voornaam, van de jongste agent tot de commissaris, die zijn kantoor uitkwam om hem te begroeten, golfscores te vergelijken. Toen was de beleefdheid gebleven. Toen hadden ze hem en het alibi dat zijn moeder hem had gegeven, geloofd.

'Het is een vuil zaakje,' had de commissaris tegen zijn vader gezegd. 'Je begrijpt natuurlijk wel dat we alles moeten nagaan. Ze heeft beschuldigingen geuit tegen de jongen. We moeten ze natrekken.' En zijn vader had zich laten geruststellen en bood vervolgens aan om later die dag iets te gaan drinken, of misschien in het weekend een partijtje golf te gaan spelen.

Die keer, meende hij zich te herinneren, was hij meegenomen naar een kamertje dat vlak bij de receptie lag. Met ramen en posters over buurtwacht en misdaadpreventie aan de muren. Ditmaal was de kamer waar ze hem heen brachten aan het andere eind van het gebouw. Het stonk er. Er waren geen ramen of posters. En er was ook geen beleefdheid daar.

'Ik begrijp niet,' zei hij, 'waar dit allemaal om gaat. Wat jullie me de afgelopen weken aangedaan hebben. Eerst beginnen jullie mijn vrouw lastig te vallen en maken haar nodeloos overstuur met verhalen over mijn verleden die alleen míj aangaan. Vervolgens gaan jullie mijn gangen na, volgen jullie me, gaan naar alle plekken waar ik werk, ondervragen jullie mijn personeel. Vervolgens komen jullie weer naar mijn huis en stellen me steeds weer dezelfde vragen over dingen waarover ik jullie al alles heb verteld.'

'En ons niet alles vertelt wat je weet, is dat niet waar het om gaat, Dan? Ik heb je herhaaldelijk gevraagd waar je mogelijk met Rachel Beckett naartoe zou zijn gegaan en je hebt ons niets verteld over het tochtje dat je met haar op je boot hebt gemaakt. Een hoop mensen hebben jullie die dag gezien. Ze hebben jullie samen bij de pier gezien. Ze zagen hoe je in het bijbootje stapte en met haar wegroeide. Maar niemand heeft jullie zien terugkomen. Waarom stort je niet gewoon je hart uit? Vertel ons maar wat er is gebeurd.'

Hij keek het benauwde kamertje rond. Donnely en Sweeney zaten er en een naamloze geüniformeerde agent stond in de hoek. Zo nu en dan werd er geklopt en dan kwam er iemand anders binnen om Donnelly een briefje te geven of iets in zijn oor te fluisteren. Dan glimlachte Donnelly of fronste zijn voorhoofd en hield hij fluisterend ruggespraak met Sweeney. Het was allemaal toneel, wist Daniël. Hij had zijn vader vroeger vaak genoeg over verhoren horen praten om te weten wat rook was en wat vuur. Maar hij nam geen enkel risico.

'Luister,' zei hij, 'ik heb er genoeg van. Ik wil mijn advocaat. Ik weet wat mijn rechten zijn. Ik heb gezegd dat jullie hem moesten bellen. Ik heb gezegd dat jullie hem hierheen moesten laten komen en ik zeg geen woord meer voor hij hier is. Begrepen?'

'Prima, geen probleem.' Donnelly knikte naar Sweeney. 'Ga eens kijken waar die man blijft, en neem meteen alle bewijsstukken mee. Misschien kunnen we daarmee beginnen.'

Ze hadden een aantal huiszoekingsbevelen voor hem gehaald. Voor zijn huis, zijn kantoor, zijn boot. Ursula zei nu al dagen vrijwel niets meer tegen hem. De sfeer in huis was om te snijden. Hij had haar vergeefs verteld dat er niets te vinden was, dat ze er niets konden vinden. Rachel Beckett leefde nog. Dat wist hij.

'Maar wat ik niet kan begrijpen,' zei ze telkens tegen hem, 'is wat je bij haar te zoeken had. Waarom heb je haar na de avond van het feest weer opgezocht? Ik begrijp niet wat er tussen jullie tweeën aan de hand was.'

Hij was aanwezig toen ze hun huiszoeking deden. Hij had de voorwerpen gezien die ze weggehaald hadden. Onder het lage bed waar hij en Rachel geslapen hadden, waar hij en Ursula iedere nacht sliepen, hadden ze een stel zelfgemaakte oorhangers gevonden. Gekleurde kraaltjes aan een ijzerdraadje. Ze hadden een knoop onder de bank gevonden die overeenkwam, zeiden ze, met een knoop van het jasje van Rachel. Ze hadden vingerafdrukken van deurknoppen en tafelbladen genomen. En ze hadden in de resten van een vuur van bladeren en tuinafval, bij het pad naar het klif, een verschroeide leren handtas gevonden, met een bijpassende portefeuille en een zakagenda, met een stel aantekeningen in Rachels handschrift. Uit zijn auto hadden ze haren en weefsels gehaald en nog meer vingerafdrukken gevonden. En in de kofferbak, in de jutezak waarin hij zijn zeilspullen bewaarde, hadden ze zijn jack gevonden, met donkerbruine vlekken op de voorkant. Maar wat ze in de boot hadden gevonden, verontrustte hem het meest.

'Leg ons dat eens uit, Dan. Je advocaat is hier aanwezig. Ik weet zeker dat hij ervoor zal zorgen dat je niets zegt wat je niet wilt zeggen. Maar je moet ons hier toch echt een verklaring voor geven.'

Donnelly hield een plastic zak omhoog. Er zat een mes in.

'Goed, Dan, vertel ons eens wat er die zondag is gebeurd toen jij en Rachel samen met jouw boot weggingen.'

De val was dichtgeklapt. Hij dacht aan de ratten die hij zijn mannen en hun honden op bouwplaatsen voor de lol hadden opgejaagd. Hij had gezien hoe de ratten door onmogelijk kleine gaatjes glipten, plat op hun buik onder stenen en achter stenen muren kropen, en sprongen maakten die meer dan acht, negen, tien keer hun eigen lengte waren. En dan het moment van triomf wanneer een van de honden het tegenstribbelende knaagdier tussen zijn tanden kreeg. Hij kromp ineen van het angstige gepiep. Hij luisterde naar het gegil dat bijna menselijk was in toon en intensiteit. En ten slotte hoorde hij het doffe geluid van een spade of schop waarmee het dier geplet werd. Hij dacht aan Rachel die dag op de boot. Ze had een zonnebril op, herinnerde hij zich. Hij stond haar goed, verdoezelde haar vermoeide ogen, liet haar er jonger uitzien. Hij maakte een opmerking tegen haar dat het een dure was.

Waar heb je die vandaan? vroeg hij.

Ze glimlachte met haar mond open, zodat haar tanden zichtbaar werden tussen haar lippen. *Een geheime aanbidder*, zei ze, en ging toen languit langs een kant van de kuip liggen.

Het was perfect zeilweer toen ze de haven uitgingen. Een zuidwestenwind, windkracht vier, voerde hen op ruime afstand naar de andere kant van de baai van Dublin, langs Howth en verder. Hij was vergeten wat een goede zeilster Rachel was. Ze voelde intuïtief de wind en de golven aan. Ze bewoog met de boot mee; haar balans was perfect. Net zo lenig als ze jaren geleden was geweest, maar niet zo sterk, merkte hij, omdat haar handen zacht en gevoelig waren. Maar er zaten lieren op zijn boot, dus kracht was niet zo'n punt. Het was een goed, solide houten schip. Bermudatuig. Negen meter lang, met een kleine kajuit in het vooronder, een kombuisje en een wc achterin.

Hoever gaan we? had ze hem gevraagd.

En als antwoord had hij gezegd: *Hoever zou je willen gaan?* En ze had gelachen en haar hand boven haar ogen gehouden in een overdreven kapiteinsgebaar en geantwoord: *Zo ver als het oog reikt.* Tijd was een ander gegeven op zee. Dat was hem altijd opgevallen. Alleen door zijn honger kwam hij erachter hoelang ze al op zee zaten. *Hé, Rachel, je hebt me eten beloofd. Ik rammel. Wat heb je meegebracht?*

Hij hoorde haar in het vooronder in zichzelf zingen. Ze zong toonloos. Hij keek om zich heen. Er waren vandaag niet zoveel andere boten, ondanks het weer en het feit dat het vakantie was. Het was heel stil. Heel mooi. Heel eenzaam. Hij liet het roer tegen zijn bovenbeen rusten en voelde hoe de wind de boot voortdreef. Hij deed zijn ogen dicht en was even weg.

Hij hoorde haar stem. Zag haar gezicht door het luik naar hem opkijken. *Dan, heb je een mes? Ik heb vergeten er een mee te nemen.*

Gereedschapskist, kijk uit, het is heel scherp. Wendde zijn gezicht naar de zon. Tevredenheid, bijna geluk. Hoorde toen een schreeuw. Plotseling angst in haar stem.

Wat is er? schreeuwde hij.

Ze gaf geen antwoord.

Rachel, riep hij opnieuw, *wat is er?*

Gegil, geen woorden, alleen geluid.

Help, help, ik heb me gesneden. Ik gebruikte jouw mes om tomaten te snijden en toen gleed het uit. Ik bloed als een rund. Er zit overal bloed. Sorry. Ik maak er een enorme troep van.

Toen hoorde hij haar weer. *Dan, kom me eens helpen. Ik voel me slap. Ik geloof dat ik moet overgeven.*

Hij zette het roer vast en liet zich met een zwaai in de kajuit zakken. Ze zat op de bank en hield haar linkerhand vast. Er liep bloed van haar pols over haar arm en drupte van haar elleboog. Bloed op de gebloemde kussenovertrekken, bloed op de vloer, bloed over haar kleren.

Jezus, dacht hij terwijl ze haar armen naar hem uitstak, haar gezicht spierwit, haar ogen glazig, en tegen zijn borst aan viel. Bloed aan zijn shirt, bloed aan zijn jack, bloed aan zijn zakdoek die hij uit zijn zak haalde om de wond te verbinden, de snee tussen haar duim en wijsvinger en het stuk eronder.

Wat heb je nu toch gedaan? Hoe heb je dat in vredesnaam voor elkaar gekregen?

Het was jouw mes. Ik wist niet dat het zo scherp was. Ik heb het ergens laten vallen.

Ze stond op.

Kijk. Daar.

Het mes lag op de vloer bij haar voeten. Hij bukte om het op te rapen en legde het voorzichtig uit de weg op de plank waar hij zijn kaarten, kompas en sextant bewaarde. Hij tastte in het kastje onder het klaptafeltje naar de ehbo-doos. Toen hield hij haar hand boven het kleine gootsteentje in de kombuis, negeerde haar protesten terwijl hij water uit de kraan op de wond pompte en zag hoe het water roze werd terwijl het bloed in de afvoer eronder wegstroomde. Vervolgens scharrelde hij met een prop watten, een verband, een pleister, alles om het bloed te stelpen dat er maar door bleef sijpelen. Ten slotte kneep hij hard in haar hand, het bloed dat op zijn kleren kwam negerend, tot het ophield met bloeden. Toen verbond hij haar hand met een schoon verband en legde haar tegen de kussens zodat ze kon uitrusten, terwijl hij cognac vond en haar een glaasje gaf en daarna water opzette voor thee.

'Juist.' Donnelly pakte de plastic zak weer en keek ernaar. Hij bekeek hem van alle kanten en gaf hem daarna aan Sweeney. 'Juist. Ze heeft zich aan jouw mes bezeerd. Jouw mes waarop alleen jouw vingerafdrukken staan. Jouw vingerafdrukken in het bloed dat geïdentificeerd is als haar bloed. Ze sneed zich zo erg dat het bloed in de hele kajuit achterbleef, ondanks de pogingen van iemand om het op te ruimen. Haar bloed is op jouw shirt en broek, je jack, je zakdoek terechtgekomen. En daarna, toen ze niet meer bloedde, zag ze kans het mes achter het fornuisje te stoppen, op een plek waar je hem nooit meer zou vinden, tenzij je het hele ding uit elkaar haalde, wat wij jammer genoeg hebben moeten doen.'

Raap op, Dan, voor je erop trapt en je ook snijdt. Hij kon haar stem nog horen. De bezorgdheid, de angst.

Het gaat wel, zei ze. *Het gaat echt wel. Ik moet alleen maar een beetje uitrusten. Maar ik denk dat jij maar beter het dek op kunt gaan. Het klinkt niet goed buiten.*

'Goed.' Donnelly stopte de plastic zak weer in de doos. 'Een aantal mensen heeft je de haven uit zien gaan met de vrouw op de boot. Niemand heeft jullie terug zien komen. Waarom zou dat nou zijn geweest?'

Ze had gelijk. Het zag er niet goed uit buiten. Het was har-

der gaan waaien. Hij schatte dat het windkracht vijf was, aanwakkerend tot zes. Het was ineens koud en donker, met dreigende laaghangende bewolking en strepen regen, als flarden
van een vuil spinnenweb, zichtbaar aan de horizon, en het
kwam dichterbij. De deining werd sterker, en terwijl hij over-
stag ging om de boot weer onder controle te krijgen, sloegen de
golven over de boeg en het voordek, zodat het water in de kuip
stroomde. Het weerbericht. Hadden ze dit voorspeld? Hij had
Rachel gevraagd het weerbericht te bellen. Wat had ze gezegd?
Windkracht drie, aan het eind van de middag aanwakkerend
tot vier. Goed zicht. Mogelijk lichte regen. Niets dat wees op de
storm die nu opstak.

Lukt het? Hij zag haar bleke gezicht dat naar hem opkeek,
terwijl ze het verband nog steeds stevig vasthield, waarna ze de
kajuit indook en hem zijn regenpak aanreikte. *Hier, trek dit
aan. Anders word je kletsnat.*

Hij had geworsteld met het grootzeil om het te reven, kleiner
te maken, terwijl hij zijn evenwicht probeerde te bewaren op
het gladde dek en voelde hoe ze steeds verder uit de kust raakten. Zij was toch degene, meende hij zeker te weten, die had gezegd: de motor, gebruik de motor, strijk de zeilen. Maar toen
hij het brandstofpeil controleerde, zag hij dat de tank vrijwel
leeg was en de reservetank ook.

Het begon donker te worden; de lichten van de huizen langs
de kust brandden en hij vroeg zich af of hij om hulp moest vragen. Toen stond ze naast hem, haar hand in een plastic zak gewikkeld en gekleed in zijn oude gele oliebroek, die veel te groot
voor haar was, zodat ze eruitzag als een clown. Een glimlach
op haar gezicht toen ze zei: *Rustig maar. We redden het wel.
Hier.* Ze pakte het roer. Vond op de een of andere manier de
juiste koers door de boot heel ver, tot bijna uit de kust, te sturen en toen te keren, zodat de boeg van de boot omhoogkwam
en over hen heen dreigde te slaan, waarna hij vlak kwam te liggen en de golven doorsneed. Ging naar beneden om hem stukjes chocola en plakken goedgevulde vruchtencake te geven en
op haar grappige, toonloze manier liedjes voor hem te zingen.
Zeemansliedjes en hits uit hun jeugd. Maakte hem aan het lachen, waardoor hij zijn angst vergat. En hield al die tijd de boot
op koers, zodat hij na verloop van tijd de lichten van Dun
Laoghaire en de beschermende havenmuren zag en er een gevoel van rust over hem neerdaalde terwijl ze de boot afmeer-
den. Stapten in het bijbootje en gingen aan land.

'Daarom was het zo laat. Daarom zag niemand ons. Vanwege de storm. Daarom.'

'En zo kon je de moord op haar verdoezelen, hè? Waar heb je haar lichaam gedumpt, Dan? Hoever ben je met haar naar buiten gegaan? En je was voorzichtig, hè? Je hebt haar kleren uitgetrokken, alles waardoor ze geïdentificeerd kon worden. En die heb je ook gedumpt. Maar weet je wat, Dan? Je had iets beter moeten stilstaan bij de stromingen in de Ierse Zee. Wist je dat, hoewel er langs de kust een allemachtig sterke stroming staat, het net een zwembad is als je iets verder naar buiten gaat? Er zit niet veel beweging in. En zo hebben we dit te pakken gekregen.'

Nog een doorzichtige plastic zak, en daarin de restanten van een zwarte zak en wat kleren.

'In een visnet terechtgekomen. Een vissersboot uit Howth. De schipper vertelde me nog dat je er versteld van staat wat ze er allemaal tegenkomen. Weet je, zei hij, de Ierse Zee is net een fietsband. Als je eenmaal voorbij de vuurtoren van Kish komt, gaat alles maar in het rond. Je weet wat dit zijn, hè? Dat is wat Rachel aanhad, hè? Een broek en een T-shirt. Haar nieuwe kleren. De kleren die haar aardige vriendin, mevrouw Lynch, voor haar had gekocht. Ze herkende ze onmiddellijk. En weet je wat er in het T-shirt zitten? Scheuren, gemaakt met een heel scherp mes. Net als het mes dat we in je boot hebben gevonden. En weet je wat we nog meer hebben gevonden? Bloedvlekken. Ongelooflijk, hè, zoals het zeewater ze er niet allemaal uit krijgt.

Maar vertel ons eens, je hebt haar kleren uitgetrokken, waarom heb je dat gedaan? Zodat ze niet aan de hand van haar kleding geïdentificeerd zou worden? Was dat de reden? Of had je ze al uitgetrokken voor je haar vermoordde? En waarom heb je haar tas niet ook in zee gegooid? Had ze hem in de auto achtergelaten? Was dat het? Of had ze hem die dag in het huis achtergelaten, en vond je hem toen je die avond thuiskwam?'

Het was een val, dat was het. Hij zag het nu allemaal zo duidelijk. Hij had aangenomen dat ze met hem mee naar huis zou gaan voor een laatste nacht. Hij keek naar haar kleren, vol bloedvlekken, gekreukt. Hij herinnerde zich dat hij zei: *We gaan eerst bij jou langs. Dan kun je schone kleren ophalen. Dan rijden we terug naar Killiney. Een warm bad, een goede fles wijn. Er liggen biefstukken in de vriezer. Ik zal eten klaarmaken. Ik weet niet hoe het met jou is, maar ik kan wel een heel paard op. Of misschien, laat me eens naar je hand kijken, moeten we eerst even langs het ziekenhuis?*

Maar ze schudde haar hoofd. Zei: nee, ze was te moe. Ze was stijf van de boot. Ze wilde een stukje gaan lopen. Haar benen strekken.

Maak je geen zorgen over mij. Het gaat wel. Als mijn hand morgen nog steeds pijn doet, ga ik zelf wel naar de dokter.

Toen had ze hem zachtjes een kus op zijn wang en een zetje gegeven. Zei: *Toe, ga maar. Bedankt voor alles wat je vandaag voor me gedaan hebt. Je hebt geen idee hoe geweldig je geweest bent.*

'Nou.' Donnelly leunde achterover, terwijl hij zijn armen en zijn benen over elkaar sloeg. 'Nou, waar is ze nu, Dan? Je zegt dat je haar niet vermoord hebt, dus waar is ze dan nu?'

Hij had gedacht dat ze hem die avond in staat van beschuldiging zouden stellen. Maar dat was niet zo. Ze lieten hem gaan. Ze stuurden zijn dossier naar het Openbaar Ministerie. Ze zouden contact met hem opnemen. Eerder vroeg dan laat.

'Wat denk jij ervan?' vroeg hij aan zijn advocaat terwijl ze naar de auto liepen.

De lange, magere man met een uitgesproken ronde rug gaf niet onmiddellijk antwoord. Toen zuchtte hij. 'Ik denk dat we hierover de mening van een deskundige moeten vragen. Ze hebben geen lichaam, maar dat wil niet zeggen dat ze geen zaak hebben. Het is al een paar keer eerder gebeurd. Er was een bepaalde rechtszaak, herinner ik me. Een meisje uit Liverpool werd vermist. Nooit meer gezien. Een barkeeper van de plaatselijke pub werd verhoord en beschuldigd van moord, op basis van een stuk touw dat ze in zijn kofferbak hadden gevonden. Er zat bloed van het meisje op. Hij is veroordeeld tot levenslang. Ook al hebben ze het lichaam van het meisje nooit gevonden.'

Hij nam een taxi tot boven op de heuvel. Hij had zin om te lopen. Zijn dijspieren deden pijn van de spanningen van de dag. Hij voelde zich vies, bezoedeld. Hij rook de zure lucht van zijn eigen zweet. Hij liep de weg af naar zijn huis. Het donker van de nacht sloot hem in. Ze had hem verteld hoe het in de gevangenis was. Het is er nooit donker, zoals 's nachts, zei ze. En het is er ook nooit licht, zoals overdag. Het is altijd ergens tussenin.

Die verdomde teringtrut, dacht hij, toen zijn woede het won van zijn wanhoop. Ik heb haar één keer eerder verslagen en ik zal haar wéér verslaan. Hoe dan ook, het zal haar niet lukken.

Voor hem lag het huis. Het was donker. Hij stak de sleutel in het slot en deed de deur open. Hij was vergeten dat hij alleen was. Riep om Ursula, de kinderen, iemand, het gaf niet wie. Maar het huis was leeg. Hij ging op de trap zitten, met zijn hoofd in zijn handen. Hij moest het haar nageven. Wat een val. Wat een plan. Wat een nachtmerrie.

29

Het huis was heel leeg nu Ursula en de kinderen weg waren. Hij had de hulp een maand salaris gegeven en gezegd dat ze niet meer nodig was. Alleen de tuinman kon je nog achter zijn grasmaaier over het gestreepte gazon zien lopen en voorovergebogen boven de rijen groenten in de ommuurde tuin zien staan. Hij wilde hem eigenlijk voorlopig nog maar aanhouden. Ursula zou hem niet dankbaar zijn als de varens en de brem van de heuvel, het woekerkruid, de boterbloemen en het helmgras al haar harde werk kwamen verzwelgen.

Hij wist niet wanneer ze terug zou komen. Ze was met de kinderen terug naar Boston gegaan. Ze was niet te vermurwen. Ze zouden niet terugkomen vóór die rotzooi, zoals ze het noemde, uit de weg was.

'Ik wil er niets mee te maken hebben!' had ze tegen hem geschreeuwd. 'Ik wil niet al dat gesodemieter meemaken, met de kranten en de tv, terwijl iedereen naar ons kijkt, bespioneert, en ons veroordeelt. Ik doe het niet.'

Hij had toegekeken terwijl ze inpakte en het was hem opgevallen hoe ze methodisch en zorgvuldig de punten op haar lange lijst afvinkte. De kinderen naar hun kamertjes stuurde om hun lievelingsspeelgoed op te zoeken. Laura had zich aan zijn dij vastgeklampt en keek naar hem op met haar ronde, grijze ogen, haar glanzende donkere haar net zijde onder zijn hand toen hij vooroverboog om haar weg te duwen. Hoe oud was ze nu, vroeg hij zich af. Dat andere donkere meisje, dat hij in zijn armen had gehouden toen ze geboren was, dat hij had zien opgroeien en steeds meer op hem zag gaan lijken. Was het hem opgevallen? Niet echt, op dat moment niet. Hij had gedacht dat ze op haar moeder leek, eerder dan op haar vader. En pas die nacht dat Rachel hem belde en vertelde wat er was gebeurd, zag hij wie ze werkelijk was. Zijn eigen dochter, zijn eigen vlees en bloed. De eerste keer dat hij ooit iemand had gehad van wie hij kon zeggen dat ze een bloedverwant van hem was.

'Zij is van mij?' had hij tegen Rachel gezegd. 'Je bedoelt dat ze gewoon mijn kind is? Bedoel je dat?'

En een warm en gouden geluksgevoel verspreidde zich door zijn lichaam, net als de glimlach die zich over zijn gezicht verspreidde terwijl hij in de spiegel keek die aan de muur naast de telefoon hing. Mijn kind, mijn baby, mijn lief. Hij luisterde naar haar gesnik, hoorde haar angst, suste en kalmeerde haar, en zei: 'Rustig maar. Ik kom eraan. Ik zorg wel dat het goed komt. Wees maar niet bang.'

Hij had gedacht, toen hij naar het doodlopende straatje reed waar Rachel en het kind met zijn broer woonden, dat ze nu wel bij hem weg zou gaan. Nu ze wist dat het kind van hem was, dat zelfs die band haar niet meer met Martin verbond, nu zou ze toch zeker tot de conclusie komen dat hij niet de man was die ze wilde. En ze zou bij hem komen wonen, en hij zou een heel huis voor haar bouwen, niet alleen een serre. Misschien zou hij zelfs een boot voor haar bouwen. Misschien zouden ze samen wegvaren, naar de zon, en een nieuw leven beginnen, en misschien nog meer kinderen krijgen. Een jongetje dat nog meer op hem zou lijken dan het meisje.

'Papa.' Laura trok aan zijn vingers. 'Papa, waarom ga jij niet met ons mee naar Amerika? Ik wil dat je meegaat. Alsjeblieft. Mama, zeg eens tegen papa dat hij met ons mee moet komen.'

Maar Ursula's gezicht had een harde, verstarde uitdrukking. Ze gaf geen antwoord. Ze stuurde Laura gewoon weg met een lijstje van taken, en toen hij achter haar ging staan en zijn armen om haar heen sloeg, zijn handen om haar borsten legde zoals ze altijd lekker vond, rukte ze zich los en snauwde hem over haar schouder toe: 'Je had beter kunnen bedenken wat je te verliezen had voor je met dat wijf begon te rotzooien.' Toen keerde ze zich naar hem toe en schreeuwde: 'Hoe kon je dat nou doen terwijl je zag hoe ze me bedrogen had? Waar was ze mee bezig?'

En toen hij niet onmiddellijk antwoord gaf, gaf ze hem een harde duw, zodat hij achterover de kamer uit wankelde, en hij bedekte zijn oren met zijn handen toen hij de deur achter zich hoorde dichtslaan.

En nu was het helemaal stil in huis. Hij dwaalde van kamer naar kamer en keek om zich heen alsof hij in het huis van een vreemde was. Waar waren al die meubelen vandaan gekomen? Wie had de schilderijen aan de muren uitgekozen? De kleden gekocht die als poelen van kleur op de donkere houten vloeren lagen? De gebloemde Victoriaanse tegels uitgekozen die in de badkamers lagen? Hij herinnerde zich het genoegen dat Rachel schiep in het werk dat hij die zomer voor haar deed terwijl hij de eenvoudige plavuizenvloer legde en de naden voegde. En hoe ze bij elkaar zaten en de bouw vierden en de maan boven haar tuin zagen opkomen, en zij de namen noemde van de sterrenbeelden die onder haar leiding veranderden in vormen die hij kon herkennen. De Stier, de Grote Beer, de Boogschutter, Orion en de Gordel van Orion. Dezelfde vormen waar ze hier ook samen naar hadden zitten kijken op het terras, terwijl het licht van de volle maan op de zee viel als handenvol zilver, en het briesje in de pijnbomen klonk als de zucht van een groot, slapend beest.

Maar nu schiep hij geen genoegen in hetzelfde uitzicht. Hij had het gevoel dat er een jaloezie van een of andere dikke, ondoorschijnende stof voor getrokken was. Zodat hij het vaag kon zien, maar heel ver weg. En toen hij door de openslaand deuren naar het terras slenterde, waar hij Rachel een paar w ken geleden weer voor het eerst had ontmoet en over het g naar de top van het klif liep, kon hij alleen maar denken aan resten van het vuur dat gezeefd en geanalyseerd was door tiemensen in hun witte overalls. De as die ze in plastic za hadden meegenomen om te zien wat ze nog meer konder den behalve haar tas en haar dagboek en haar make-up er geld.

'Waarom?' had hij tegen hen gezegd. 'Waarom, als spullen toch wilde verbranden, zou ik er dan niet voor hebben dat ze helemaal verbrand waren? Waarom zou deeltelijk intact hebben gelaten? Waarom, als ik iets t gen had, waarom zou ik dan bewijs laten rondslinger

Maar Donnelly had alleen zijn schouders opgeha zegd: 'Zeg jij het maar, Dan. Zeg jij maar wat er geb

Hij dacht terug aan die twee dagen en nachten da was gebleven. Hij moest nog even weg. Werk afma ze met hem mee, had hij gevraagd. Maar ze had nee was zo mooi hier in de tuin op de top van het klif wilde blijven. Als hij het niet erg vond, natuurlijk. Ze zou voor hem koken. Zien of ze het nog kon na zo lange tijd. En toen hij terugkwam, rook de hele keuken naar olijfolie en basilicum. Ze had pesto gemaakt, handenvol verse kruiden uit de verhoogde bedden bij het terras geplukt en in een vijzel fijngestampt om een saus te maken. Dat was alles wat hij kon ruiken, ook al vroeg hij zich af of het rook was die hij zag hangen en schrok even, dacht dat er misschien brand was in het droge struikgewas op de heuvel. Maar ze droeg een blad met een kan koffie en een fles calvados en een sigaar in een metalen koker naar buiten.

'Ik herinner me,' zei ze, 'hoe je ervan hield. Dus heb ik deze speciaal voor jou gekocht. Hij komt uit Havana.'

En hij voelde zich bijna ontrouw toen hij eraan dacht wat een hekel Ursula aan de lucht had en ze niet in huis wilde hebben. En voelde zich meteen belachelijk dat hij zich schuldig voelde over dát terwijl hij zich niet schuldig voelde over iets anders. Toen dacht hij dat als Rachel die avond had gedaan wat hij wilde, het misschien het natuurlijkste van de hele wereld zou zijn geweest om hier op deze heerlijke zomeravond bij elkaar te zitten. En ze hadden het kunnen hebben over hun dochter en wat ze al dan niet deed. Ze hadden het over haar toekomst kunnen hebben. Ze hadden hun eigen toekomst voor zich kunnen zien liggen, veilig en comfortabel. Vol liefde en toewijding en kleine triomfjes. Maar, dacht hij, terwijl hij calvados in twee kleine glaasjes van Waterford-kristal schonk en het porseleinen koffiekopje naar zijn mond bracht, als Martin had geleefd, was dit natuurlijk allemaal van hém geweest. En waar zou hij dan zijn geweest? Hij stak zijn sigaar aan en trok er hard aan, zoog de rook diep in zijn longen, zodat zijn borst een ogenblik aanvoelde alsof hij uit elkaar zou springen, en het bloed stroomde door zijn aderen, suisde in zijn oren en overstemde ieder ander geluid terwijl hij eraan dacht hoe het had kunnen zijn. Een slavenbaan, een slavenbestaan. Slaaf en slippendrager van zijn slimme broer. Nooit in staat om er een punt achter te zetten, uit angst dat hij een of ander extraatje zou missen. En het zou er niet toe gedaan hebben als ze had gezegd dat ᵉ bij hem zou zijn. Maar dat had ze niet gezegd, die avond, oen hij voor de deur stond en door het melkglas van de deur de chaduwen van Martin en Rachel zag terwijl ze op hem wachtn.

Daniël had tegen haar gezegd, terwijl hij haar de hal induwde en Martin naar de keuken zag lopen: 'Ga met me mee, nu. Ik wil jou. Hij niet.'

En ze had gezegd: 'Ben je gek, ben je krankzinnig? Ik wil jou niet. Ik hou niet van je. Niet zoals ik van hem hou.'

'Wat doe ik hier dan? Waarom vroeg je me dan te komen?'

'Omdat ik bang ben. En jij bent de enige die ik het kan vertellen. Ik kan het niemand anders vertellen, omdat ik me zo schaam. Ik schaam me voor wat ik heb gedaan. Ik schaam me voor het feit dat ik hem bedrogen heb, de belofte heb verbroken die ik heb gedaan toen ik met hem trouwde.'

Dus ze schaamde zich, dat was het. Maar ze schaamde zich niet dat ze mij nu bedroog, had Daniël gedacht, ze schaamt zich niet dat ze bereid is geweest mijn kind haar geboorterecht te onthouden. Dat zit haar allemaal niet dwars. Zij hield al die tijd het geweer vast terwijl ze ruziemaakten. Hij had naar de loop gekeken, zoals hij heen en weer zwaaide terwijl zij bewoog. En hij had zich afgevraagd: wie van de twee moet ik neerschieten? En toen gebeurde het, zo plotseling dat hij zelfs overrompeld werd. Martins beledigingen schokten hem omdat ze zo fel waren, Martin was door het dolle heen. Maar zij ook. Ze had het geweer op hen allebei gericht en het wapen toen snel laten zakken. Het lawaai was angstaanjagend, net als de geur en de kleur van Martins bloed dat uit zijn been gulpte. En toen had ze zich tot hem gewend, haar gezicht paniekerig, en had gezegd: 'Wat heb ik gedaan?'

En Martin gilde het uit van de pijn en hield beide handen om zijn verbrijzelde dijbeen. En het viel allemaal op zijn plaats. Al die jaren van beledigingen en pijn en afwijzing. En toen gaf ze hem het wapen. Hij herinnerde zich het gevoel van de houten kolf in zijn handen. Zijn handen in handschoenen, de handschoenen die hij die avond droeg omdat het zo koud was. En hij richtte zelf en vuurde. En zei tegen haar terwijl het geluid van het schot wegstierf: 'Nu hoef je je niet meer te schamen.'

Het begon koud te worden. Er stak een wind van zee op, een oostenwind met een lichte zweem van de winter. De hoge schuiframen rammelden en de zware gordijnen zwaaiden licht heen en weer. Hij liep van kamer naar kamer om alle lichten aan te doen. Hij ging aan het bureau in zijn werkkamer zitten en staarde naar de rij foto's, die hij een voor een oppakte. Die van Martin was weg. Ursula had hem uit de lijst gerukt en in stukken gescheurd, maar was lang genoeg gestopt om commentaar te geven op de manier waarop Rachel er toen uitzag.

Hij stond op en liep naar de voordeur. Hij stak zijn hand in zijn zak en haalde er zijn autosleutels uit. Hij deed de voordeur achter zich dicht en stapte in de auto. Hij reed langzaam de oprijlaan af de weg op. Hij keek in zijn achteruitkijkspiegel. Achter zich zag hij het gebruikelijke paar koplampen dat, zoals altijd, op gelijke afstand van hem bleef. Hij reed langzaam de heuvel op naar het dorp en toen naar beneden, naar Dun Laoghaire. Het was zaterdagavond. Het was druk in de hoofdstraat. Hij stopte bij de boekhandel en baande zich een weg door het winkelende publiek. Hij pakte een stapeltje zondagskranten. Hij las de koppen.

'Dochter Vermiste Vrouw Verdwenen.'

'Eerst Moeder, Nu Dochter, Verdwenen.'

En in enorme zwarte letters: 'Wie is Deze Man?' En een foto van hem, genomen bij het hek. En een hele pagina over zijn huis, zijn vrouw en kinderen, zijn betrokkenheid bij Rachel.

Hij betaalde de kranten en liep de straat weer op. Hij keek naar links en naar rechts en zag de rechercheauto achter de zijne geparkeerd staan. Hij liep erheen, boog voorover en klopte op het gesloten raam. Hij wachtte tot het raam openzoefde.

'Luister, mannen,' zei hij. 'Ik wil het jullie even laten weten. Ik ga een biertje halen. Bij Walter. Goed. Ik blijf er misschien een uurtje, denk ik. Maar misschien,' en hij zweeg even, 'misschien ben ik wel langer weg. Ik kan er vanavond wel een paar gebruiken. Maar wees niet bang. Ik ga niet rijden als ik er te veel op heb. Dan stap ik wel bij jullie in de auto. Is dat goed?' En hij gniffelde, liep weg en draaide zich nog een keer om om naar de politiemannen te zwaaien die onderuitgezakt zaten.

Hij duwde de klapdeuren van de kroeg open en ging ergens zitten. Hij bestelde iets te drinken. Hij las. Hij bestelde nog iets te drinken. Hij las verder. De kranten hadden flink uitgepakt. Ze hadden alle details van de moord weer opgerakeld, oude foto's van Rachel opgediept en lieten de buitenkant van het huis zien waar Amy met haar pleeggezin woonde. Hadden zelfs foto's te pakken gekregen van Amy als kind. Hij nam ze allemaal snel door om te zien of zijn naam genoemd werd. Er werd verwezen naar een man die aangehouden en verhoord was in verband met de verdwijning van Rachel Beckett, maar verder niets. Hij legde de krant neer, dronk zijn glas leeg, liep naar de bar en bestelde nog iets te drinken. Het was er druk vanavond. En lawaaierig. Luide muziek dreunde uit de luidsprekers, het gekletter en gebonk van glazen en flessen op het kille, glanzende marmer van de bar, het geschuif en gebonk van stoelen en voeten op de harde houten vloeren. Alles was glimmend en fonkelend. Nieuw. En iedereen was jong.

Hij betaalde zijn bier en liep terug naar zijn stoel. Hij keek naar de meisjes om zich heen. Amy zag eruit als een van hen. Uitgesproken en zelfverzekerd, met de ringetjes in haar oren en haar blote buik. Hij was zoals gewoonlijk naar het café gegaan, had zijn koffie en gebak besteld, met haar gelachen en grapjes gemaakt. Glimlachte naar haar, wachtte tot ze terug glimlachte. En toen hij op het punt stond om weg te gaan, zei hij dat hij graag met haar wilde afspreken, iets met haar wilde drinken. En ze had onmiddellijk toegestemd, terwijl ze haar kleine borsten naar voren stak en haar handen op haar heupen zette. Ze was vroeg in de avond klaar met werken. Hij stapte uit zijn bestelauto en liep naar haar toe. Ze had nog meer make-up opgedaan en hij rook haar parfum. Hij hielp haar in de auto en reed naar de stad. Ze was nerveus, opgewonden. Ze stak een sigaret op. Ze stopten bij een pub. Ze bestelde een wodka met cola. Ze friemelde aan haar oorringetjes en wachtte tot hij de eerste stap zette. En toen vertelde hij haar wie hij werkelijk was. Dat hij haar vader was. Keek naar haar gezicht. Wachtte tot de eerste schok voorbij was. Wachtte op de vragen.

'Hoe?'

'Waarom?'

'Wat is er gebeurd?'

'Ik hield van mijn broer,' zei hij. 'Ik hield heel veel van hem.'

'En hield je van haar?' Het voornaamwoord met afkeer uitgespuwd.

Wat moest hij zeggen? Wat wilde ze horen?

'In die tijd wel. In de tijd dat je verwekt werd, hield ik heel veel van haar. Maar ze wilde met Martin getrouwd blijven. Als ik geweten had dat jij van mij was, zou ik er voor gezorgd hebben dat ze het je vertelde. Maar ik hoorde het pas de avond dat hij erachter kwam.'

'Ze zei dat jij hem vermoord had. Is dat zo?' Een strakke blik, een blik waaraan hij niet kon ontsnappen.

'Nee. Zij heeft hem vermoord. Ze was bang en ze schaamde zich.'

'Dus ze probeerde jou er de schuld van te geven? Is dat wat er gebeurde?'

'Ja, ze probeerde mij de schuld te geven. En nu probeert ze me te straffen. Ze heeft zo'n, zo'n verdwijntruc uitgehaald. Het is een spelletje, dat is alles. De politie denkt dat ik haar vermoord heb. Ze hebben al die bewijzen die ze neergelegd heeft. Maar ze heeft me belazerd. Amy, mijn erewoord. Ik heb haar niets gedaan. Ik zou haar ook niets doen. Zo ben ik niet.'

'Waarom vertel je me dit nu allemaal? Waarom kom je de laatste paar weken steeds naar het café? Wat is er aan de hand?'

Hij pakte haar hand. Hij draaide hem om en streelde de lijnen die over haar handpalm liepen.

'Ik denk,' zei hij, 'dat ik geprobeerd had je te vergeten. Ik had alle gedachten aan jou in een la gestopt en die op slot gedaan. Ik zocht je wel op toen je bij je grootouders woonde, maar zij wilden me eigenlijk niet zien. Ze wisten niet wat ze met me aan moesten. Ze konden maar niet beslissen of ze mij of hun dochter moesten geloven. En toen ze niet langer voor je konden zorgen en jij naar het pleeggezin ging, besloot ik dat ik maar het beste weg kon blijven. Je laten opgroeien zonder dat al die dingen, die ellende en pijn, je in de weg kwamen te zitten. En toen ik hoorde dat Rachel vrijgelaten was, dacht ik weer aan je. En ik wist dat ik je wilde zien. Dus vond ik je. Ik wilde je er niet van alles over vertellen. Ik wilde je niet overstuur maken of je in een relatie dwingen waar je misschien geen zin in had. Maar wat mij betreft, ik wilde je zien, zien hoe je was.'

Ze keek om zich heen en keek toen in de spiegel achter de bar. Hij volgde haar blik.

'Wij lijken heel veel op elkaar, hè? Wij lijken qua uiterlijk veel meer op elkaar dan zij en ik ooit hebben gedaan.'

'O ja,' zei hij, 'daar is geen twijfel over mogelijk. Je bent mijn dochter. Mijn eerstgeborene. En nu, Amy, moet ik je iets vragen. Ik moet je vragen iets voor me te doen.'

Hij dronk te snel, maar dat kon hem niet schelen. Hij bestelde nog een biertje en stond – nadat hij had betaald – op en liep om de bar naar het bordje voor de toiletten. Hij liep de trap af en de gang door. Hij liep langs de deur met het bordje voor dames. Hij liep het herentoilet binnen. Hij was alleen. Hij ging bij het urinoir staan. Hij maakte zijn gulp open. Hij keek hoe zijn urine er in een gouden boog uitspoot. Hij waste zijn handen en

liep de gang weer in. Hij liep naar de achterkant van het gebouw en ging door de deur aan de andere kant. Voor hem lag
de brandgang naar het straatje achter de pub en ernaast stond
een telefooncel. Hij keek nog een keer om zich heen. Toen nam
hij de hoorn van de haak, zocht in zijn zak naar kleingeld en
toetste een nummer in. Hij sprak.

'Ja, met mij. Gaat het? Heb je gegeten? Doet de tv het? Kun
je alle kanalen krijgen? Goed, goed. Wees maar niet bang. Het
duurt niet lang. Je staat in alle zondagskranten. Ze zal wel zo
snel mogelijk komen opduiken, en voor je het weet, ben je weer
thuis. En je weet, Amy, hoe dankbaar ik je ben, hè? Dat weet je,
hè? Ik ben je echt heel, heel dankbaar dat je me helpt. En straks,
als alles voorbij is, en de politie niet meer achter me aanzit, dan
zullen we het eens over ons tweeën hebben. Ik laat je nu nooit
meer gaan, dat weet je. Je bent mijn dochter en ik hou van je.'
Hij zweeg even en luisterde terwijl hij over zijn schouder keek.
'Oké, ga lekker slapen. Ik praat morgen wel met je. Nee, ik
weet niet hoe laat. Ik moet uitkijken. Ik kan niet van thuis uit
of met mijn mobiele telefoon bellen. Dat weet je. Nou, meid.
Dan zeg ik nu maar welterusten. Welterusten.'

Het was laat toen hij de bar uitging. Het liep tegen tweeën.
De politiemensen waren er nog steeds, nog steeds bij zijn auto
geparkeerd. Hij keurde hen nauwelijks een blik waardig toen
hij in de richting van Glasthule begon te lopen. Zijn gang was
onzeker. Hij zwaaide een beetje. Hij riep net buiten Sandycove
een taxi aan. Hij gaf de man een vette fooi toen hij hem bij het
hek naar zijn huis afzette.

'Goeienacht, maat,' zei hij extra hard en wachtte tot hij de
politie aan zag komen voor hij naar de voordeur liep. Hij liet de
kranten in een hoop naast zijn bed vallen. Hij zou ze morgen
allemaal weer lezen en naar het laatste nieuws op radio en tv
luisteren. En wachten. Maar niet lang. Dat wist hij. Het was de
enige manier om Rachel uit haar schuilplaats te lokken. Ze zou
niet weg kunnen blijven als Amy in gevaar was. En dat wist
Amy ook. Daarom had ze erin toegestemd hem te helpen. Hij
legde uit wat hij wilde doen. Hij zou haar in een appartement
in de stad onderbrengen. Ze zou alles hebben wat ze nodig had.
Het zou maar voor een paar dagen zijn, tot Rachel te voorschijn kwam. En dan zou ze vrij zijn. En hij zou vrij zijn. En Rachel zou zijn waar ze thuishoorde. Weer achter slot en grendel.

'Je helpt me wel, hè, Amy? Ik zal het goedmaken, al die jaren samen die we gemist hebben. Je weet dat ik je wilde, dat ik wilde dat we een gezin zouden worden, maar zij niet. Zij was bereid jou dat te ontzeggen, en mij ook. Maar als dit eenmaal achter de rug is, kunnen we nooit meer gescheiden worden. Vind je het goed?'

En wat zou hij gedaan hebben als ze nee had gezegd? Daar had hij ook over nagedacht. Het moest op de ene manier of op de andere gebeuren. De ene manier was de gemakkelijke manier. De meegaande manier. De beste manier. De andere was het flesje chloroform en de watten, de handboeien en de prop in de mond. Hij had zich afgevraagd, toen hij het haar vroeg, wat het zou worden. Maar ze keek hem gewoon aan met zijn grijze ogen, haar rechte zwarte wenkbrauwen in een streep boven haar neus en ogen, net als bij hem, en zei: 'Natuurlijk doe ik het. Het mag haar gewoon niet lukken.'

En vertelde hem dat ze met haar vriendinnen uit zou gaan en hem in de stad zou ontmoeten, en niet naar huis zou gaan.

'Je kunt het tegen niemand zeggen, dat begrijp je, hè? Je pleegouders zullen ongerust zijn. Dat besef je toch, hè?'

Ze knikte.

'Dat geeft niet,' zei ze. 'Ze zullen het later wel begrijpen als ik het ze uitleg. Ze komen er wel overheen.'

'Ik zal je hier nooit genoeg voor kunnen bedanken, Amy,' zei hij en gaf haar zachtjes een kus op haar wang.

En nu wachtte hij. Waar Rachel ook uithing, ze zou de kranten wel willen zien. Ze wachtte op het moment waarop hij beschuldigd werd van moord op haar. En zodra ze over Amy las, zou ze weten dat hij erachter zat. En ze zou komen. En zodra ze dat deed, zou hij haar opwachten.

30

Andrew ging niet meer naar zijn werk. Hij was naar de dokter gegaan, Clares dokter, en had gezegd dat hij het niet meer volhield. Hij had om medicijnen gevraagd: antidepressiva, kalmerende middelen, hoe ze ook genoemd werden. De dokter had hem onderzocht, zijn bloeddruk opgemeten, gezien hoe bleek en mager hij was. Zei tegen hem dat hij niet goed at, te veel dronk, dat hij moest oppassen. Zijn vrouw had niets aan hem in deze toestand.

'Misschien is de tijd gekomen, Andy, om haar te laten opnemen. Zodat jij wat rust krijgt.'

Maar hij wilde er niet van horen. Wat had hij zonder haar? Zijn leven was zo afgebakend door haar behoeften. Hij kon zich niet voorstellen hoe hij zijn tijd moest doorkomen als hij Clare niet had om voor te zorgen.

Hij ging naar huis, met zijn pillen op zak, en schonk een glas wodka voor zichzelf in. Ze zaten die avond bij elkaar. De deur naar de tuin stond open. Er hing de geur van pas gemaaid gras. De buurjongen had het gemaaid. Had het in kleine hoopjes over het hele gazon bijeengeharkt.

Ze vroeg hem om muziek op te zetten.

'Kies jij maar iets,' zei ze.

Hij koos Elgar. Het nummer 'Where Corals Lie', gezongen door Janet Baker. Hij zette de cd-speler op herhalen. Steeds weer. Ze zaten in het donker en luisterden naar de woorden. Clare vroeg hem naar Rachel Beckett, wat was het laatste nieuws?

'Ik mis haar,' zei ze. 'Ik mocht haar graag. Denk je dat ze dood is?'

Ze begon te hoesten. Haar borst zat verstopt. Het was weer

longontsteking; hij wist het zeker. Hij luisterde naar de woorden van het lied.

In de diepten klinkt zacht een lied,
Als de wind de golven naar zich richt,
Het lokt me naar onbekend gebied,
Naar het land waar het koraalrif ligt.

'Wat had ze om voor te leven?' vroeg hij.

'Haar dochter, haar toekomst. Ze wilde verlossing. Ik weet dat ze dat wilde.'

Hij zei niets.

'We hebben erover gepraat, je weet wel... We hebben het erover gehad hoe het voor jou zou zijn als ik er niet meer ben. Ik heb haar verteld wat we wilden doen. Ik heb haar gevraagd hoe jij je zou voelen. Ik heb haar gevraagd hoe zij zich voelde.'

'En.'

Clare gaf geen antwoord. Hij keek naar haar. Ze lag stilletjes op haar zij. Haar ogen waren gesloten. Ze had haar antibiotica niet meer ingenomen. Ze zei dat ze er genoeg van had.

'Het is tijd, Andy. Nu is het tijd.'

Hij luisterde naar de muziek.

'Andy, alsjeblieft, ik heb het zo koud.'

Hij stond op en liep naar het bed. Hij ging naast haar liggen en legde haar hoofd op zijn borst. Ze hoestte en hoestte. Hij kwam overeind en trok haar mee omhoog.

'Stt,' zei hij, 'stt. Ga maar slapen. Morgen gaat het weer beter.'

Hij pakte haar glas. Hij stopte haar pillen in haar mond. Hij liet voorzichtig het sap tussen haar lippen lopen. Ze slikte, hoestte en slikte weer. Ze deed haar ogen dicht. Hij luisterde opnieuw naar de woorden van het lied.

Uw mond is als een zonneblos,
Uw lach is als het ochtendlicht,
Maar laat me, laat me, laat me los
Naar het land waar het koraalrif ligt.

Hij herinnerde zich dat hij op een avond thuisgekomen was en Rachel hier met zijn vrouw had gezien. Hij was door de tuin komen lopen en observeerde hen door het raam. Hij had gezien hoe Rachel haar in haar armen hield, warm maakte, niet bang was om zo dicht bij haar te zijn. Niet bang was voor haar afhankelijkheid, haar pijn. Hij luisterde nu naar Clares ademhaling. Ze klonk rustig en zacht. Hij legde haar weer op het bed. Hij pakte het kussen. Hij drukte het hard op haar gezicht. Hij wachtte. Een van haar handen bewoog, kwam omhoog en viel weer op het bed.

'Nee.' Het woord brak uit hem los. Hij graaide het kussen weg. Hij legde zijn hoofd op haar borst. Voelde de lichte trilling van haar ademhaling. Hij nam haar gezicht tussen zijn handen en kuste haar zachtjes op iedere wang en ten slotte op haar mond. Ze bewoog in haar slaap. Hij ging naast haar liggen en trok haar naar zich toe. Hij deed zijn ogen dicht. Hij viel in slaap.

31

Het was een meisjesstem. De stem van een jonge volwassene. Nog geen volwassen stem. Maar zwaarder, meer galmend dan de stem van een kind. Jack had hem nooit eerder gehoord. Maar hij wist ogenblikkelijk wie het was, dit snikkende meisje dat om hulp riep.

Mama, mama, alsjeblieft. Mama, help me. Luister je, mama? Hoor je me? Kom me alsjeblieft zoeken. Ik weet dat je daar ergens bent. Ik weet dat je me wilt helpen. Ik heb je meer dan ooit nodig. Kom alsjeblieft terug van waar je ook bent. Alsjeblieft.

En daarna het gehuil, een langgerekt gehuil van gekweldheid en angst. Daarna stilte. De band eindigde abrupt. Niets anders dan het gegons van het apparaat.

Het pakje was met de eerste post van de dag aangekomen. Het lag op zijn bureau met alle andere rommel. Hij had het opgepakt, de dikke envelop in zijn hand gewogen, naar het etiket met zijn naam en adres erop gedrukt gekeken, en was naar de koffieautomaat gelopen. Alison was bij hem blijven slapen, en hij dacht niet dat ze meer dan een paar uur slaap hadden genoten. Toen hij aan zijn bureau ging zitten, werd hij overmand door het verlangen naar slaap. En een ogenblik overwoog hij om zich ziek te melden, stiekem naar huis te gaan en in bed te kruipen, zijn gezicht te drukken in de kussens die naar Alison roken. Maar hij verdrong de gedachte toen hij het bandje weer pakte, in zijn bovenste la naar zijn walkman zocht, het bandje erin stopte, op 'play' drukte en luisterde, en zijn maag omhoog voelde komen en het gevoel kreeg dat er ijswater over zijn rug liep. Hij drukte op terugspoelen, vervolgens op 'play' en luisterde nog een keer.

Het verkeer over de kustweg en de tolweg was halverwege de ochtend bijna net zo druk als tijdens de spits drie uur daarvoor. Hij had het bandje meegenomen en hij bleef het afdraaien terwijl de auto vooruitkroop. Buiten regende het. Een gestage loodgrijze regen die als de straal uit een tuinslang over zijn auto spoelde. Hij zat en luisterde, zette de ruitenwissers in de langzame stand en wachtte.

Haar pleegouders hadden het bandje ook ontvangen. En de plaatselijke politie, die zich bezighield met de verdwijning van het meisje. De ouders waren in alle staten. Phil Brady, de inspecteur uit Clontarf, was ten einde raad. 'Kom alsjeblieft hierheen, Jack. Om een beetje bij te springen. Misschien kun jij hier iets mee. Want ik kan het niet.'

Potverdorie, overspannen ouders. Hij had het gevoel dat hij hen niet meer kon verdragen. Of misschien was het gewoon dat hij beter in persoonlijke zaken was toen hij nog maar net begon. Of misschien had het gewoon gemakkelijker geleken, en misschien vonden ze het toen niet zo heel belangrijk. Je hoefde geen postdoctorale graad in betekenisvolle dialoog, of elementair gelul over persoonlijk verlies, zoals hij het stiekem noemde, te hebben.

Niet dat, tot dusver, persoonlijk verlies op de agenda stond. Het meisje was vermist, niet dood. Tot dusver niet. Hoewel de ouders, de pleegouders moest hij zich steeds voorhouden, het niet zo zagen. Ze deden hun uiterste best op het ergste voorbereid te zijn. Het was duidelijk af te lezen van hun strakke witte gezichten, en hoe ze over Amy in de verleden tijd praatten.

Hij zat bij hen in hun kleine, keurige voorkamer. Hij dronk thee, maar had een koekje afgeslagen. Er was niets in hun houding dat erop duidde dat Amy Beckett, of Williams, zoals ze zich noemde, niet hun eigen kind was. Er hingen en stonden overal foto's van haar. Samen met de foto's van de andere vier kinderen. Maar het was niet moeilijk om het buitenbeentje eruit te pikken. De kinderen Williams waren blond tot donkerblond, met ronde gezichten en ronde neuzen. Leuk als kleuters, maar onopvallend als tieners en jonge volwassenen. Het soort mensen dat je op straat voorbijliep. Het soort gezichten dat er bij een identificatie nooit uitgepikt werd. In tegenstelling tot Amy. Hij liep door de woonkamer van de familie Williams en keek naar de ingelijste foto's die aan de muur hingen. Voornamelijk schoolfoto's. Eerste communies en heilige vormsels.

Amy's strakke blik volgde hem terwijl hij verder liep. Hij voelde haar ogen in zijn rug toen hij zich omdraaide. Hij moest denken aan het schilderij van het Heilig Hart dat bij hem thuis op de overloop hing toen hij klein was. De gekruisigde Christus ving zijn blik terwijl hij langzaam op hem af liep en bleef naar hem kijken terwijl hij zich boven aan de trap snel omdraaide. Diezelfde strakke, treurige blik.

Hij vroeg mevrouw Williams of hij de kamer van het meisje mocht zien. Ze deed de deur open zonder een woord te zeggen en wees hem de weg. Geen Heilige Harten op hun overloop te zien, zag hij, alleen een reeks aquarellen. Afbeeldingen van bloemen. Gedetailleerd, precies, als platen uit een botanisch naslagwerk. Hij bleef staan en bekeek ze wat beter.

'Uw werk?' vroeg hij.

'Nee, van mijn man.'

'Een leuke hobby.'

'O,' zei ze en keek hem aan. 'Niet echt een hobby, meer een obsessie. En een obsessie die Amy vroeger met hem deelde toen ze jonger was. Ze maakten samen vaak verzameltrips. Zij was er heel goed in, met een scherpe blik en een geweldig gevoel voor detail. Zij vond de planten en Dave schilderde ze.'

'Vond, was, nu niet meer?'

'Tja,' zei mevrouw Williams terwijl ze de slaapkamerdeur openduwde, 'zoals u kunt zien, sloeg de puberteit toe.'

Dus dit was wat hem te wachten stond, dacht hij terwijl hij om zich heen keek naar de posters die alle vier de muren en het plafond bedekten.

'Wat een werk, hè?' Mevrouw Williams hield haar hoofd achterover om ze te kunnen zien. 'Dat is onze Amy. Als ze besluit iets te doen, doet ze het ook goed.'

'Uw Amy?' Jack ging op het krukje bij het houten bureautje zitten. 'U beschouwt haar als uw eigen kind, hè?'

'Tja, van wie zou ze anders zijn? Ze kwam bij ons toen ze amper vijf was. Ik denk dat je zou kunnen zeggen dat wij haar alles hebben geleerd wat ze weet. Onze kinderen hebben haar geleerd een zusje te zijn. Mijn man en ik hebben haar geleerd een dochter te zijn. Mijn vader en moeder hebben haar geleerd een kleindochter te zijn.'

'En haar eigen moeder, wat heeft zij haar geleerd?'

Het was stil in het kleine, benauwde kamertje.

'Nou, om eerlijk te zijn, heeft ze natuurlijk niet echt de kans gekregen. En ze heeft haar wel een goede start gegeven, dat moet ik haar nageven, vooral wat haar intellectuele ontwikkeling betreft. Amy is altijd heel slim geweest. Ze kende het alfabet al toen ze bij ons kwam. Ze kon tellen; ze had haar lievelingsboeken en verhaaltjes. Luister,' ze ging voor hem staan, haar gezicht vol bezorgdheid, 'begrijp me niet verkeerd. Ik weet dat ze niet van ons is, geen adoptiekind. En als pleegouders zijn we ons er altijd heel erg van bewust geweest dat ze misschien maar korte tijd bij ons zou zijn. Dat weten we allemaal. We zijn eerder pleegouders geweest. En als Amy bij ons weggegaan was, zouden we weer een pleegkind hebben genomen. Maar ze heeft altijd iets bijzonders gehad. Iets heel bijzonders. Ze is een heel bijzonder mens. Zelfs die eerste dag dat we haar ontmoetten, had ze iets wat ze uitstraalde. Zelfs toen ze zo was.'

Ze pakte een ingelijste foto van het bureautje en liet het aan hem zien. Hij keek naar het kleine meisje in de felblauwe jurk, hand in hand met een glimlachende man en vrouw.

'We hebben hem die eerste dag genomen. Dat deden we altijd met al onze kinderen. We hadden het idee dat ze zich daardoor gewenst zouden voelen. En als ze bij ons weggingen, dan gaven we hem mee als herinnering. Zovelen van hen hebben niet van die dingen, ziet u.' Haar stem sloeg over en de tranen liepen uit haar ooghoeken. Ze haalde een papieren zakdoekje uit de manchet van haar witte blouse en snoot haar neus. 'Het spijt me, ik probeer me te beheersen, omdat dat in ieders belang is, maar ik maak me zo'n zorgen over haar.'

Later, toen hij terugreed naar het centrum van de stad, rook hij nog het parfum dat ze op had. Blue Grass, zo heette het. Hij herinnerde zich dat een van zijn tantes het zo lekker vond. Ze hadden dozen met zeep en talkpoeder, allemaal met dezelfde subtiele geur boven in hun kleerkast staan. Het had hem altijd voor een raadsel gesteld, de mogelijkheid dat gras iets anders dan felgroen zou zijn. Hij stond nu voor een raadsel wat het meisje betrof en wat er met haar was gebeurd. Mevrouw Willams had gezegd dat alles zoals normaal was geweest. Amy wachtte op de uitslag van haar eindexamen. Ze had een baantje in een plaatselijk café. Het ging prima met haar.

'Maar hoe reageerde ze toen haar moeder vermist werd, en al die aandacht in de kranten en op tv, al dat opnieuw oprakelen van de zaak? En dan de suggestie dat er weleens iets akeligs met haar gebeurd zou kunnen zijn. Was ze er niet overstuur van?'

Mevrouw Williams slaakte een diepe zucht. 'Ze zei er niet veel over. We hoopten dat het vals alarm was, niets echt ernstigs. Dus probeerden we er niet te zwaarwichtig over te doen. Niet dat we het ontkenden, natuurlijk, maar gewoon benadrukken dat niemand precies wist wat er aan de hand was. Ze was de laatste tijd wel een beetje stil, maar ze heeft zo nu en dan, van tijd tot tijd, toch weleens van die stille periodes. Dan trekt ze zich als het ware terug. Dan zit ze veel op haar kamertje hier, luistert naar muziek, tekent, leest. We zijn het gewend geraakt haar maar met rust te laten. Uiteindelijk komt ze wel weer uit haar schulp, als ze er klaar voor is.'

'En heeft ze de laatste tijd iets gezegd over het feit dat ze iemand had ontmoet, dat iemand toenaderingspogingen had gedaan?'

Maar natuurlijk had ze dat niet. Ze was niet iemand die alles vertelde. Zij had zeker haar geheimen. Toch vond hij dat hij mevrouw Williams de foto van Dan Beckett maar eens moest laten zien. Voor de goede orde. Zodat hij kon zeggen dat hij het had gedaan. Hij bestudeerde haar gezicht terwijl ze naar de foto keek. Ze nam er de tijd voor, bestudeerde hem uitgebreid, maar schudde toen haar hoofd.

'Om de een of andere reden komt hij me bekend voor. Maar het lijkt me toch dat hij veel te oud is om met Amy bevriend te zijn. Nee, ik heb hem nooit gezien. Absoluut nooit gezien.'

Hij vroeg haar of ze het erg vond hem even alleen te laten, een paar minuten maar. Ze haalde haar schouders op en zei nee, terwijl ze beschermend haar hand over het gebloemde dekbed haalde en de kussens opschudde voor ze wegging. Hij leunde achterover en keek om zich heen. Er hing een gezellige, nestachtige sfeer in het kamertje, vond hij. Het kleine, smalle bed zag er uitnodigend uit, en hij had ineens zin om te gaan liggen, al kon hij zich voorstellen hoe zijn benen over het eind zouden hangen. 'Wie heeft er in mijn bedje geslapen?' zei hij zachtjes hardop. En glimlachte. Dit was een kamer waarin een kind zich gelukkig zou kunnen voelen, besloot hij, en dacht toen aan het kamertje van Judith Hill en hoe het eruitzag die dag dat hij voor het eerst bij haar vader op bezoek ging. Koud, schoon, leeg. Niets persoonlijks. Niets dat ook maar een enkele aanwijzing of een onsje informatie gaf. Nu lagen alle geheimen in het familiegraf op de Deans Grange-begraafplaats. Het ene graf met de twee namen erop. Hij was er verbaasd over, maar Elizabeth en Stephen hadden het onderling besloten. Wat er ook was gebeurd, Judith en Mark waren nog steeds vader en dochter, nog steeds hetzelfde vlees en bloed.

Hoeveel deed het ertoe, vlees en bloed, de biologische band, vroeg hij zich af terwijl hij afscheid nam van Pat Williams.

'U laat het ons meteen weten, hè, zodra u iets hoort? U zult toch alles doen wat u kan om haar voor ons te vinden, hè?'

Ze volgde hem tot het trottoir. Haar handen dwarrelden als gevallen bladeren. Ze kon ze niet stilhouden. Hij wilde ze pakken en ze samenvouwen, haar armen om haar lichaam slaan, haar beschermen. In plaats daarvan knikte hij alleen maar en zei dat hij dat natuurlijk zou doen. Hij zou hen later nog bellen. Ze moesten zich geen zorgen maken. Hij wist zeker dat Amy binnenkort thuis zou komen.

Zijn telefoon ging net toen hij over de spoorwegovergang bij Merrion Gates hobbelde. Hij zag Sweeney's nummer op de display. Zijn hart zonk hem in de schoenen. Het kon niet anders dan slecht nieuws zijn.

'Er is iemand die probeert je te bereiken, Jack. Ze dringt erg aan. Ze moest jou hebben. Hier, je kent het adres.'

Weer die vreselijke lucht van rottend vlees. Hij liep ertegen aan zodra hij de hal van het hoge roodstenen huis in Rathmines binnenstapte. De voordeur zat op de klink en toen hij er zachtjes tegen duwde, zwaaide hij open. Hij stapte naar binnen en keek om zich heen. Hij herinnerde zich het lichaam van Mark Hill, dat aan de strop hing. Hij riep.

'Mevrouw Hill, Elizabeth, ben je daar?'

Er kwam geen antwoord. Hij deed een paar stappen naar boven en gluurde in de woonkamer rechts van hem. Hij was leeg, maar de lucht was er nog sterker. En toen hoorde hij stemmen uit de eetkamer erachter komen. Hij riep nogmaals, en dit keer gaf ze wel antwoord.

Hij deed de deur open en liep naar binnen. En kokhalsde, zodat er braaksel in zijn mond kwam. Hij haalde zijn zakdoek te voorschijn en spuwde erin, niet in staat om een woord uit te brengen. Hij keek om zich heen. Overal lagen bloed en stukken vlees. Vormen die tegelijkertijd herkenbaar en onbekend waren. Elizabeth Hill stond bij de deur die naar de tuin leidde. Een lange, zware man stond naast haar.

'Je herinnert je George Bradley, hè?' zei ze.

Jack knikte en keek om zich heen. Hij probeerde woorden te vinden om een vraag te formuleren, maar hij kon niets bedenken.

'Stephen heeft het gedaan.' Elizabeth sprak op zachte, vlakke toon. 'Dit is zijn werk.'

Vliegen gonsden boven de resten.

'Om de een of andere reden,' zei ze, 'probeerde hij het schilderij te kopiëren.

Ze wees naar de grote reproductie van Judith en Holofernes die op de muur was geprikt. Nu hing ze uitgezakt, gescheurd bij de randen. Jack bukte zich, terwijl hij zijn neus bedekte, om beter naar de dierenkoppen te kijken die overal lagen. Kippen, vogels, de resten van een schaap, iets dat eruitzag als een kat, zelfs, zag hij walgend, een paar rattenkoppen. Hij voelde zijn maag weer omdraaien en stapte achteruit.

'Hier.' Elizabeth ging aan de kant. 'Kom maar even naar buiten voor frisse lucht.'

Ze legde uit wat er gebeurd was terwijl ze een kop thee dronken in de vrolijke, schone keuken van de Bradley's. Ze was toch gekomen om Stephen op te zoeken, zei ze. Maar toen ze kwam, vertelden ze haar dat hij niet langer bij hen logeerde, dat hij besloten had naar huis te gaan. Ze maakten zich zorgen over hem. Ze hadden geprobeerd te bellen; ze hadden een paar keer op de voordeur geklopt, maar hij deed niet open.

'Natuurlijk wisten we dat hij daarbinnen was,' zei George Bradley. 'Dat kon ik zien vanuit onze garage waar ik mijn kantoor heb. Dat weet u nog wel, neem ik aan, meneer Donnelly. U heeft me daar opgezocht nadat Judith was overleden. En natuurlijk kunnen we door de ramen heel goed in dit huis kijken. En ik kon zien dat er lichten aan waren, dus ik wist dat hij er inderdaad binnen was.'

Jack herinnerde het zich. De lichte moderne kantoorruimte. De verbouwde garage. George Bradley had een of ander softwarebedrijf. Heel hightech. Hoewel hij hem er op dat moment niet het type voor vond. Hij leek eerder een leraar op een dure school, met zijn grijze haar en halve brillenglazen, een slobberige corduroybroek en pullover.

'In ieder geval, om een lang verhaal kort te maken, besloten we uiteindelijk naar binnen te gaan en hem te zoeken. Jenny heeft een sleutel, weet u. Ze wilde zich niet opdringen. Maar in ieder geval, daar zat hij, in de eetkamer, onder het bloed, met al die vreselijke dingen om zich heen. Hij sloeg volkomen wartaal uit.'

Elizabeth begon zachtjes te huilen.

'Het spijt me,' zei ze. 'Maar het is zo gruwelijk.'

'Waar is hij nu?' Jack keek naar George Bradley.

'We lieten de dokter komen. Hij heeft hem naar het ziekenhuis gebracht. Ze hebben hem kalmerende middelen gegeven, en ze gaan hem helemaal onderzoeken.' Bradley stond op en deed een kastje open. 'Hier, Elizabeth, neem hier een beetje van. Het smaakt verrassend lekker bij thee.'

Jack keek om zich heen. De keuken was heel licht en zonnig. Een kat met tijgerstrepen lag in een mandje op het aanrecht te slapen. Hij snufte en snurkte zachtjes terwijl zijn snorharen trilden. Erboven hing een prikbord vol briefjes, brieven, foto's en kaarten, allemaal door elkaar vastgeprikt. Zoiets had hij ook nodig, dacht hij, voor als de meisjes kwamen. Hij kon nooit onthouden wanneer ze zwemles hadden, wanneer ze naar ballet moesten, hoe laat ze uit school kwamen, wanneer ze vrij waren, vakantie hadden.

'Is er iets wat ik kan doen?' vroeg hij, terwijl hij zijn kopje leegdronk en een nieuw kopje thee afsloeg.

Ze schudde haar hoofd. 'Dat geloof ik niet, maar fijn dat je even gekomen bent. Ik wilde dat je dit wist. O, begrijp me niet verkeerd.' Ze stak haar hand uit en legde hem even op de zijne. 'Ik verwijt jou niets. Stephens geestestoestand heeft, denk ik, niet alleen te maken met wat er de afgelopen maanden is gebeurd. Ik ben er voor een groot deel verantwoordelijk voor, vrees ik. Denk je ook niet, George?'

George Bradley keek haar aan en even was zijn blik hard en niet vergevensgezind. Toen glimlachte hij, een mechanische grimas.

'O nee, meisje. Dat is zo lang geleden. Gedane zaken en zo.'

Hij dacht na over vergeving terwijl hij naar huis reed. Hij nam aan dat hij Joan haar zonden had vergeven. Hij vond het niet leuk belogen en bedrogen te worden en voor gek te staan. Maar ja, hij hield niet echt van haar, dus was hij in die zin niet gekwetst. Hij dacht aan George Bradley en Mark Hill. De een had vergeven, de ander niet. De een leefde nog, de ander was dood. De een had een gezin dat nog intact was. Kinderen die opgroeiden met een toekomst voor zich. Hij dacht aan dat gruwelijke tafereel in die kamer. De stank, het plakkerige, opgedroogde bloed over de hele vloer, de met vliegen bevolkte dierenresten. Wat moest er door het hoofd van dat arme joch gegaan zijn? Hoe was hij zover gekomen dat hij dat allemaal kon doen?

De regen was opgehouden tegen de tijd dat hij thuiskwam. Hij parkeerde de auto en liep terug naar de haven. Hij ging op een granieten meerpaal zitten. De scheepshelling was vol mensen en bootjes. Het was een vrolijk, kleurrijk tafereel. Zo zou het ook zijn geweest op de dag dat Rachel met Beckett uitging, dacht hij. Ze hadden verklaringen opgenomen van allerlei mensen die ze hadden gezien. Hoe zag ze eruit? had hij gevraagd. Ze zeiden allemaal hetzelfde. Hoe ziet iemand eruit die een middag lekker gaat zeilen? Ze zag er normaal uit, dat hadden ze gezegd. Hij nam de checklist door van waar ze haar hadden gezocht. De havens, de luchthavens, de spoorwegstations en busstations. Ze hadden niets gevonden. Ze hadden haar foto en beschrijving via het tv-journaal laten zien. Hij had in alle kranten gestaan. Niemand had iets gezien. Ze was met Beckett in de boot gestapt en voor zover zij konden nagaan, was ze niet teruggekomen. En er was daar iets gebeurd. Iets dat niet goed was. Hij herhaalde de bewijzen tot nu toe. Bloed dat overeenkwam met dat van Rachel door de hele kajuit. Het mes met haar bloed en Becketts vingerafdrukken. Ook bloed op zijn zeilkleding. En verder waren er de bewijsstukken die ze in zijn huis verzameld hadden. Haren en draadjes van het bed, de bank. Haar tas in het vuur. De kleren die vissers uit de Ierse Zee hadden gevist. Het bewijs van ten minste één gewelddadige ontmoeting tussen hen tweeën. De verklaringen van de andere huurders en van Clare Bowen. Ze had blauwe plekken over haar hele lichaam, had Clare hem verteld. Ze was bang. Waarom ging ze dan met hem uit varen? Wat voor macht had hij over haar?

Hadden ze genoeg om hem in staat van beschuldiging te stellen? Jack dacht van wel. Beckett had de drie belangrijke elementen: de middelen, het motief en de gelegenheid. Maar het OM had nog geen beslissing genomen. Dus hielden ze hem in de gaten. Maakten hem gek. En vroeg of laat zou er iets knappen. Dat wist Jack zeker.

Die arme Rachel Beckett, dacht hij. Andy Bowen had waarschijnlijk gelijk. Ze had nooit die straf uit moeten zitten. Hij voelde zich ineens schuldig. Maar wat had hij ermee te maken? Hij was er nauwelijks bij betrokken. Hij was de nieuwkomer bij de zaak. Oudere, wijzere koppen hadden besloten er moord met voorbedachten rade van te maken. Hadden geweigerd doodslag te overwegen. Hadden erop gestaan dat ze voor haar misdaad zou boeten. Hij stak zijn hand in zijn zak en haalde zijn telefoon te voorschijn. Hij had Alison nu nodig. Een beetje troost was precies wat hij nodig had op een avond als deze.

32

Het was gemakkelijker geweest dan Daniël had gedacht om het meisje uit het apartement in een zijstraat van de North Quays te verhuizen naar het huis in Killiney. Hij moest het haar nageven. Ze was een ijskoude wat spanningen betrof. Ze wist hoe ze voor zichzelf moest zorgen. Niet slecht voor een meisje van amper achttien. Maar ja, hij nam aan dat het niet zomaar uit de lucht was komen vallen. Haar moeder had diezelfde kalmte. Hij herinnerde zich haar die dag op de boot. Het bloed dat van haar pols droop, zoals ze haar hand naar hem had uitgestoken en hem vroeg het mes op te rapen. Al die stukjes bewijs die ze door de hele boot, en in zijn huis en in de auto had achtergelaten. Haar sporen had nagelaten.

Hij had Amy langer in het appartement in de stad kunnen laten. Het was in zekere zin veilig genoeg. Hij had kans gezien een paar keer per dag binnen te vallen en haar op te zoeken. Had de bestelwagen in een van de parkeergarages achtergelaten waar zijn bedrijf het bewakingscontract van had en was vervolgens in de mensenmassa ondergedoken en via een omweg naar de dienstingang van het flatgebouw gelopen. Hij had de indruk dat het goed met haar ging. Ze hadden gepraat. Hij had voor haar gekookt. Spaghetti bolognese, zijn specialiteit, en knoflookbrood. Had flessen chianti voor haar meegenomen. Ze had hem ondervraagd over wat er toen, al die jaren geleden, was gebeurd. Ze wilde alles weten, alles dat hij haar kon vertellen over zijn verhouding met Rachel.

'Waarom heeft ze me dat zelf niet verteld?' vroeg ze telkens. 'Waarom is ze me al die leugens blijven vertellen?'

Hij kon haar geen antwoord geven.

'Ik neem aan,' zei hij, 'dat ze het niet erger wilde laten lijken dan het al was. Ze wilde jou niet meeslepen in de schande. Ik neem aan dat ze je wilde beschermen.'

'Me beschermen,' had het meisje vol minachting gezegd. 'Dat was het niet. Ze was gewoon laf. Ze durfde me niet met de waarheid te confronteren. Maar...' Ze boog zich over de tafel en pakte zijn hand. Haar wangen waren roze. De wijn, dacht hij. 'Maar was het niet ontzettend wreed van haar om jou mij te ontzeggen? Tenslotte had je niemand van jezelf. Niemand van je eigen vlees en bloed, bedoel ik. Jij zou me wel gewild hebben, hè? Jij zou wel gewild hebben dat we bij elkaar waren, hè?'

Hij nam aan dat hij haar wel in het appartement had kunnen laten, maar hij merkte dat ze onrustig begon te worden. Ze wilde niet in haar eentje opgesloten zitten. Hij bleef haar maar voorhouden dat het niet veel langer meer zou duren, maar nadat er drie dagen verstreken waren, begon ze nerveus te worden. En hij maakte zich zorgen. Het appartement stond op Ursula's naam. Maar hij wist niet hoe lang het zou duren voor een of andere fanatieke klootzak van een rechercheur naar het kadaster zou gaan en het zou vinden. Dus was het beter om haar naar het huis in Killiney te brengen. Daar waren ze al met een luizenkam doorheen gegaan en hadden niets gevonden. En ze zouden niet weer een huiszoekingsbevel krijgen zonder nieuw bewijs. En het zou zoveel eenvoudiger zijn om Amy in de buurt te hebben.

Dus had hij het helemaal uitgedacht. En hij had gewacht. Hij kende het surveillanceschema. Ze hingen niet de hele nacht rond. Zodra ze dachten dat hij veilig in bed lag, verdwenen ze. Om niet te veel overwerk te hoeven claimen, dacht hij. Dus wachtte hij en luisterde, en toen het helemaal stil was, glipte hij het huis uit, over het pad over het klif, over het strand naar het parkeerterrein bij het DART-station en vond de bestelwagen die hij daar had laten parkeren. De wagen die van het bedrijf was, maar waar geen logo op stond. Hij reed de stad in. Ze lag diep in slaap op de bank, op haar zij, met haar armen om een kussen geslagen. Er lag een deken over haar benen en toen hij haar schouder aanraakte en haar naam fluisterde, schoot ze overeind, graaide naar de deken, trok hem tot aan haar kin op en keek hem een ogenblik angstig aan. Verwarring, verbazing op haar kleine bleke gezicht, en toen al snel het besef terwijl ze de deken van zich af sloeg – haar benen bloot eronder – en opstond en haar spijkerbroek aantrok, haar voeten in haar sportschoenen stak en snel bukte om de veters vast te maken. Toen pakte ze haar leren rugzak, haalde haar hand door haar korte haar en volgde hem de kou in. Vroeg hem niets, maar stond gewoon te rillen, haar lippen trillend terwijl hij het achterportier van de bestelwagen opendeed en gebaarde dat ze moest instappen. Hij wees haar de slaapzak die opgerold op het matras achterin lag en wachtte tot ze hem over haar lichaam getrokken had. Sloot haar op. Toen ze weer op het parkeerterrein bij het DART-station stonden, deed hij het portier open. Zei dat ze hem moest volgen, pakte vervolgens haar hand om haar snel door het zachte zand te trekken, ging haar voor op het pad over de rotsen en hoorde haar zachtjes hijgen terwijl ze hem probeerde bij te houden. Ze klauterden over het pad, tussen de pijnbomen door en liepen het huis in, net toen de eerste streep zachtgrijs aan de horizon verscheen.

'Voor je veiligheid,' zei hij tegen haar terwijl hij de deur naar de zolderkamer opendeed en haar het veldbed tegen de muur, de pot in de hoek, de flessen water en het brood, fruit en de kaas liet zien. Het transistorradiootje op de vloer. 'Het is beter zo. Hier ben je veilig. Je merkt niet eens wat er buiten gebeurt. Blijf hier vandaag, slaap zoveel als je kan, en vanavond als ik thuiskom, kun je beneden komen en dan kunnen we praten.'

Op dat moment besteedde hij geen aandacht aan de uitdrukking op haar gezicht. Later realiseerde hij zich dat het fout was geweest om er niet op te letten. Dat ze gekwetst was dat hij haar een gevangene op zijn zolder maakte, dat hij haar niet in zijn huis verwelkomde als zijn eerstgeborene, zijn oudste dochter. Hij hoorde haar naar hem roepen, en hij stopte en luisterde even, en riep naar boven dat ze moest gaan slapen en zich geen zorgen moest maken. Hij dacht van tijd tot tijd aan haar terwijl hij met zijn werk bezig was, maar hij was niet ongerust. De zolder was veilig.

Er was maar één dakvenster en dat kon niet open. Het slot op de deur was stevig. En trouwens, de hele situatie zou niet veel langer meer duren. Hij wist wat voor impact het bandje zou hebben. Rachel zou meteen uit haar schuilplaats te voorschijn komen. Dat wist hij gewoon. En dan was het allemaal voorbij.

Het was laat toen hij thuiskwam; het was al donker. Dezelfde twee koplampen hadden hem vanuit de stad gevolgd en stopten nu binnen het zicht van het hoge hek. Hij was gestopt en had even met zijn waarschuwingsknipperlicht naar hen geflitst voor hij de oprijlaan opreed. Zodra dit allemaal voorbij was, zou hij hen aanklagen wegens onrechtmatige arrestatie. Wegens lastigvallen. Voor schadevergoeding. Omdat ze zijn leven verneukt hadden. Hij zou die lul van een Jack Donnelly hiervoor laten boeten. Hij parkeerde de auto voor de voordeur en liet zichzelf binnen. Het was stil in huis. Ze zou wel honger hebben, nam hij aan. Hij zou haar eruit laten, een bad laten nemen. Een behoorlijke maaltijd voor haar koken. Haar iets te drinken geven. Een lekkere wijn opentrekken. Haar het huis laten zien. Laten zien hoe goed hij het gedaan had. Wie weet, dacht hij, terwijl hij de zoldertrap opliep, komt ze, zodra dit voorbij is, wel bij ons wonen. Ursula zou wel met haar overweg kunnen, dat wist hij zeker.

Of misschien, of misschien was dat helemaal niet zo'n goed idee. Hij bleef op de kleine overloop staan en luisterde. Hij hoorde niets daarbinnen. Hij ging op de bovenste trede zitten en leunde met zijn hoofd tegen de muur. Tot dusver wisten maar drie mensen van zijn relatie met Amy af. En zo moest hij het houden. Het laatste wat hij wilde was dat iemand vragen ging stellen, terugdacht aan Martins dood en zich het een en ander begon af te vragen. Misschien was het zelfs niet eens zo'n goed idee als Amy naar huis terugging zodra dit allemaal voorbij was.

Hij stond op en luisterde opnieuw. Er klonk nog steeds geen geluid uit de zolderkamer. Hij schoof de grendels opzij en deed de deur van het slot. Hij boog zijn hoofd om er binnen te stappen. Het was donker. Het licht was uit. Ze ligt zeker te slapen, dacht hij. Hij liep langzaam naar het bed en riep haar naam, zachtjes, zodat ze niet zou schrikken.

'Amy, Amy, wakker worden. Ik ben terug. Ging het wel de hele dag in je eentje?'

De kamer rook bedompt, muf, met een vage geur van urine. Hij kon haar niet echt zien. Hij zag de vorm van het bed, de wirwar van dekens.

'Amy, ik ben het. Dan. Wakker worden. Ik ga de lekkerste biefstuk voor je bakken die je ooit hebt gegeten.'

En toen voelde hij, meer dan dat hij hoorde, een verplaatsing van lucht, net achter hem, en draaide zich om, net op tijd om haar met iets in haar rechterhand te zien staan. Wat was het? Het was lichter van kleur dan iets anders in de kamer. En toen ze haar arm bewoog, hem boven haar hoofd bracht, zag hij dat het een stuk metaal was en besefte dat het veldbed gedeeltelijk uit elkaar gehaald was. Dat ze een van de poten vasthield en toen ze op hem afkwam, met haar arm boven haar hoofd, stapte hij opzij, net buiten haar bereik, zodat, toen haar arm omlaag kwam, de metalen stang niet op zijn achterhoofd terechtkwam, zoals ze van plan was, maar op zijn schouder. Daardoor duwde ze hem achterover, zodat hij zijn evenwicht verloor en op de grond smakte. Hij zag dat ze zich wilde omdraaien en de deur uit rennen. In ieder geval tot hij zijn hand uitstak en haar enkel beetpakte. Hij voelde hoe zijn duim en wijsvinger elkaar om het gewricht heen raakten. Hij trok aan haar, zodat ze ook met een gil en een kreun naast hem neer smakte. Hij trok zich stukje bij beetje omhoog, over haar been, over haar knie, over haar bovenbeen, terwijl zijn vingers zich in haar huid boorden, tot hij haar bij haar middel kon pakken en haar met zijn hele gewicht tegen de vloer kon drukken, terwijl hij haar korte haar vastgreep zodat ze het uitgilde van de pijn. Voelde haar kleine borsten onder hem pletten, rook haar zweet, haar angst. Hij schreeuwde haar toe: 'Dus je wou me een rotstreek leveren, hè? Ik dacht dat we een afspraak hadden. Ik dacht dat we het eens waren. Ik dacht dat je me steunde. Dat je het met me eens was dat je moeder een slecht mens was. Dat ik haar terug moest halen. Ik dacht dat we het eens waren.'

Hij trok haar hoofd achterover en bonkte het hard tegen de houten vloer, zodat ze het telkens uitgilde en de tranen in haar ogen sprongen. Hij trok haar met een ruk overeind tot ze zat en vervolgens tot ze stond, en draaide haar armen achter haar rug terwijl hij zo driftig werd dat hij haar pijn wilde doen, haar wilde laten boeten voor haar verraad. Hij gaf haar een harde klap in haar gezicht, zodat het bloed uit haar neus spoot, en stompte toen met zijn vuist in haar maag. En toen ze begon te gillen van de pijn, smeet hij haar zo hard hij kon in de richting van het veldbed in de hoek en hoorde hoe ze begon te smeken om vergeving.

'Het spijt me, het spijt me. Ik was bang. Ik dacht dat je niet terug zou komen, dat je me hier achter zou laten. Ik voelde aan de deur, maar je had hem op slot gedaan. Ik kon niet tegen het gevoel van opgesloten zitten. En ik hoorde dat het bandje vandaag op de radio gedraaid werd. Ik kreeg zo'n rotgevoel. Ik hoorde dat mijn pleegouders geïnterviewd werden. En ze zijn zo ongerust over me. Ze huilden. Het was afschuwelijk. En ik realiseerde me dat ik naar huis wilde. Dat ik dit niet moest doen. Ik leek wel gek. Ik ken je niet eens. Waarom zou ik je eigenlijk geloven? Hoe weet ik nou dat je bent wie je zegt dat je bent? Hoe weet ik dat je niet tegen me liegt?'

Ze deinsde voor hem achteruit en hield haar handen voor haar gezicht om zich te beschermen, en toen was het die avond al die jaren geleden en Martin die daar op de grond lag, met zijn handen voor zijn witte gezicht geheven, handen die al bedekt waren met bloed van de wond in zijn dij, en een uitdrukking van verbijstering die in besef omsloeg toen hij zag hoe Daniël het geweer omhoog bracht.

Zoals hij nu zijn rechterhand ophief, zijn wijsvinger recht vooruit, zijn duim in de richting van het plafond, zijn andere vingers tegen zijn handpalm gedrukt, en op haar richtte.

'Pang, pang,' zei hij. 'Ik ben nog niet klaar met jou. Ik kom terug, en dan zul je er spijt van krijgen.' Hij liep achteruit, bleef een ogenblik als een silhouet in de deuropening staan voor hij de deur met een klap dichtsloeg, op slot draaide en de bovenste en onderste grendels ervoor schoof. Hoorde hoe ze naar hem riep dat hij haar niet alleen moest laten. Hoe ze smeekte haar eruit te laten. Hij hijgde terwijl hij de trap met twee treden tegelijk nam en niet meer stopte tot hij beneden in de hal kwam, en in de keuken en de warmte en het licht.

Het licht binnen, de zware brokaten gordijnen die over hun gladde, geluidloze rails voor de brede donkere ramen gleden. De fles whisky op tafel. Tilde hem op, voelde de gladde hardheid van het glas tegen zijn tanden terwijl de drank door zijn keel brandde. Schonk het vervolgens in een groot zwaar glas, waarvan de kristallen voet diepe moeten in de huid van zijn hand achterliet terwijl hij het glas omklemde en de warmte en troost met grote slokken tot zich nam. De adrenaline ebde uit zijn lichaam weg en zijn hoofd zakte voorover, kwam even met een ruk omhoog terwijl zijn ogen rolden, en zakte toen weer op zijn borst terwijl het glas uit zijn hand op de vloer viel, een paar maal in een kringetje ronddraaide en tegen de rand van het kleed kwam stil te liggen.

Tot iets hem met een schok uit zijn dutje wekte, zodat hij, hijgend en met bonkend hart, half uit zijn stoel sprong. En de hond hoorde die blafte. De hond, natuurlijk, hij was de hond helemaal vergeten, die in de garage zat nu Ursula en de kinderen er niet waren om voor het stomme beest te zorgen. Die een geweldige herrie maakte. Kort, hard gejank van woede en wanhoop. Dus kwam hij moeizaam overeind en liep de keuken in, terwijl hij de hals van de fles in zijn hand hield, schonk zich nog een flinke borrel in en ging op zoek naar het hondenvoer en de blikopener, terwijl hij zijn eigen voetstappen op de plavuizenvloer hoorde, luid in het lege huis. Hij keek naar de glazen deur die in de tuin uitkwam en bleef stokstijf staan. En zag buiten een slank figuurtje dat naar hem staarde. Donkere kleren, kort zwart haar, klein wit gezicht. Glimlachend. Ze hief haar hand op en legde hem plat tegen de ruit. Een hand met een lang rood litteken dat de handpalm tussen de duim en wijsvinger doorsneed. En daarboven dat gezicht, dat tegelijkertijd bekend en onbekend was. Ze had haar haar geknipt en het zwart geverfd. Zodat ze er een ogenblik uitzag als het meisje boven. En terwijl hij naar haar stond te kijken, stak ze haar andere hand in haar zak en haalde er een doek uit, en terwijl ze haar handpalm van de ruit haalde, gebruikte ze de doek om de afdrukken van haar handpalm en de huid van haar vingers die ze achtergelaten had uit te wissen. De hele tijd naar hem glimlachend terwijl de doek van boven naar beneden, van links naar rechts, bewoog tot alles weer schoon en glanzend was. Terwijl ze achteruitliep en in het donker verdween nadat ze haar hand met het litteken bij wijze van groet in de lucht had gestoken.

En hij was weer alleen. Hij wilde de sleutel pakken die aan een ring bij de deur hing. Maar er was nu geen sleutel. En de deur zat op slot, en hoewel hij zijn volle gewicht tegen het dikke veiligheidsglas wierp, gaf hij niet mee. Zodat hij zich met een kreet van woede omdraaide en naar de voordeur stormde en op de kiezels van de oprijlaan sprong, nu nog harder brullend dan de hond die in de garage vastzat.

'Kom terug, trut, kom terug. Ik weet dat je hier bent. Ik weet dat je niet weg kunt. Kom hier, zodat ik je kan zien.'

Hij begon te rennen, langs de zijkant van het huis naar de moestuin, terwijl hij over het met een dikke laag dauw bedekte gras glibberde en gleed. Trok de spade uit de zware, vruchtbare aarde, waar de tuinman hem had laten staan, woog hem in zijn hand, voelde hoe zwaar hij was en ging snel met zijn hand over het metalen uiteinde dat geslepen was door het vele gebruik. Toen stopte hij, bleef roerloos staan en luisterde, luisterde. Hoorde het gejank van de hond, een auto die naar een hogere versnelling schakelde, terwijl hij vanaf het strand de heuvel opreed. Zijn ademhaling werd rustiger terwijl hij zich tot kalmte maande. Verder weg hoorde hij de zee tegen de rotsen, de wind in de pijnbomen, en zag een lichtje dat op en neer ging in de hoek waar het oude gangenstelsel lag, waar de kinderen verstoppertje speelden.

Kom, papa, kom met ons spelen. Tel achteruit tot twintig en dan moet je ons zoeken, zoeken.

Hij keek naar het lichtje dat door de tuin bewoog en begon het te volgen, terwijl hij met de spade zwaaide en voelde hoe zijn arm erdoor naar beneden getrokken werd. En was het lichtje kwijt en hij hoorde de schuurdeur dichtslaan terwijl hij erheen rende, door de rij braamstruiken stormde die hij met zijn spade opzij sloeg, bij de schuur kwam en haar naam riep terwijl hij er in het rond zocht. Over een stapel plastic bloempotten struikelde. Terugging naar de tuin, het lichtje weer zag, ditmaal in de eikenboom bij het hek, waar hij een boomhut voor Jonathan had gebouwd voor zijn zevende verjaardag. Het lichtje zwaaide heen en weer, hoog in de takken. Maar toen hij eropaf stormde, zag hij de kleine gestalte maar een paar meter bij zich vandaan wegspringen. En het lichtje uitgaan. En het was weer donker.

Hij wilde het uitgillen van woede en frustratie. Hij dacht dat hij zijn tuin goed kende, iedere struik en boom, ieder schuilplekje, maar op de een of andere manier maakte ze het allemaal zo onbekend, zo moeilijk om zijn weg te vinden. Hij keerde terug naar het huis. De hond was opgehouden met blaffen. Maar nu klonk er een ander geluid, uit de garage. Het gekletter van metaal op metaal. Dit keer liep hij voorzichtiger. Langzame stappen naar voren. Bleef staan om te luisteren. Het klonk als een hamer die op een metalen bankschroef sloeg. Toen hij bij de openstaande deur kwam, bleef hij staan. Het was nu donker en stil. Hij legde zijn hand op het lichtknopje. Hij klikte het aan. Er gebeurde niets. Hij klikte het op en neer. Nog steeds niets. Hij stapte zachtjes naar voren. De hond lag niet langer in zijn mand in de hoek. Maar er bewoog iets aan de andere kant, bij de werkbank waar hij zijn gereedschap bewaarde. Hij hoorde hoe zijn naam zachtjes geroepen werd: 'Daniël, Daniël.'

Hij liep naar voren. Hij voelde hard beton onder zijn voeten. En toen viel hij, in de smeerput. Hij kwam onhandig terecht en zijn enkel klapte dubbel. De pijn schoot door zijn been. Hij viel voorover in de gemorste olie. Gilde weer: 'Vuile rottrut, als ik je te pakken krijg, vermoord ik je!'

Hij hees zich eruit en strompelde weer naar de deur terwijl hij op zijn spade leunde om zijn zere enkel te sparen. Hij stapte op de kiezels en ineens hoorde hij keiharde muziek. En hij draaide zich om en zag de gordijnen open, de terrasdeuren open en dezelfde tengere gestalte, die naar hem stond te kijken. Hij begon zo snel te rennen als zijn pijnlijke enkel hem maar toestond, zwaaiend met de spade, denkend aan de doffe plof wanneer rattenlijven tegen de aarde werden geplet. Hij dook het terras op en dook het huis in, door de woonkamer de hal in, waar de voordeur wijd openstond. Hoorde haar stem weer naar hem roepen.

'Daniël, Daniël, ik ga naar boven. Kun je me vangen? Kun je me vinden?'

En dacht ineens aan de politiewagen die, zoals altijd, buiten het hoge smeedijzeren hek geparkeerd stond. En de donkere gestalten van de twee mannen die erin zaten, en het opgloeien van een sigaret terwijl hij naar hen toe rende en schreeuwde: 'Ze is hier, ze is hier. Dat heb ik toch gezegd, hè? Ik heb gezegd dat ze niet dood was. Kom mee, kom binnen en ga haar zoeken!'

Hij trok het portier open, sleurde de bestuurder bijna vanachter het stuur en rende voor hen uit terwijl ze naar het huis liepen. En schreeuwde: 'Ik zei toch dat ik al die tijd al de waarheid sprak. Ze is hier. Ik heb haar net gezien!'

En naar hen gilde: 'Ga haar zoeken. Vind haar. Ze is hier. Ze is boven. Kom op, schiet op. Ik heb haar daar gezien!'

Terwijl hij de mannen de hal in en de trap op zag gaan, bleef hij een ogenblik buiten staan en slaakte diepe zuchten van opluchting. Hij rook hoe kokosachtige zoetheid van de brem op de heuvels om zich heen in de nacht opsteeg. Terwijl hij zich naar de verlichte deuropening keerde en opnieuw het kleine figuurtje daar zag staan, met aan weerszijden de politiemannen, die haar ieder bij een arm vasthielden. Het uitschreeuwde van vreugde en opluchting. Nu zouden ze hem geloven. Nu zou hij verlost zijn van die nachtmerrie. Nu zou hij het leven terugkrijgen dat hij kwijtgeraakt was. Hij liep wankelend in hun richting. Toen bleef hij staan; er verscheen een blik van verbazing en vervolgens van afschuw op zijn gezicht. De politieman stapte naar voren, legde zijn hand op zijn arm en zei: 'Kunt u ons dit uitleggen, meneer Beckett? Kunt u uitleggen waarom deze jonge vrouw op uw zolder opgesloten zat? Kunt u haar verwondingen aan ons uitleggen?'

Terwijl ze naar hem keek en hij het korte zwarte haar zag, het bleke gezicht, de blauwe plekken rond haar ogen, de arm die ze beschermend tegen zich aan hield, de gescheurde en vuile zwarte spijkerbroek. De geur van urine en braaksel. Haar gesnik terwijl ze naar hen uitriep: 'Hij wilde me niet laten gaan. Ik moest mee van hem. Ik was zo bang. Ik dacht dat hij me zou vermoorden!'

Toen het geluid van de spade die op de grond kletterde. Hij keek ernaar en zag de resten aarde uit de tuin op het lichte kleed vallen. Ursula zou hem nooit vergeven dat hij er zo'n troep van maakte. Hij bukte om hem op te rapen. En even, toen hij het gewicht in zijn hand voelde, dacht hij aan wat hij ermee kon doen. Hoe hij met een klap op de schedel van het meisje terecht zou komen, haar beschuldigingen en haar klachten zou doen verstommen. En daarna zou hij hem tegen de politieman gebruiken, die tevreden trek van zijn ronde, zelfvoldane smoel vegen. Zodat hij het uitgilde van pijn en angst. Hem daar op de vloer achterlatend, vernederd, gewond. Beschadigd en niet meer te maken. En hij overwoog het allemaal terwijl hij de spade op en neer zwaaide, het gewicht in zijn hand voelde, het tiktak van de slingerbeweging voelde. Toen werden plotseling zijn armen van achteren vastgepakt, de spade werd uit zijn hand getrokken en hij voelde de scherpe rand van de handboeien toen zijn polsen aan elkaar geklonken werden. En hij werd half uit de deur, over de oprijlaan en in de auto gesleept en geduwd.

Er verscheen een gezicht bij het raampje naast hem, en Jack Donnelly boog voorover en glimlachte.

'Hebbes,' zei hij, sloeg met zijn hand op het dak, een scherp, nijdig geluid, en stapte achteruit terwijl ze aan hun statige gang heuvelopwaarts begonnen. Weg van het huis, weg van de zee, weg van zijn vrijheid.

Het einde

Het was een jaar later. Het was weer Court Four. Dezelfde rechtszaal waar Rachel Beckett werd veroordeeld wegens moord op haar man. En weer was het er stampvol. Toeschouwers, journalisten, politiemensen, verdedigers en aanklagers, en natuurlijk de jury, de getuigen en de verdachte. Daniël James Beckett, verdacht van de moord op Rachel Beckett en de wederrechtelijke vrijheidsberoving en poging tot moord op Amy Beckett. Hij had alle beschuldigingen ontkend. De zaak van het Openbaar Ministerie met betrekking tot de minder zware aanklachten als de wederrechtelijke vrijheidsberoving en poging tot moord was sterk, waterdicht zelfs. Maar er waren nog steeds wat twijfels over de haalbaarheid van de aanklacht tot moord. Het lichaam van Rachel Beckett was nooit gevonden. Er werd eindeloos gespeculeerd. Eerdere zaken werden opgehaald en uitgeplozen. Er was de zaak van Michal Onufrejczyk, een Pool, die in 1955 door het gerechtshof van Glamorganshire werd veroordeeld wegens de moord op ene meneer Sykut, ondanks het feit dat het lichaam noch enig spoor van het lichaam ooit was gevonden en de gevangene nooit had bekend enig aandeel in de misdaad te hebben gehad. Hij werd ter dood veroordeeld. Nog recenter was er de zaak van de Britse officier van de geheime dienst, kapitein Robert Nairac, die in de jaren zeventig in Zuid-Armagh vermist werd. Zijn lichaam was ook nooit gevonden, maar uiteindelijk werd er in 1977 ene Liam Townson wegens moord op hem veroordeeld. En een jaar of tien geleden de tragische zaak van Helen McCourt in Liverpool. Opnieuw geen lichaam, maar de bebloede kleding en een stuk touw, ook met bloedvlekken, die in de kofferbak van de auto van de aangeklaagde barkeeper waren gevonden, waren voldoende om hem te veroordelen wegens moord op haar.

Jack volgde de gang van zaken. Hij stond in de getuigen-bank, legde de eed af, gaf zijn getuigenis. Hij luisterde naar Becketts ontkenningen. Zijn beroep op zijn onschuld, zijn ver-haal over de verschijning van Rachel Beckett, een verhaal dat nooit bevestigd was. De politiemannen die het huis waren bin-nengegaan, hadden niemand dan het meisje, Amy, gezien. Ze hoorden haar geschreeuw en geroep om hulp. Ze forceerden de gesloten deur en troffen haar in een verschrikkelijke toestand op de vloer aan. Verwondingen aan haar hoofd, inwendige ver-wondingen, in shock, hysterisch, zo en nu wegglijdend in be-wusteloosheid. En zeker wetend dat Beckett terug zou komen. Om af te maken waarmee hij begonnen was.

Jack zag de schrik en woede in de rechtszaal toen het meisje Amy vertelde wat haar overkomen was. Vertelde hoe hij haar had overtuigd dat haar moeder nog leefde. Dat het enige waar-mee hij haar kon terughalen was, als ze dacht dat Amy in ge-vaar verkeerde. Nu had hij haar gedwongen om bij hem te blij-ven in het huis in Killiney. Geweigerd haar te laten gaan. Vervolgens had hij haar bedreigd, gezegd dat hij het karwei af zou maken. Hij wilde me niet, zei ze. Hij wilde me alleen maar gebruiken, en toen dat niet werkte, wilde hij zich alleen maar van me ontdoen. Nadat hij me had verteld dat ik zijn dochter was. Jack keek naar de verbijsterde gezichten in de rechtszaal. De stilte was volkomen toen het meisje haar verhaal deed.

Hij luisterde zorgvuldig naar het pleidooi van de openbare aanklager. Dat Beckett van alles uit zijn verleden af wilde dat hem in verlegenheid bracht, dat zijn nieuwe leven overhoop of in gevaar kon brengen. Dat als hij genadeloos genoeg was om zijn eigen dochter te ontvoeren en bedreigen, hij zeker genade-loos genoeg was om een moord te plegen. Hij hoorde het fo-rensische bewijs opnieuw in detail. Bloedvlekken in de boot, het bebloede mes met Becketts vingerafdrukken erop. Bloed op zijn kleren. Rachels kleren, met bloedvlekken en scheuren, ge-vonden in een plastic zak die in zee was gegooid. Getuigenis van de woedende ontmoeting tussen Rachel en Beckett, en van haar angst voor hem. Hij zat in de Round Hall en wachtte op de uitspraak van de jury. Ze namen de tijd. De dag verstreek. Hij sprak met Alison en de meisjes door de telefoon.

'We hebben je op tv gezien,' zei Rosa, 'op het nieuws. Ieder-een op school heeft je ook gezien. Je bent beroemd, papa.'

De jury moest een nacht overblijven. Hij kon er niet achterkomen of dat een goed teken was of niet. Ze hadden een hoop om over na te denken, zoveel bewijzen die doorgenomen moesten worden. Hij zou dolgraag een vlieg daar op de muur in de jurykamer zijn geweest. En als ze nu niet tot overeenstemming kwamen? Hij herinnerde zich dat dat bij bij Rachels proces was gebeurd. De jury had de rechter om advies gevraagd. Hij had gezegd dat hij een meerderheidsstandpunt zou accepteren en dat kreeg hij ook. En als deze groep mannen en vrouwen nu zelfs dat niet konden halen? Dan kon de rechter het proces nietig verklaren. En dan zouden ze helemaal opnieuw moeten beginnen. Christus, hij werd niet goed bij de gedachte. En toen kwam de uitslag. Ze waren terug. Ze hadden een uitspraak. Beckett ging de gevangenis in. Levenslang.

Daarna realiseerde hij zich hoe gespannen en nerveus hij was geweest. Zijn benen deden pijn, zijn nek en schouders waren net houten planken. Het vereiste al Alisons vaardigheid en overtuiging om de knopen los te maken.

'Laten we het gaan vieren,' zei hij tegen haar.

Maar de meisjes wilden zijn pas verworven faam ook vieren.

'Neem ons mee uit, papa,' eiste Ruth. 'We willen naar een echt restaurant, niet McDonald's of Burger King, iets met obers en kaarsen. We moeten je iets laten zien.'

Het iets was een polaroidcamera. Joans vriend had hem hun gegeven.

'Zodat we hem aardig vinden,' zei Rosa. 'Het is opkoping.'

'Niet opkoping, sufferd,' kwam Ruth snel ertussen. 'Omkoping. Het is omkoping.'

Hij nam hen allemaal mee naar de Brasserie na Mara in Dun Laoghaire. Daar waren obers, kaarsen, tafellakens, lekker eten en meer dan genoeg wijn. Ruth wierp zich op als hoffotograaf. Al snel was de hele tafel bezaaid met kiekjes.

Hij werd midden in de nacht wakker, met bonkend hoofd en een droge mond. Alison was naar huis gegaan. De meisjes accepteerden nog steeds niet dat ze bij hem bleef slapen. Binnenkort, beloofde hij, binnenkort zullen ze wel moeten. Rosa lag tegen hem aan genesteld. Ruth lag op de bank. Ze had haar foto's op een stapeltje op de keukentafel achtergelaten. Hij dronk het ene glas water na het andere terwijl hij ze doornam. Er was er één in het bijzonder die hij leuk vond. Alison had hem genomen. Ik en mijn meisjes, dacht hij zo gelukkig als zijn kater hem toestond. Hij pakte hem en prikte hem op het prikbord van kurk boven de koelkast, naast het rooster van de school van de meisjes. Hij schonk zijn glas weer vol en keek ernaar. Het deed hem aan iets denken. Aan wat? Ineens zag hij het lichaam van Judith Hill voor zich, verwrongen in de dood, en dacht aan de foto's die hij die dag in het atelier van haar moeder had gevonden. De kamer boven in het huis in de stille, lommerrijke buitenwijk. Hij wist nog steeds niet helemaal zeker wie haar vermoord had. Haar moeder was er zo van overtuigd dat het niet de vader van het meisje was. Na zijn dood en nadat de broer, Stephen, gek geworden was, had hij zich afgevraagd of hij het was geweest. Maar na verloop van tijd kregen ze de uitslag terug van de DNA-test van Judiths dode baby en hij kwam noch met de vader noch met de broer overeen. Hij wilde nu dat hij Elizabeth kon vertellen dat hij wist wat er met haar dochter was gebeurd. Hij mocht haar. Hij leefde met haar mee. Hij wist hoe hij zich in haar situatie zou voelen.

Hij dronk zijn glas water leeg, spoelde het om en zette het in het droogrek, keek weer naar het prikbord en ditmaal was het iets anders dat hij zag. Een gelijksoortige verzameling schoolberichten, tijden voor zwemlessen, mededelingen van de gemeente voor de vuilophaaldienst. En foto's. Polaroids. Nog een familiegroep. Een vrouw van middelbare leeftijd en een slecht figuur. Een man van dezelfde leeftijd met tamelijk lang grijs haar en een gegroefd gezicht. Een zoon en een dochter van tegen de twintig, begin twintig, en twee kleine meisjes die zich aan de knieën van hun ouders vastklampten. Wat had Jenny Bradley ook alweer gezegd? Judith had op hun jongere kinderen gepast. Buren die nog dichter bij elkaar waren gekomen door het nare dat hen allemaal was overkomen. Hij vroeg het zich af terwijl hij door de woonkamer liep, vooroverboog om een kus op Ruths warme wang te drukken en de sprei om Rosa's magere lijfje instopte. Hij vroeg het zich af.

Hij vroeg zich de volgende dag weer af of hij volledig zijn tijd aan het verspillen was. Maar hij kon het net zogoed wél doen. Hij vroeg een huiszoekingsbevel aan.

Achternaam: Bradley.

Voornaam: George.

Adres: 15 Plane Tree Parade, Rathmines.

Toen ging hij eindelijk huizen kijken met Alison. Ze had hem eindelijk zover gekregen dat hij zich wilde vastleggen.

'Toe nou, Jack. Je hebt het uitgesteld tot de zaak Beckett achter de rug was. Nu is het zover. We hebben ons eigen stekje nodig. Vind je niet?' Het was even stil. Ze sprak weer. Ze klonk bot. 'Nou, als je het niet vindt, dan zie ik, eerlijk gezegd, niet veel toekomst voor ons. Ik ga op deze manier niet verder.' En even zag hij de Alison White waar Andy Bowen het altijd over had.

Het was later, toen ze iets waren gaan drinken om de betrekkelijke voordelen van de drie huizen te bespreken die ze gezien hadden, dat zijn telefoon ging. Het was Sweeney.

'Weet je, die Bradley in wie je geïnteresseerd was? Nou, ik heb een verrassing voor je. Hij heeft deel uitgemaakt van een onderzoek naar vermeend misbruik, zo'n zestien jaar geleden, op een school waar hij wis- en natuurkunde gaf. Een paar meisjes klaagden over hem en een andere man. Het liep op niets uit. In die tijd was niemand geïnteresseerd. Maar Bradley ging niet lang erna weg. Hij ging toen in de computerbusiness. Zette zijn eigen bedrijfje op.'

Jack ging terug naar kantoor en haalde het dossier te voorschijn. Las alle verklaringen door. Jenny Bradley was heel uitgesproken over het weekend waarin Judith vermoord werd. Ze was jarig. Judith was haar bloemen komen brengen. Ze was die zaterdag net na de lunch gekomen. Ze was een paar uur gebleven. Ze zaten in de tuin. Ze roddelden. Mevrouw Bradley zei dat het zo fijn was om de oude Judith terug te hebben, zoals ze was vóór ze drugs ging gebruiken.

'Waren jullie alleen?' had hij gevraagd. Hij keek wat ze geantwoord had.

'Ja, inderdaad. De kinderen waren allemaal andere dingen aan het doen en mijn man was in zijn kantoor. U weet wel, achter in de tuin. We konden hem voor het raam zien. Judith zwaaide naar hem. Ik herinner me dat ze vooroverboog en in mijn oor fluisterde. Laten we net doen, zei ze, of we over hem praten. En ze hield haar hand om mijn oor en we moesten allebei lachen.'

'En daarna, wat gebeurde daarna?'

'Niets bijzonders, voor zover ik me kan herinneren. Judith ging weer naar huis. Ze zei dat ze nog iets moest opruimen. Ik vroeg of ze bij ons wilde komen eten; we hadden een dineetje. In verband met mijn verjaardag, begrijpt u. Maar ze zei nee, ze wilde die avond terug naar de universiteit. En dat was het laatste dat ik van haar gezien heb.'

Hij keek naar de verklaring van George Bradley. Hij zei niets over het feit dat hij hen in de tuin had gezien. Hij zei zelfs dat hij Judith de hele dag niet had gezien. Hij zei dat hij de hele middag had zitten werken. Een haastklus.

'Ook al was het zaterdag en was uw vrouw jarig?'

Bradley had een of andere neerbuigende opmerking gemaakt over hoe een verjaardag, op Jenny's leeftijd, niet iets om te vieren was. En zei vervolgens dat zijn vrouw wist waar de rekeningen van betaald werden, wat haar wereld draaiende hield.

Hij zou maar eens even bij hem langsgaan. Er stond op het moment toch niet veel op de rol. Waarom zou hij geen poging ondernemen?

Hij kwam er de volgende ochtend vroeg aan. Hij had niet van tevoren gebeld. Hij stond in het straatje dat achter alle huizen liep en drukte op de intercom op de moderne stalen deur. De oude stenen van de oorspronkelijke stallen waren gepleisterd en wit geschilderd en blokken melkglas waren in de plaats gekomen van de oorspronkelijke ramen. Het zag er allemaal heel chic, trendy, volgens de laatste mode uit. Ernaast, waar de familie Hill ooit hun auto, hun fietsen en hun tuingereedschap had bewaard, werd verbouwd. Hij nam aan dat het huis verkocht was. Het was onwaarschijnlijk dat Stephen ooit het veilige ziekenhuis waar hij nu woonde zou verlaten.

Als George Bradley verbaasd was hem te zien, liet hij het niet merken. Zijn kantoor was heel licht. Aan drie van de muren hingen grote abstracte schilderijen. De vierde muur was een enorm raam dat op zijn huis en tuin uitkeek, en Jack zag onmiddellijk het huis en de tuin ernaast.

'Fantastisch uitzicht,' zei Jack, terwijl hij in de aangeboden stoel ging zitten.

Bradley gromde. 'Het is voor het licht, niet voor het uitzicht.' Toen voegde hij eraan toe: 'Zegt u meteen maar waar het om gaat. Ik heb het druk.'

Ze namen samen de verklaring door. Jack kon niet geloven hoe hij het eerder allemaal over het hoofd had kunnen zien. De man had geen alibi. Niemand had hem gezien, niemand was bij hem geweest vanaf het moment dat Judith en Jenny Bradley hem vanuit de tuin hadden gezien tot hij ergens tussen halfnegen en negen was komen opdagen.

'U was hier in uw eentje? Niemand met wie u samengewerkt

heeft?' vroeg Jack hem voor de derde maal. En voor de derde maal verklaarde Bradley dat dat juist was.

'Dat werk waar u mee bezig was, voor wie was dat?'

Jack schreef de details op, en de hele tijd bleef zijn blik naar de ramen van het huis van de familie Hill dwalen. Beneden, de eetkamer en de keuken, slaapkamers op de eerste en tweede verdieping, en boven, op zolder, de grote dakkapel die in het leistenen dak was gezet. Noorderlicht, dat was het, noorderlicht voor de kunstenares.

'Vertelt u me eens over Judith,' zei hij. 'U heeft haar lang gekend, hè?'

Bradley knikte.

'En?'

Hij draaide zich met een ruk om en keek uit het raam. 'Nou, ze was een lief meisje. Slim, maar verlegen.'

'Mooi?'

Bradley keek hem aan en glimlachte. 'Ja, ze was mooi. Op de manier zoals meisjes dat zijn. Maar ze verleppen, weet u. Ze verliezen die frisheid.'

'Maar ze schijnt toch niet erg gelukkig te zijn geweest, hè?'

'Het was moeilijk voor haar en haar broer. Wat er met hun moeder gebeurde.'

'En was het voor u ook moeilijk, en voor uw kinderen?'

'Wij zijn eruit gekomen. We zijn eroverheen. Het was een stomme vergissing van Jenny. Ze werd te veel beïnvloed door Elizabeth Hill. Maar dat ligt allemaal achter ons. We zijn het allemaal vergeten.'

'Dus u hebt uw vrouw vergeven?'

'Dat zeg ik toch net? Natuurlijk heb ik haar vergeven. Zij had een fout gemaakt. Dat heeft ze toegegeven. Ze heeft ervoor geboet. En nu, als u het niet erg vindt, ik heb het druk, zoals ik al zei. Ik begrijp niet waarom u dit allemaal weer oprakelt. En ik begrijp niet wat u denkt dat ik ermee te maken heb.'

Hij moest het hem vragen. Het moest gebeuren.

'U weet toch, hè, meneer Bradley, dat Judith zwanger was toen ze overleed? Natuurlijk hebben we geprobeerd erachter te komen wie de vader was. We hebben Mark en Stephen Hill kunnen uitsluiten. We hebben ook een aantal mannen kunnen uitsluiten met wie Judith de afgelopen jaren een seksuele verhouding had gehad. Ik zou u ook graag willen uitsluiten. U stemt toch wel in met een DNA-test, hè?'

Bradley stond op en liep naar het raam. Hij drukte zijn hoofd tegen de ruit. Zijn gezicht was heel rood. Hij draaide zich weer om naar de kamer. Hij klonk luid en boos.

'U denkt serieus dat ik seks met een meisje zou hebben na alles wat zij had gedaan? Wat voor man denkt u dat ik ben, dat ik mijn eigen gezondheid en die van mijn vrouw in de waagschaal zou stellen door iets met haar te beginnen?'

'Uw gezondheid, is dat het enige waar u zich druk over maakt? Niet het feit dat ze jong genoeg was om uw dochter te zijn? Dat ze het kind van uw buren was? Dat ze een vriendin van uw kinderen was? Dat ze zelf weinig meer dan een kind was?'

Jack was niet in staat zijn verontwaardiging te onderdrukken. Hij dacht aan zijn eigen dochters en hij werd misselijk bij de gedachte.

'Hou alstublieft op met dat roomser-dan-de-pausgedoe, inspecteur Donnelly. Judith Hill was een vrouw, en u weet toch ook hoe vrouwen zijn, hè?'

Bradley was verhoord in verband met de beschuldigingen die twee schoolmeisjes tegenover hem en een collega hadden geuit. Hij had alles ontkend. Categorisch. Hij had gezegd dat de meisjes verliefd op hem waren. Dat ze altijd zijn aandacht probeerden te trekken, manieren bedachten om alleen met hem te zijn. Hij had gezegd dat hij hun avances afgewimpeld had en dat dit hun manier was om zich te wreken. Men geloofde hem. De meisjes hadden pas op de plaats gemaakt toen hun gevraagd werd te getuigen. Hun ouders voelden zich opgelaten. Het zou nu niet zo gemakkelijk over zijn gewaaid, dacht Jack. Na al die onthullingen over misbruik op scholen, in weeshuizen en opvangcentra. Na de manier waarop mannen en vrouwen in gezaghebbende posities hadden laten zien hoe ze hun macht aanwendden om het leven van jonge mensen te verwoesten. Nu zouden de meisjes heel wat meer medeleven hebben ontmoet. Dat hoopte hij tenminste.

'Dus u wilt de test laten doen, meneer Bradley? We kunnen u vanmiddag op het bureau ontvangen. Wat komt u het beste uit, drie uur of halfvier?'

Hij belde Elizabeth Hill. Gewoon om haar op de hoogte te brengen en te horen wat zij ervan zou zeggen. Hij was teleurgesteld toen haar antwoordapparaat aansprong. Hij liet een bericht voor haar achter dat ze hem moest bellen. Toen ging hij nog meer huizen bekijken. Alison hield voet bij stuk. Ze gingen iets kopen, hoe dan ook.

Het was de volgende dag na het middageten toen de brigadier van de wacht hem riep. 'Je hebt bezoek, Jack. Een dame voor je.'

Dat was snel gereageerd, dacht hij. Elizabeth Hill was blijkbaar zo opgewonden over zijn nieuws dat ze niet kon wachten. Maar het was Elizabeth niet. Het was Jenny Bradley.

Hij nam haar mee naar de pub aan de overkant van de straat. De zon die door het raam naar binnen scheen, toonde de diepe rimpels in haar voorhoofd en de zwarte kringen onder haar ogen. Haar stem klonk onzeker toen ze begon te praten.

'Ik had eerder moeten komen. Ik wist dat jullie er uiteindelijk toch achter zouden komen.'

'Waar precies achter zouden komen?'

'Achter George en die meisjes. Weet u, ik wist dat hij over hen loog. Ik wist dat hij zo was. En ik wist dat hij ook zo met Judith was.'

'Met Judith?'

Ze knikte. 'Het begon toen ze zo'n jaar of dertien was. Ze was een tijdje goed bevriend met onze dochter Sally, die van dezelfde leeftijd was. Ze liep altijd bij ons in en uit. Ze bleef vaak slapen en bleef regelmatig hele weekends bij ons. George wandelde graag in de heuvels. Hij nam de kinderen vaak mee. 's Zomers gingen ze kamperen. Toen werd Sally het beu. Maar Judith bleef met hem meegaan. Ik wist dat het niet klopte.'

'Maar u deed er niets tegen?'

Ze schudde haar hoofd. Ze staarde naar haar handen en draaide haar trouwring om haar dikke vinger.

'Dat deed ik niet om één goede reden. Ik dacht dat als hij Judith niet had, hij het met Sally zou proberen. Op die manier rationaliseerde ik het. Ik overtuigde me er ook van dat Judith het wilde, dat ze op deze manier in ieder geval wat genegenheid kreeg, wat fysieke aandacht. Want ik wist dat haar eigen vader buitengewoon kil en afstandelijk was. Op de een of andere manier praatte ik het goed. En toen –'

'En toen?' Jack voelde zich ineens misselijk.

'Toen kwam ze in de problemen, en in plaats van het te herkennen als een reactie op iets dat ik had laten gebeuren, rechtvaardigde ik wat George deed. Ik liet haar gedrag rechtvaardigen wat hij had gedaan.'

Het was een ogenblik stil.

'Ik wil graag wat drinken,' zei ze. 'Cognac, graag.'

Hij bestelde er twee. Ze pakte het ballonvormige glas en nam een slok. 'Die test die u heeft gedaan. U weet natuurlijk wat de uitkomst zal zijn, hè? U weet dat het zijn kind was.'

'Weet u dat zeker?'

Ze knikte. 'Zo zeker als ik weet dat hij Judith die avond heeft vermoord. Terwijl ik thuis het glazuur op mijn verjaardagstaart smeerde, was hij boven in Elizabeths oude atelier.'

Jack keek haar aan. 'Weet u dit zeker, of denkt u het gewoon?'

'Nou, hij heeft het me niet verteld als u dat soms bedoelt. Hij kwam niet de keuken binnengestormd om het me te vertellen. Maar ik weet dat hij het gedaan heeft. Hij was die avond heel luidruchtig, vol bravoure. En op zeker moment vroeg een van de kinderen hem waar het fototoestel was. Ze wilde de gebruikelijke familiefoto's maken. Hij ging het halen, maar er zat geen filmrolletje in. En ik wist dat er een rolletje in had gezeten. Maar dat was al volgeschoten.'

'Waarom vertelt u me dit nu?' Jack pakte zijn glas en nam een slok.

'U zou er toch achterkomen. Ik heb altijd geweten dat jullie erachter zouden komen, dat het slechts een kwestie van tijd was. Ik wil niet langer proberen het geheim te houden. Ik ben nu klaar voor het schandaal zoals ik nooit eerder ben geweest. Ik walg ook van mijn eigen gedrag. En ik voel dat het tijd is om boete te doen.'

'Dus u wilt een verklaring afleggen; u staat achter hetgeen u gezegd heeft?'

Ze knikte. 'Ik zal nog meer doen. Ik zal u een foto laten zien die hij die dag niet in Elizabeths atelier achterliet toen hij klaar was met waar hij mee bezig was geweest. Ik vond hem op een dag toen ik zijn kantoor schoonmaakte.'

Ze zwegen terwijl ze hun borrel opdronken. Toen sprak Jack weer.

'Waarom heeft hij haar vermoord?' vroeg hij. 'Weet u dat?'

Ze schudde haar hoofd. 'Niet zeker. Maar ik neem aan dat ze dreigde haar mond open te doen. Ze was een heel ander meisje toen ze uit de gevangenis kwam, weet u. Ze was sterk en zelfverzekerd. Ze had een heel nieuw leven voor zich. Het verbaasde me dat ze met hem naar bed bleef gaan. Maar ik neem aan dat hij haar op de een of andere manier in zijn macht had. In ieder geval kon ik merken dat Judith een paar beslissingen over haar leven had genomen. Ik denk dat het alles te maken had met die vrouw, die bij haar in de gevangenis zat. Judith heeft me over haar verteld. Ze vertelde me hoe ze haar geholpen had. Ze vertelde me wat een bijzonder mens ze was.'

Het was al laat tegen de tijd dat Jenny Bradley haar verklaring afgelegd had. Sweeney was haar man gaan oppakken. Hij weigerde iets te zeggen. Hij vroeg om zijn advocaat en zweeg verder. Maar ze hadden de foto en die zei alles. Het dode meisje en de man met haar lichaam. Er zou geen borgsom voor hem zijn. Jack ging terug naar zijn bureau om op te ruimen. Hij keek op zijn horloge. Het was na middernacht. Hij nam de hoorn van de haak en belde het nummer van Elizabeth Hill. Hij wist dat het laat was, maar hij wist dat ze graag wilde weten wat er was gebeurd. Hij hoorde de telefoon overgaan. Hij zag haar kamer voor zich met de schilderingen op de muren en het plafond.

'Hallo.' Hij hoorde haar stem en muziek op de achtergrond.

'Hallo, Elizabeth, met Jack Donnelly.'

Het was even stil, met alleen een vrouwenstem die zong.

'Jack, hoe is het? Heb je nieuws voor me?'

'Ja, dat klopt. Ik dacht dat je het wel wilde weten.'

Hij vertelde haar het hele verhaal. Hij bespaarde haar geen enkel detail. Ze luisterde en zei niets. Toen sprak ze. 'Dank je,' zei ze. 'Dank je dat je ons niet vergeten bent.'

'Gaat het?'

Het was even stil. Ze zuchtte. 'Ja, het gaat wel. Ik ben alleen wel blij dat ik weet wat er gebeurd is. En dat iemand de verantwoordelijkheid voor Judiths dood heeft genomen.'

Hij wilde net gedag zeggen en ophangen, toen hij haar stem hoorde, plotseling geagiteerd.

'Wacht even, heel even. Vertel me eens over de andere zaak waarbij je betrokken bent geweest. Ik heb er op internet over gelezen. De zaak rond Rachel Beckett.'

'O ja, natuurlijk. Jij kende haar ook, hè?'

'Niet goed, maar ze had een goede relatie met Judith. Dat weet ik. En ik weet ook dat ze Judith enorm geholpen heeft toen ze bij elkaar in de gevangenis zaten. Ik vond het zo erg toen ik hoorde wat er gebeurd was. Ik dacht dat dit een nieuw begin voor haar zou worden, een kans om al die ellende achter zich te laten. Maar in ieder geval heb je een veroordeling.'

'Ja, ik wist niet zeker hoe het zou gaan, maar de jury heeft het juiste besluit genomen. Dat weet ik zeker.'

'Hij heeft levenslang gekregen, hè?'

'Dat klopt. En George Bradley is niet op borgtocht vrijgelaten. Dus ze mogen vannacht allebei genieten van door de overheid gesubsidieerde accommodatie.'

'Dat zal George wel waarderen,' zei ze, 'hij was altijd al een aanhanger van het Spartaanse ideaal. Maar voor je ophangt, dat meisje dat jouw mannetje ontvoerd had... Amy, heet ze toch? Hoe is ze eronder? Hoe heeft ze het proces en al dat soort dingen verwerkt?'

'Verrassend goed,' antwoordde hij. 'Het is eigenlijk een geweldige meid. Heel onafhankelijk, heel sterk. En ze boft. Ze heeft een fantastische band met haar pleegouders. Ze hebben haar heel goed geholpen.'

Het was weer stil en nog steeds klonk er gezang op de achtergrond. Hij geeuwde.

'Sorry,' zei ze, 'ik hou je aan de praat. Je zou thuis in bed moeten liggen. Ga nu maar. En nogmaals, heel erg bedankt voor alles.'

Hij liep het bureau uit en ging naar buiten. Er was geen maan vanavond en er lagen donkere poelen tussen het oranje licht van de straatlantaarns. Hij liep door Marine Road en langs de haven. Hij had vandaag een huis gezien met Alison. Een dat ze allebei leuk vonden. Het lag in een doodlopend straatje, in een zijstraatje van de hoofdweg. Vijf minuten van de winkels en de haven. Hij zou de meisjes volgende zomer voor een zeilcursus inschrijven. Ze zouden het fantastisch vinden. Er was een mooie, maar verwaarloosde tuin bij het huis. Alison was opgetogen. Weer een uitdaging voor haar groene vingers.

Hij stopte bij de scheepshelling en keek uit over zee. Het water klotste loom tegen de kaden. Hij dacht aan het huisje in het bos waar Elizabeth woonde. Het zou er 's nachts wel eenzaam zijn, vooral 's winters. Hij kende het nummer dat ze had gedraaid en de zangeres. Billie Holiday. Een van Alisons favorieten. Hij vroeg zich af of Elizabeth alleen was. Hij hoopte van niet. Ze was een aardige vrouw, vond hij. Ze verdiende wel wat liefde in haar leven. Hij draaide zich om en keek naar de huizen en flatgebouwen die langs de haven stonden. Al die mensen weerloos in hun slaap.

Er kwam wind uit het oosten die zijn haar door de war blies en hem plotseling deed rillen. Hij deed zijn ogen dicht en zijn mond open. Hij ademde diep de zuiverende zoute lucht in. Het was hier heerlijk vanavond. Zo fris en stil. Hij dacht eraan hoe het moest zijn om in een gevangeniscel opgesloten te zitten. Toen hij nog agent was, voor hij rechercheur was, liep hij vaker alle gevangenissen in en uit dan hij zich wenste te herinneren. Hij was nooit gewend geraakt aan de sloten, het lawaai, de deuren. Hoe zou een man als Daniël Beckett zich redden, vroeg hij zich af. Hij had gezien hoe de gerechtsbedienden hem na het proces mee hadden gevoerd. Op de een of andere manier was hij niet langer de sterke, knappe man die hij die avond in het huis was geweest. Zijn haar was ongekamd en onverzorgd, zijn kleren slobberden om zijn lichaam. De handboeien om zijn polsen veranderden en duidden hem. Hij was nu een gevangene. Zo simpel als wat.

Jack keek op zijn horloge. Het was bijna twee uur 's nachts. Het was een lange dag geweest. Hij draaide zich weer om naar de zee. Waar was Rachel Beckett nu, vroeg hij zich af. Daar ergens, nam hij aan, voorbij de Kishplaat. Er was weinig kans dat ze haar lichaam nog zouden vinden, na al die tijd. Ze was gek op de zee, had ze hem verteld. Misschien was het wel passend dat ze daar terechtgekomen was. Hij hoopte dat ze niet te veel geleden had. Maar er moest dat moment zijn geweest dat ze het zich realiseerde. Er was geen uitweg. Er was niemand om haar te redden.

Hij keerde het water de rug toe en begon weer te lopen, en ditmaal stopte hij niet voor hij thuis was. Het was stil en donker in de flat. Hij kleedde zich snel uit en stapte in bed, waar hij zijn armen om Alisons schouders legde en haar hoofd op zijn borst trok. Hij deed zijn ogen dicht. Hij sliep.

De wind kwam uit het oosten door de bomen die om het huisje van Elizabeth Hill stonden. Het rook naar hars en gras en de geur van de hop die aan de ranken hing te rijpen. Rachel trok haar benen onder zich op de bank, met een glas wijn in haar hand. Ze luisterde naar de muziek die uit de cd-speler kwam. En ze luisterde naar het telefoongesprek dat Elizabeth met de politieman uit Dublin voerde. Ze wachtte tot Elizabeth opgehangen had.

'Nou,' zei ze, 'vertel het maar.'

Ze herinnerde zich de allereerste keer dat ze de gevangenis zag. Het was door het gaas dat voor de ramen van de bus zat die haar al die jaren geleden van het Four Courts-gebouw naar de gevangenis bracht. Het was winter. Het was laat in de middag. Spitsuur in Dublin. Het was donker, of het had donker moeten zijn. Afgezien van de felwitte lichten overal, die op het asfalt schenen toen ze bij de poort stopten. De eerste poort. Erachter lag nog een poort, en dáárachter nog een, en ten slotte de deur van haar cel.

Ze wist hoe het de eerste keer zou zijn dat hij de gevangenis zag. Ook door het gaas voor de ramen van de bus, die hem van de rechtbank naar de gevangenis bracht. De ketting van zijn handboeien trok aan zijn polsen terwijl hij probeerde uit de buurt van de cipier en de andere gevangenen te komen die alle stoelen om hem heen bezetten. Het felle licht zou in zijn ogen schijnen, zodat hij met zijn ogen knipperde en ineenkromp wanneer hij op de luchtplaats stapte. Het lawaai van al die harde oppervlakken zou pijn doen aan zijn oren. Steen en baksteen. Tegel en metaal. En er zou een kaart in de gleuf aan de deur van zijn cel gestoken worden. Formulier P30 met zijn naam, zijn nummer, zijn godsdienst, dag van hechtenis en straf. Maar omdat hij levenslang had gekregen, geen ontslagdatum. Niets om naar uit te kijken. Tot het moment kwam dat zijn straf herzien werd. En uiteindelijk zouden ze misschien tegen hem zeggen: we denken dat het tijd is, Daniël. Het is tijd.

Wie zou er dan op hem wachten? Zijn kinderen zouden volwassen zijn. Ze zouden weinig van hem weten. En zijn vrouw? Ze glimlachte toen ze aan Ursula dacht, aan haar houding, haar stem, haar uiterlijk. Ursula zou verder trekken, echtscheiding en een financiële regeling aanvragen. Het was niets voor haar, de vernedering van het bezoek aan de gevangenis, de gêne van het aanbellen bij de enorme metalen deur, en het zitten wachten op banken in de smerige, overvolle wachtkamer, samen met de andere vrouwen en vriendinnen.

En hoe zou hij het redden in de gevangenis? Wat voor reserves moest hij aanboren om door de lange dagen en de nog langere nachten te komen? Opgesloten in een kleine volle cel, in de stank van de pis en poep van andere mannen. Het geschreeuw en gegil van de dromen en nachtmerries van de andere mannen. Terwijl hij zich afvroeg hoe het toch zo was gekomen dat hij hier zat. Zich afvroeg hoe ze het voor elkaar had gekregen.

Ze zou in de verleiding komen het hem te vertellen. Dat het lang geleden begonnen was, toen ze in de gevangenis zat en de foto's in een tijdschrift zag staan. Zijn huis en zijn vrouw. Ze had toen de tijd, alle tijd van de wereld, om te bedenken wat ze zou doen, en wie haar zou helpen. En toen had ze Judith ontmoet en was ze naar Judiths moeder gaan schrijven. En bleef met Judiths moeder schrijven toen ze uit de gevangenis kwam. En toen de dag kwam dat ze op de boot stapte, had ze alles meegenomen wat ze nodig had. Daniël had er een opmerking over gemaakt hoe zwaar haar tas was. Hij kon niet bevroeden wat erin zat. Een stel kleren, een stapeltje brieven en een grote envelop waar het grootste deel van het geld van haar moeder in zat. Ze had een gedeelte achtergelaten. Net genoeg om iedereen die naar haar op zoek ging in de war te brengen. En toen ze vervolgens bij Daniël vandaan liep, stopte er een kleine witte bestelwagen op de kustweg naast haar. Een bestelwagentje dat bestuurd werd door Elizabeth Hill. Ze stapte achterin en ging op een matras liggen, kleedde zich uit en trok een deken over zich heen. En nam de slaaptabletten in die Elizabeth haar gaf. En sliep. De hele tocht met de veerboot vanaf de North Wall. Sliep terwijl Elizabeth haar bebloede kleding pakte, met een mes scheuren in haar blouse maakte, ze vervolgens in een plastic zak stopte en ze overboord gooide toen ze ver genoeg buiten waren, voorbij de vuurtoren van Kish, waar geen stromingen waren die ze uit de koers van de visserboten konden brengen. Sliep het grootste deel van de weg terwijl Elizabeth van Holyhead naar Chester en daarna via de M6 en de M40 naar het zuiden reed, terwijl het bestelwagentje trilde en schudde van de luchtstroom van de vrachtwagens die hen voorbijraasden en de pijn in haar hand zich via haar onderarm naar boven verspreidde.

Het is niet ver meer, schreeuwde Elizabeth, terwijl ze een fles water en een boterham met kaas doorgaf toen ze over de M25 rond Londen reden. En sliep weer. Ze hoorde in haar dromen het geratel van het tuig en het harde geklapper van de zeilen terwijl ze bolden in de wind. Voelde hoe de bestelwagen vaart minderde toen ze de hoofdweg af gingen en zag al het groen om zich toen ze stopten en Elizabeth haar uit de auto tilde en het huis binnendroeg. Haar in bed stopte. Het verband verwijderde, dat bruin en plakkerig was van het opgedroogde bloed. Desinfecterend middel op de snee deed, zodat Rachel het uitschreeuwde van de pijn. Tegen haar zei dat het te laat was voor hechtingen, dat het uit zichzelf moest genezen. Dat het een litteken zou achterlaten. Een groot litteken.

'Het kan me niet schelen,' zei Rachel. 'Het was het waard. Het is mijn hand maar, niet mijn gezicht.'

Ze ondersteunde hem met haar andere hand terwijl Elizabeth haar vertelde dat ze hem iedere dag in een oplossing van duizendblad in warm water zou wassen. Zoals haar moeder altijd snijwonden had behandeld, zei Elizabeth. Zwoer erbij, zei dat het net zo goed was als de behandeling die een dokter je kon geven.

Ze verzorgde haar de paar weken erna, keek hoe de wond van binnen uit dichtgroeide en er een dikke rand nieuwe huid over de snede ontstond. Ze zat aan haar bed en zag hoe ze sliep, en wachtte tot ze klaar was om weer geconfronteerd te worden met de wereld. Vertelde haar toen wat er in de Ierse kranten op internet had gestaan. Een vrouw, Rachel Beckett genaamd, die een levenslange gevangenisstraf wegens moord had uitgediend, werd vermist. Men vreesde voor haar veiligheid. Een man was verhoord door de politie. En een paar dagen later nog meer nieuws dat de dochter van de vrouw ook vermist werd. Haar pleegouders waren over hun toeren. Ze hadden geen idee waar ze kon zijn.

En toen wist Rachel wat Daniël had gedaan. Hij was in haar val getrapt en zette er nu een uit voor haar. Met Amy als lokaas. En zij wist wat ze moest doen. Waar zou hij haar vasthouden? vroeg Elizabeth. Rachel wist het wel. Hij zou haar mee naar huis nemen. Net zoals hij Rachel mee naar huis had genomen. Daar voelde hij zich veilig. Daar had hij alles in de hand. Hij kon daar alles doen wat hij wilde, in zijn huis met de grote tuin, die tot aan de rand van het klif doorliep, en de hoge granieten muren en het smeedijzeren hek. Het huis dat Rachel op haar duimpje kende. De tuin die ze verkend had. Ze stak de sleutelbos omhoog. Ze rinkelden melodieus tegen elkaar.

'Kijk,' zei ze tegen Elizabeth. 'Kijk eens wat ik heb.'

Die nacht was bijzonder. De tuin was nog mooier dan ze zich herinnerde. Er was een halvemaan, een zilveren schijfje licht in de lucht. Ze kon de namen van de zeeën opnoemen. Mare Serenitatis, Mare Tranquillitatis, Mare Fecunditatis. Martin had ze haar gewezen, Martin had het haar verteld. Ze zat met haar rug tegen de enorme eik onder de boomhut van de kinderen en keek ernaar. Ze voelde zich kalm. Ze ging met haar vinger over het dikke litteken. Hij voelde nog steeds kwetsbaar aan, anders dan de rest van haar hand. Ze stak hem op in het maanlicht en keek ernaar. Precies wat ze nodig had.

Ze stond op en liep naar het huis. De lichten waren aan, de ramen stonden open. Ze deed de glazen deur naar de keuken open. Ze hoorde hem boven, hoorde Amy's hulpgeroep, en Daniël die terugschreeuwde. Ze lichtte de sleutel van de haak en stopte hem in haar zak. Toen liep ze weer naar buiten en deed de deur op slot. Alles was voorbereid, alles was klaar. Ze hadden de planken van de smeerput in de garage weggehaald. Ze had haar route door de tuin en haar schuilplaatsen gepland. De kinderen hadden ze haar laten zien. De kinderen waren haar bondgenoten geweest. Ze wachtte in de schaduwen tot ze hem in de keuken zag, toen stapte ze naar voren in het licht en stak haar hand op. Ze drukte hem tegen het glas. De ruit voelde koud aan, behalve op de plek waar het litteken zat. Daar was geen gevoel. Geen enkel gevoel. Hij liep op haar af. Ze stonden tegenover elkaar met alleen het glas tussen hen in. Ze haalde de doek uit haar zak. Ze veegde de handpalm en vingerafdrukken weg. Ze stapte achteruit het donker in. Ze hoorde hem brullen van woede. Ze hoorde hem met zijn vuisten op de deur beuken.

Wat leuk, zo'n achtervolging. Ze had met zijn kinderen verstoppertje en blindemannetje gespeeld, geblinddoekt en tastend haar weg door de tuin gevonden. Hij klonk zo groot en onhandig terwijl hij haar volgde. Ze hoorde hem hijgen terwijl hij rende. En zijn gebrul van woede toen hij in de smeerput viel, en zijn gekreun van pijn toen hij probeerde eruit te komen. En toen de laatste triomf toen ze hem terug het huis binnenleidde. Ze riep naar hem.

'Pak me dan als je kan, ik ben hier, ik wacht op je.'

Ze hoorde Amy's kreten weer. Ze wilde de deur naar de zolderkamer openmaken en haar bevrijden. Maar ze wist dat dat niet kon. Alleen de politie die buiten het hek stond, die het huis in de gaten hield, kon dat doen. Ze wist dat hij hen zou roepen. Hij dacht dat hij haar te pakken had. Maar hij realiseerde zich niet dat zij meer wist dan hij. Hij wist niet dat ze perfect geleerd had haar zenuwen in bedwang te houden, te wachten, het tot het eind toe vol te houden. Dat had ze allemaal van hem geleerd.

En toen hij het huis weer uit liep, toen hij het opgaf en naar het hek rende om de politie erin te laten, rende zij ook. Terug over het pad over het klif en over het strand naar het parkeerterrein bij het DART-station waar Elizabeth zat te wachten.

Nu huilde ze terwijl ze weer ineengedoken op het matras lag. Ze dacht aan haar dochter en hoe ze had geleden. 'Vergeef me,' zei ze hardop. 'Vergeef me, alsjeblieft. Ik moest het doen. Het was de enige manier. En nu heb ik je losgelaten. Om je eigen leven te leiden. Het is voor jou ook gemakkelijker te denken dat ik dood ben. Dus alsjeblieft, mijn liefste, denk met liefde aan me terwijl jij ook ouder wordt, terwijl jij ook fouten maakt, terwijl je je realiseert hoe gemakkelijk het is om een uitglijder te maken.'

Ze gingen terug naar Engeland zoals ze gekomen waren. Ze kon niet verder in de toekomst kijken. Nog niet. Ze voelde zich als Clare Bowen. Hulpeloos en verloren. Ze had Clares overlijdensadvertentie in de krant gelezen. Vredig, stond er. Diep betreurd door haar liefhebbende man, Andrew. Ze was blij voor Clare dat het voorbij was. En ze was haar dankbaar. Ze had Clare ook verteld wat ze aan het doen was. En Clare had het haar beloofd. Ze zou zeggen wat er gezegd moest worden, op het juiste moment.

Nu lag ze iedere nacht naast Elizabeth en luisterde naar haar rustige ademhaling. Van tijd tot tijd slaakte ze een kreetje in haar slaap, zoals Judith, haar dochter, ooit had gedaan. En Rachel draaide zich naar haar om en hield haar tegen zich aan, en dacht niet langer aan wraak en vergelding, maar alleen aan liefde en vergeving. Misschien zou Amy op een dag vriendelijk over haar spreken. Haar eigen kinderen haar foto laten zien en zeggen: 'Zij was jullie grootmoeder. Ze is er niet meer. Maar ik zal haar nooit vergeten. En dat moeten jullie ook niet doen.'

En ze glimlachte terwijl ze haar ogen sloot en eindelijk overmand werd door slaap.